afgeschreven

D0833827

De demonen

Vrijheid of duisternis

Tobias O. Meissner

DE DEMONEN

Vrijheid of duisternis

WB*Fantasy

Vertaald uit het Duits door Eisso Post

Omslagontwerp Bureau Beck
Omslagillustratie Marco Lap

Oorspronkelijke titel *Die Dämonen – Freiheit oder Finsternis*

Spuistraat 283 · 1012 VR Amsterdam

www.wbfantasy.nl

ISBN 978 90 284 2476 0

Of Orison,
de demonenkoning,
had dit alles van het begin af aan
in zijn grote plan zo voorbestemd,
had de onrust, de ontsnapping van de twee demonen,
de oorlog
en de aangroei van zielen versneld
en verwelkomd.

En hoefde nu alleen maar te wachten
totdat de met een nieuwe
en ongekende macht
verrijkte vrijheid en heerschappij
van alle demonen
in een niet al te verre toekomst
eindelijk werkelijkheid zouden worden.

Slotzin uit *De demonen*

Het in negenen gedeelde land Orison

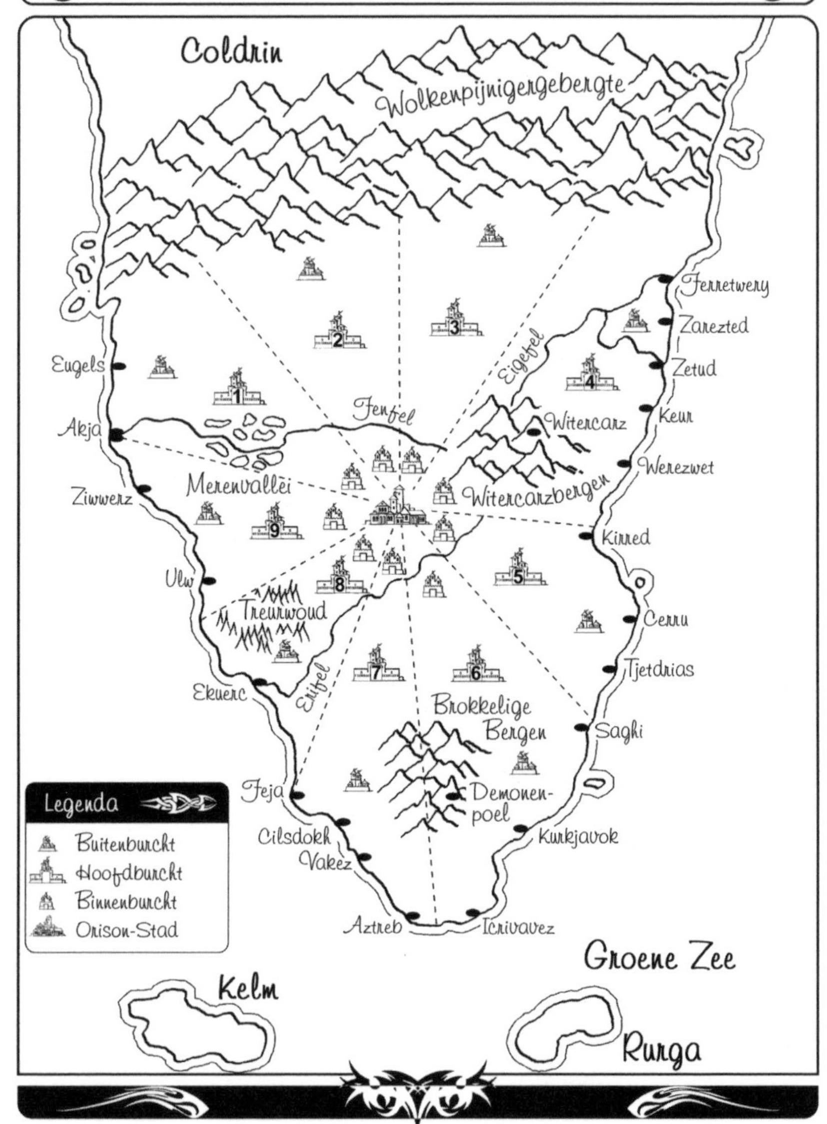

1

Nog negenenveertig tot het einde

De hemel, grijs in grijs, spuwde zachte regen over het land. Wolken joegen van zuid naar noord, in elkaar stuivend, verscheurend en voortgedreven.

De kleine kapel die in de buurt van de Demonenpoel was verrezen voor pelgrims om er te bidden en schenkingen te doen, dook glanzend weg onder de schaduw van de aanstormende elementen.

Met opgeslagen jaskraag, waar het water vanaf droop, bond Dirgin Kresterfell zijn koppige muildier aan een gebarsten zuil en rilde onbehaaglijk. De anders scherpe contouren van de Brokkelige Bergen waren nu alleen als vale spoken te zien. Deze regen wiste alles uit. Het hele jaargetijde, een natte, winderige herfst, zonk weg in het moeras.

Toen Dirgin Kresterfell zijn gerimpelde, grijs gestoppelde gezicht naar de Poel keerde – die van hieruit slecht te zien was en alleen maar vermoed kon worden als kuilvormige onderbreking in het landschap – kon hij ondanks de regen en de razende storm de typische rotte-eierengeur ruiken die kenmerkend was voor de akelige afgrond. Onrustig trok het muildier aan zijn rafelige teugel. Geen levend wezen waagde zich graag bij de Poel, maar Dirgin Kresterfell had een eed gezworen en hij was van plan die na te komen, weer of geen weer.

Viermaal per jaar kwam hij hier, op pelgrimstocht zoals hij het noemde, om offerandes te brengen, een brood, een kom verf en oude kinderkleren van zijn dochter Lehenna, die eenentwintig jaar geleden in de verschrikkelijke oorlog tussen het Zesde en Vijfde Baronaat gespaard was gebleven, die had mogen overleven dankzij de genade van de enige waarlijk overlevende god.

Wat was dat een waanzin geweest!

Barones Meridienn den Dauren was plotseling gek geworden, had haar baronaat omgedoopt tot Irathindurië en was een oorlog begonnen tegen de rest van het land Orison. Lehenna Kresterfell had zich destijds vrijwillig onder de wapens gemeld, meegesleept door de opzwepende woorden van de mooie barones, nog vóór die in een karikatuur van een mens begon te veranderen. Zestien jaar jong was Lehenna toen pas geweest, en toch had het leger haar ingelijfd, om een, zoals dat toen heette, 'zusterbrand te doen ontvlammen waarvan de rook nog jaren te proeven zal zijn'. Dirgin Kresterfell had gedaan wat een vader maar kon om zijn dochter voor dat waanidee te behoeden. Hij had tegen haar geschreeuwd, haar geslagen en haar ten slotte zelfs in de kelder opgesloten. Maar de invloed van de barones, die zichzelf eerst tot een soort onwettige koningin had gekroond en zich later in mateloze verblinding zelfs godin noemde, was te groot geweest. Verstandige mensen veranderden door haar ophitsende woorden in beesten. Broers en zusters stonden tegen elkaar op en gingen elkaar te lijf. Dat jaar had Dirgin Kresterfell veel vrienden en vertrouwelingen verloren, en zijn dochter, dat zachtmoedige kind, was de kelder uit gekropen als een rat of een worm en was met het leger noordwaarts getrokken, richting Witercarz, naar al het bloed en al het leed. En daar werden de gebeden van een verlaten en helemaal kapotte vader eindelijk verhoord: in het strijdgewoel werd Lehenna door een ravitailleringsveewagen van haar eigen leger overreden en bleef ze met twee verbrijzelde benen in het lazaret liggen tot het hele gedonder voorbij was. Het leger trok nog verder, tot de noordelijke baronaten, waar de veldtocht vervolgens uiteenviel omdat Meridienn den Dauren en de rechtmatige koning allang op elkaar te pletter waren gelopen en niemand meer wist wie of wat of waarom. Onder de nieuwe koningin Lae I trokken de baronaten zich terug binnen hun oorspronkelijke grenzen, het land kwam tot rust, wat gesmolten was stolde weer, de wapens werden weer tot werktuigen omgesmeed, de doden werden begraven, de wonden verzorgd. De nachtmerries bleven. Nu nog werd Dirgin Kresterfell 's nachts soms kreunend wakker en zag hij zijn enige dochter met tot bloedig stof vermorzelde benen in het vuur van een brandschatting kruipen. Ze was nu allang getrouwd met een fatsoenlijke man, had twee kinderen op de wereld gezet en leefde ver van haar geboortedorp in de hoofdstad van het land, maar Dirgin Kresterfell kwam nog altijd viermaal per jaar hierheen naar deze kapel om een dankgebed te zeggen en tot de enige waarlijk overlevende god te bidden dat de waanzin niet opnieuw zou oplaaien om kinderen aan hun ouders te ontrukken.

Vanouds was de Demonenpoel in de Brokkelige Bergen een afgelegen deel van het Zesde Baronaat. Destijds, eenentwintig jaar geleden, hadden er diverse geruchten de ronde gedaan dat barones Den Dauren een heks of zelfs een demon was geweest, met een gouden huid en de borst van een man. Anderen beweerden dat de koning zelf zich ook in een demon had veranderd, in een reus met zes armen en drie benen, om tegen de demon Den Dauren op te kunnen. En toch waren alle geschiedschrijvers het erover eens dat deze oorlog tussen verzonnen landen met namen als Irathindurië en Helingerdia een oorlog tussen mensen was geweest, waarin de demonen die op de bodem van de Poel ronddraaiden zich rustig hadden gehouden en hoogstens vol leedvermaak hadden gefluisterd. Een oorlog tussen mensen, die de mensen van hun menselijkheid had beroofd. Een oorlog van ideeën die niets met opbouw en schoonheid te maken hadden gehad, maar uitsluitend met verwoesting, willekeur en hebzucht.

Dirgin Kresterfell was schilder. Voor de oorlog had hij huizen geschilderd om ze voor verwering te behoeden; daarna had hij vaak geprobeerd het woeden van de oorlog op het doek af te beelden. Telkens weer was de op hol geslagen ravitailleringsveewagen van het eigen leger in de schilderijen opgedoken als symbool van misleide inspanningen. Van alles onder zich begravende zelfzucht. Van koud berekenende jaloezie, die in het aangezicht van de vlammen fel begon te branden.

Eenentwintig jaar was dat nu geleden. Dirgin Kresterfell kon de angst en de hulpeloosheid van die maanden nog altijd in zijn botten voelen, alsof het allemaal nog maar een paar dagen geleden was.

Sindsdien waren veel dingen beter geworden. De coördinator voor kerkelijke aangelegenheden had nieuwe gebedshuizen laten bouwen ter ere van de enige waarlijk overlevende god. De coördinator van de kennis had opdracht gegeven tot schilderijen die een waarschuwing moesten vormen tegen herhaling van de voorbije oorlog. De coördinator van de burchten had middelen ter beschikking gesteld om bij de wederopbouw van het Vijfde Baronaat niet zuinig te hoeven zijn met gevelverf, zodat Dirgin Kresterfell in twee baronaten tegelijk regelmatig opdrachten kreeg en een welgesteld man kon worden. Een wijze genaamd Serach den Saghi was ondanks zijn hoge leeftijd bij de eerste vrije verkiezingen sinds mensenheugenis tot nieuwe baron van het Zesde Baronaat gekozen, als opvolger van de barones met de mannenborst, en hoewel Serach inmiddels te oud was om nog zonder hulp te kunnen lopen, regeerde hij dit baronaat met wijsheid en mildheid. Baron Serach had er zelfs aan gedacht een paar jaar geleden de tovercirkel te laten herstellen die de Demonenpoel omgaf en de daarin gevangen demonen verhinderde uit te breken. Onder barones Den Dauren was deze tovercirkel namelijk vervallen, omdat hij geminacht werd als nutteloos overblijfsel van oud bijgeloof. In sommige nachten was Dirgin Kresterfell er volstrekt niet zeker van of het krijgsgebeuren van destijds er toch niet mee te maken had gehad dat de demonen ongehinderd toegang hadden gehad tot de mensenwereld. Want wat waren demonen anders dan dat deel van de menselijke ziel dat broer tegen zuster opzet en dochter tegen vader? En waar kwam dat deel van de menselijke ziel vandaan – anders dan uit de Demonenpoel?

Binnen in de kapel, waar het dankzij de pas een paar jaar geleden vervangen ramen stil was, pakte Dirgin Kresterfell zorgvuldig zijn in waterdicht wasdoek gehulde offergaven uit. Eenentwintig stuks, voor de eenentwintig jaar leven die zijn dochter sinds de verschrikkelijke oorlog waren gegeven. Een vers gebakken moutbrood. Een ondiepe kroes met de verf die hij het laatst bij zijn werk had gebruikt, ditmaal een zeer licht geel dat in de verte aan eierschalen deed denken. En een klein sokje dat Lehenna als zuigeling had gedragen. Met de kinderkleren was het een eigenaardige zaak, waarvoor Lehenna ook nu nog weinig begrip toonde. Maar op een of andere manier moest Dirgin Kresterfell de enige waarlijk overlevende god toch laten zien dat haar leven werkelijk verderging, en hem danken door hem eraan te laten deelhebben.

En waarom uitgerekend deze kapel? Dat vroeg zijn vrouw hem elke keer weer als hij het muildier bepakte en vertrok voor de vermoeiende driedaagse reis. Waarom niet een van de nieuw verrezen kerken in het dorp of in de nabijgelegen Buitenburcht?

Juist omdat deze kapel niet dichtbij lag. Hij vormde de verst vooruitgeschoven voorpost van de mensheid naar de demonen. Hij was een nietig, uit de verte onaanzienlijk lijkend symbool, dat op Dirgin Kresterfell als jongen echter al grote indruk had gemaakt. Want even nietig en onaanzienlijk als deze kapel waren hem eenentwintig jaar geleden zijn geloof en zijn hoop voorgekomen in het gezicht van de woedende wereldbrand. En toch waren het geloof en de hoop, met gods hulp, tegenover de waanzin overeind gebleven.

Hij ontstak twee lichtjes, een voor zichzelf en een voor Lehenna, en hief een oeroud lied aan: 'Laet ons toch in deemoedt zyn, in 't licht van godes milde schyn, laet ons toch gedencken de schrick en de geschencken.' Buiten rammelde de wind aan de spanen van het kleine dak, maar Dirgin Kresterfell liet zich niet van de wijs brengen. Bijna twee dagen had hij moeten lopen; nu wilde hij ook twee uur de tijd nemen om terug te blikken op de afgelopen maanden en wat ze hem en zijn dochter hadden gebracht.

Een vreemd scheurend geluid onderbrak zijn herinneringen. Eerst wilde Dirgin Kresterfell zich helemaal niet in zijn overpeinzingen laten storen, maar toen viel hem de gedachte aan zijn muildier in, het rafelige en versleten tuig, de storm en de regen. Mocht het dier zich in paniek door de onmiddellijke nabijheid van de Poel hebben losgerukt, dan stond Dirgin Kresterfell een vermoeiende terugweg te wachten, zonder water, voorraden en gezelschap, in dit afschuwelijke weer. Maar als hij zich haastte kon hij het dier vast nog wel vangen, want zonder menselijke leiding bleef het het liefst na een paar stappen wilde galop altijd weer snel staan om radeloos om zich heen te kijken.

Hij bad de enige waarlijk overlevende god om vergeving, schoot zijn jas aan, die hij hier binnen uit had gedaan, en stapte door de smalle deur naar buiten.

Het muildier stond nog altijd aan de zuil gebonden en de teugels hielden het, hoewel het dier onrustig was, zijn kop heen en weer wierp en nerveus met zijn ogen draaide. Waarschijnlijk zou het al snel beginnen te donderen en te bliksemen, en bij zulk onweer was elk dier moeilijk rustig te houden.

Maar als de teugels nog altijd heel waren, wat was dat dan voor een geluid geweest?

Dirgin Kresterfell kneep zijn ogen tot spleetjes tegen de aanstormende regen en keek om zich heen. Toen zag hij het. Het toverkoord dat de Demonenpoel helemaal omringde, als een met spreuken en vloeken behangen schutting, was gescheurd en lag in de richting van de kapel slap tussen twee palen op de grond. Gescheurd onder invloed van de wind? Misschien versleten door de regen die al dagenlang alles en iedereen in de poriën kroop? Dat leek Dirgin Kresterfell tamelijk onwaarschijnlijk; tenslotte werd het koord nu onder baron Serachs toeziend oog om het jaar vernieuwd. En waarom was het uitgerekend in de richting van de kapel gescheurd? Omdat de wind daar het eigenaardigst brak? Of was dit een teken van god, een directe reactie op zijn, Dirgin Kresterfells, offers en lofzang? Het was bekend dat iemand een glas kapot kon zingen - maar een koord?

In elk geval hoefde Dirgin Kresterfell niet lang na te denken over wat er moest gebeuren. God gaf hem eens te meer de gelegenheid een de mensen welgevallig werk te doen. Hij was als enige ter plaatse toen het toverkoord scheurde. Dus zou hij het zo goed mogelijk oplappen en daarna de Buitenburcht inlichten, zodat het koord duurzaam hersteld kon worden.

De slechts honderd passen tot het koord en de Poel bleken moeizaam te gaan. De wind leek hier voortdurend van richting te veranderen, zodat de regen Dirgin Kresterfell het ene moment in het gezicht sloeg en het volgende van achteren in zijn nek liep. Het voelde alsof er iemand aan hem trok, om hem van een rechte en rechtschapen weg af te houden. De geur van rotte eieren werd sterker, hoewel bij dit weer alles eigenlijk alleen maar naar regen en natheid had moeten ruiken. In de bergen op de achtergrond meende Dirgin Kresterfell een geiser te zien opstijgen en weer inzakken. Spookverschijnselen. Het land als drogbeeld in het kolkende grijs van het veelvoudig gebroken hemellicht.

Hij bereikte het gebroken koord. Van hieraf waren het nog maar een paar stappen, tien of elf, tot aan de rand van de afgrond. Hij meende al het rumoer van de zielenmaalstroom te horen die daar onophoudelijk in de diepte draaide. Nog maar tweemaal in zijn leven had Dirgin Kresterfell daar omlaag durven kijken. Eenmaal als jongen aan de hand van zijn moeder, toen hij nog niet had geleerd bang te zijn, en de tweede keer na de oorlog, toen hij hierheen was gekomen om een offer te brengen. Toen had hij bijna triomfantelijk standgehouden bij zijn onderzoekende blik in de afgrond. Ook het mensengeslacht had immers aan de afgrond gestaan en het overleefd. Het was door het donkerste uur gegaan, en de goddeloosheid en afgodendienst vormden nog slechts een herinnering.

Nu, bij het razende woeden van de wind, was Dirgin Kresterfell plotseling bang voor de afgrond. Hij kon de diepte niet zien, maar stelde zich voor dat die bij dit weer meer in beroering moest zijn dan anders. Een rusteloos spiegelbeeld van de wolkenjacht. Ook was het koord gescheurd en lag er nu geen bescherming meer tussen hem en de Poel, en hoewel hij al tweemaal in zijn leven het koord was overgestoken om direct bij de afgrond te gaan staan, kwam zijn toestand hem nu ongewoon verontrustend en zelfs ronduit duizelingwekkend voor. Misschien was ook zijn gemoedstoestand op dit moment alleen een rusteloos spiegelbeeld van de wolkenjacht.

Hij pakte de twee gescheurde stukken koord op.

Ze waren niet gescheurd.

Ze waren doorgehakt, met een niet heel scherpe kling.

Maar hier was toch niemand? Zo ver zijn oog reikte, kon Dirgin Kresterfell niets anders ontwaren dan rotsen, regen, wolkenslierten en de afgrijzenwekkende kuil.

En toen stond plotseling dat ding naast hem.

Het was naakt, bedekt met een roodachtig glanzende vacht, had de lichaamsbouw van een slanke, rijzige man en de kop van een hond met flaporen, en het stond rechtop op twee benen, zodat het ruim een el boven Dirgin Kresterfell uitstak. Het leek te grijnzen. Zijn glimlach, waarin speeksel en regen zich vermengden, toonde veel tanden.

'Pardon, beste man,' zei het dier, 'hebt u misschien een ziel over voor een arme zwerver?'

Dirgin Kresterfell kon er niets aan doen: hij deed het volop in zijn broek. Van schrik rezen de haren hem te berge. Wijdbeens begon hij te rennen, hijgende geluiden uitstotend, de wiebelende kapel en het nu razende muildier tegemoet.

Rond het rode dier begon de kraterrand te borrelen. Honderden, duizenden armen, klauwen, voelsprieten, tentakels, tangen, insectenpoten, zwemvliezen, klompen gelei, tasthaartjes, zuignapvingers, ogen op steeltjes, poten, klauwen, vliesvleugels en haakhanden tastten zich over de rand een weg omhoog.

De hondachtige demon zette zijn handen in zijn zij en lachte achterovergebogen uit volle borst. Naast hem werkte zich moeizaam een donker wezen omhoog, dat gepantserd was als een kever, maar drie uit vet bestaande mannengezichten had. 'Waarom ben je alweer voorgedrongen, Orogontorogon?' zei de kever, die nog boven de hondachtige uitstak. 'Orison heeft mij de leiding van onze veldtocht opgedragen!'

'Blaas je niet zo op, Culcah,' antwoordde Orogontorogon zonder veel respect. 'Heb je nog maar kortgeleden de weg naar de demonenraad gevonden en moet je nu al dik doen, alleen omdat je beter kunt slijmen dan ik?'

Culcah bleef rustig. 'Doe wat je niet laten kunt. Maar Orison heeft gelijk. Gouwl en Irathindur zijn hier buiten gestorven. De mensen moeten dus in staat zijn een demon van het leven te beroven. Als we gewoon maar halsoverkop de wereld in stormen, wordt dat onze ondergang.'

De manier waarop de drie gezichten van Culcah elkaar afwisselden terwijl hij sprak beviel Orogontorogon niet. Hij schudde zich in de regen. De ontsnapping van alle demonen zorgde ondertussen aan de rand van de poel voor een luid spektakel. 'Die daar,' zei hij, terwijl hij zijn lippen straktrok en op de rennende Dirgin Kresterfell wees, 'is van mij. Ik heb hem het eerst gezien.'

'Grijp hem dan, jachthond van de oorlog! Anders lukt het hem nog de mensen te waarschuwen voor onze komst.'

Orogontorogon lachte weer, liet zich op alle vier zijn poten vallen en zette het op een lopen. Achter hem leek de poel nu te exploderen. Als een vulkaan spuwde hij duizenden heel uiteenlopende levende wezens uit, waarvan de kleinste niet groter waren dan mieren en de grootste zo groot als vijf mensen op elkaar.

Dirgin Kresterfell rende zo hard als zijn oud geworden ledematen konden. Voor de rode hondendemon hem bereikte, maakte hij zich zorgen dat hij zo gevonden zou worden: met een volle broek, onwaardig bezoedeld. Maar die zorgen waren volkomen ongegrond. Orogontorogon en de anderen na hem lieten niets van Dirgin Kresterfell over. En al evenmin van het muildier. En maar weinig van de kapel.

Culcah had er zijn handen vol aan om iets van orde te scheppen in de massale uitbraak.

Daarbij hadden de mensen zelfs nog geluk.

Tweehonderdnegenenveertig demonen konden niet tegen de regen en crepeerden meteen in de buurt van de poel.

Maar de overige 121.881 verzamelden zich eerst en zwermden vervolgens uit om de wereld aan Orison te onderwerpen.

2

Nog achtenveertig tot het einde

De Hoofdburcht van het Zesde Baronaat lag blauw en rank onder de nachtelijke wolkentent. Slechts een paar gebouwen waren nog verlicht. De taveernen natuurlijk, de stallen, het tuighuis waarin de rentmeesters aan het rekenen waren – maar ook boven in de toren van de baron flakkerde nog kaarslicht door de venstergaten die half openstonden in de koele herfststorm.

Baron Serach den Saghi was hoogstwaarschijnlijk de oudste mens van Orison. Onder normale omstandigheden had de dood hem waarschijnlijk al minstens tien jaar geleden gehaald, maar hij was nu baron en kon daarom over de beste lijfartsen van zijn baronaat beschikken.

Al toen hij door de straten van Kurkjavok dwaalde en in het heuvelachtige gebied van de oude stad lezingen hield voor de eenvoudige mensen, waarin hij de misstanden in het land aan de kaak stelde, was Serach een grijsaard geweest. Maar wat was die destijds een jeugdige dwaas geweest! Wat had hij zich deerlijk vergist in veel wezenlijke zaken!

Hij had de mensen verteld dat de koning nog een kind was, en daarin had hij ongelijk gehad. De jonge koning had zich in de oorlog bewezen als een bedachtzame en bezonnen aanvoerder, voor hij onder onopgehelderde omstandigheden in de vlammenzee van het Treurwoud om het leven kwam. Het volk wist nu nog steeds niet wat er destijds echt was gebeurd, maar koningin Lae had op het eiland Kelm met eigen ogen gezien dat de kroon van Tenmac III zich in de handen van een afgrijselijke demon had bevonden, die gelukkig door een eenvoudige soldaat van het Irathindurische leger kon worden verslagen. Pas later had de nieuwe koningin haar baronnen over deze gebeurtenissen ingelicht. Maar aan de onkreukbaarheid van Tenmac III ten tijde van de noodtoestand bestond nu geen twijfel meer.

Serach had, als driftige grijsaard op de pleinen van de havenstad prekend, de mensen verteld dat alle koningen en baronnen en zelfs barones Den Dauren niet beter of slimmer waren dan welke eenvoudige arbeider ook, en hij was niet ver genoeg gegaan in zijn kritiek. Barones Den Dauren was veel slechter gebleken dan wie ook. Ze was een oorlog begonnen, had zich in een heuse demon veranderd en geprobeerd het land Orison een nieuwe naam op te dringen – allemaal in het kader van haar ijdelheid en eerzucht. Een van de andere baronnen had zich laten aansteken en was eveneens grootheidswaanzinnig geworden. De overige landsvorsten werden gewoon omvergeblazen en bleken minder waard dan welke gewone arbeider ook.

Serach had gepreekt dat het het lot van machtige, uitgestrekte koninkrijken was om op een dag ineen te storten en aan de vergetelheid te worden prijsgegeven, en daarin had hij zich vergist; want Orison bestond nog altijd, overleefde alle baronnen en baronessen, en zelfs het nu uitgestorven geslacht van de Tenmacs, en bewaarde de herinnering aan mensdemonen en kinderkoningen in geschriften en schilderijen.

Serach had gepreekt dat bepaalde fundamentele wetten van de menselijke natuur verhinderden dat de mens blijvend vredelievend en gelukkig was, en daar had hij zich in vergist, want de mens op zich wilde in rust en vrede leven. De eenentwintig jaar van verzoening en rust die sinds de oorlog waren verlopen bewezen dat.

Serach had de legende van de Demonenpoel geschetst, waarin de boze geesten gevangenzaten in eeuwige pijn, geketend door het weinige dat goed is in de harten der mensen, gebonden door liefde en onbaatzuchtigheid, door gevoel voor schoonheid en mededogen – en daar had hij zich in vergist. Want de bewoners van de Demonenpoel werden niet door de goedheid van de mensen in toom gehouden. Als dat zo was, hadden tijdens de oorlog alle demonen onder hoongelach de vrijheid tegemoet moeten springen, want goedheid was volkomen afwezig geweest in dat smerige jaar.

Serach had ervoor gewaarschuwd dat de muren van de Demonenpoel dun en breekbaar waren geworden, omdat de mensen doof werden voor het goede in henzelf, en opnieuw had hij de stenen poel met de benen afgrond in de mensen verward, en het een had met het ander niets te maken. De mens was zichzelf een demon en de demon was misschien alleen maar een sprookje.

Serach had een vergelijking getrokken tussen een demon en iedereen die zijn kind, zijn vrouw of zijn drinkmakker sloeg, en dat had hij verkeerd ingeschat, want een demon als barones Den Dauren sloeg niet slechts één kind, één partner en één kameraad, maar alle kinderen, vrouwen en vrienden tegelijk, en ging daarmee door tot ze dood waren.

Serach had ook gepraat over de zee en de wolken, en dat de wolken de zee met hun tranen voedden, en de zee de wolken met zijn voortdurend heftige ademhaling; en hij had destijds gemeend in zijn verklaringen van de wereld geen god nodig te hebben, en daar had hij zich in vergist. Want zonder een sturende geest zou alles toch willekeur en chaos zijn. Dat wist hij nu, dat had de oorlog hem geleerd. De wolken waren gods ademhaling en de zee was een spiegel van zijn oneindige gezicht. Tot die nieuwe overtuiging was Serach eenentwintig jaar geleden gekomen, toen de mensdemonen elkaar allemaal uitroeiden op het eiland Kelm in het zuiden van de Groene Zee, en de mensen die oorlog hadden gevoerd zich weer bij hun gezinnen voegden, moe en verward, maar vol verlangen om het dagelijkse werk van het eenvoudige en rechtvaardige leven op te nemen dat ze in de bloedige roes achteloos hadden gestaakt.

Serach had gesproken van de aanwezigheid van de zon, die elk levend wezen nodig had om zich te kunnen warmen en voeden, en van de afwezigheid van de zon, die ook belangrijk was, zodat het leven kon afkoelen en rust kon vinden, en opnieuw had hij niet begrepen dat deze wisseling van temperamenten, deze zinvolheid, een stuurman nodig had, en dat gods raadsbesluit in alles aanwezig was wat zich licht of schaduw noemde.

Bovenal had Serach de mensen echter gepreekt dat iedereen, of hij nu als koning, baron, boer of knecht was geboren, de teugels van zijn eigen lot in handen had en alles kon worden wat hij verkoos: koning, baron, boer of zelfs maar knecht. En zelden tevoren in de geschiedenis van de mensheid had een redenaar meer onzin verkocht. Want de eenling was niets binnen de werking der krachten, nog minder dan een druppel in de woelige zee. De oorlog had bewezen dat niemand iets anders kon worden dan knecht, en had weerlegd dat er teugels waren die zelfs maar in de hand konden worden genomen.

De oorlog had Serach mens-zijn en nederigheid geleerd.

En toen vervolgens uitgerekend hij, de grote tegenwerker, twijfelaar, vermaner en dwarsligger, uitgerekend hij door de mensen tot nieuwe baron werd verkozen, verbaasde hij zich niet meer. Want natuurlijk wilde wat er nog van het volk over was precies het tegenovergestelde van wat er voordien had geheerst. En een groter contrast dan tussen de oude Serach en de mooie en verschrikkelijke barones Meridienn den Dauren was er niet te vinden.

Nu strompelde hij rond in de kamers die ooit door de barones waren bewoond en die waren verpest met haar woede tegen al wat leefde. Steunend op twee op maat gemaakte krukken tilde Serach zijn oude, uitgemergelde lichaam van de ene ruimte naar de andere. De trappen tussen de verdiepingen waren afgevlakt tot hellende banen. Opdat de baron langere afstanden als bijvoorbeeld naar de raadzaal kon afleggen, stonden er dag en nacht dragers klaar om hem in een van draagstangen voorziene oorfauteuil naar het gewenste doel te brengen. Maar Serach liep als hij 's nachts niet kon slapen graag op eigen kracht over de bovenverdiepingen. Het geschraap van de krukken op de zachte tapijten gaf zijn leven een ritme en herinnerde hem aan het voortbewegen van de wereld in de tijd. De tijd stond nooit stil. De wereld evenmin. Zelfs als een mens sliep, bewoog hij zich voort door de tijd.

Serach wist nu dat onder een dun laagje fatsoen in elk mens een demonenpoel gaapte. Die wetenschap hield hem 's nachts vaak wakker. Als zijn troebel geworden ogen het hem toestonden, werkte hij aan een traktaat over de oneindigheid van het Zijn, de overwinning van het zelf, het verkrijgen van nieuwe perspectieven bij het beschouwen van jaargetijden en diergedrag. Een gewone dikke hofkat kon hem meer leren over wat er noodzakelijk was in het leven dan het diepzinnigste boek. Wat was er, behalve eten, slapen en godsvertrouwen, nog echt van belang? Verzonnen de mensen niet telkens weer alleen maar voorwendsels om zich van de dieren te onderscheiden? En verwijderden ze zich daardoor niet voortdurend van de wereld en zijn eeuwige wetten, om ontvankelijk te worden voor de verleidingen van de demonen in hun innerlijk?

Lag de dwaalweg van de mensen dus niet daarin dat ze geen dieren meer waren?

Maar was niet anderzijds aan de mensen, juist omdat ze geen dieren meer waren, een bijzondere rol toebedacht in gods ondoorgrondelijke plan?

Baron Serach den Saghi wist het niet. Hij peinsde wat af. Zijn krukken stansten doffe afdrukken in de tapijten en trokken vervolgens zijn grijze lichaam mee. Honderd jaar. Bijna honderd jaar oud was hij nu al.

Er fladderde een schaduw voor de ramen, nauwelijks waarneembaar voor het zwaarbewolkte donker van deze herfst. En toch: groter, veel groter dan een vleermuis.

Vanaf de binnenplaats weerklonk geroep, gevolgd door iets hogers, als kattengejammer. Geschreeuw? Geschreeuw van vrouwen of kinderen?

Serach probeerde zich zo snel mogelijk naar een van de vensteropeningen te slepen, maar toch ging dat maar langzaam; zijn oude armen lieten hem bijna in de steek. Zijn laatste gedachte woei achter hem aan als een gescheurde vlag. *Maar was niet anderzijds aan de mensen, juist omdat ze geen dieren meer waren...*

Met een van inspanning vertrokken gezicht bereikte de baron het venster. Hij tilde met zijn linkerkruk het houten luik omhoog, terwijl hij met zijn volle gewicht op de rechterkruk leunde, en staarde naar buiten de nachthemel in. Regen sloeg hem tegemoet, en hij rook de vertrouwde geur van rook en paarden. Er was niets te zien.

Toen: weer een schaduw. En nog een. En een derde. Het was alsof de wolken met uit wolkenstof geknede draken gooiden, maar het waren geen draken, dat was niet mogelijk. Er waren geen draken meer in Orison sinds het tijdperk dat alles nog magisch was. Maar er cirkelde iets rond de toren. Iets groots.

Nu weer geroep en geschreeuw van beneden. Paardentuig knapte. Twee paarden rukten zich los uit de stal en galoppeerden lichtelijk zijwaarts over de binnenplaats.

De vlag. De baronaatsvlag die op de tegenoverliggende toren in de nachtwind wapperde. Iets had hem in stukken gescheurd. Baron Serach voelde een ijskoude hand langs zijn ruggengraat omhoogkruipen. Het zou de dood kunnen zijn, maar misschien ook alleen maar angst.

Achter in de schrijfzaal bewoog iets. Een van de wachtposten meldde zich. Hij was zo buiten adem, doordat hij de hellingen op was gestormd, dat zijn woorden klonken als een luchtstroom. 'Baron! Baron!' riep hij ten overvloede. 'We worden aangevallen! Er komt iets over de muren heen! Het zijn dieren of... of... misvormde mensen?'

'Wat?' Baron Serach was allesbehalve traag van begrip, maar zijn geest kon niet bevatten wat er werd gezegd. Nog altijd zat al zijn denken verward in zijn traktaat, in de rusteloze filosofieën van zijn slapeloosheid.

Hij keek weer naar buiten. De slotmuren kwamen niet ver boven de binnenplaats uit; zijn oude troebele ogen werden niet volledig belemmerd.

Nu zag hij het ook. Er borrelde iets over de kantelen. Een wachtsoldaat, een enkele maar, wierp zich op de borrelende massa en verdween in een roodachtig glanzende regenbui. Meer en meer kreten weerklonken er nu, van overal in de burcht.

Baron Sirach wilde zich net van het venster afwenden naar de zich meldende wacht, toen er iets vets en leerachtigs uit de wolken omlaagschoot en voor hem tegen de smalle vensteropening aan sloeg. Een arm of tentakel schoot even naar binnen, verscheurde het gewaad van de baron, vergruizelde het vensterluik en gooide een olielamp om, die walmend over een lessenaar in brand vloog. De baron wankelde onder de aanval; het wezen trok zich jammerend in de storm terug. Alleen dankzij de brandende lessenaar kon de baron een val voorkomen. De wachtsoldaat rende dwars door de zaal met getrokken sabel op hem af. Van beneden waren de vertrouwde stemmen van de stoeldragers te horen. Ze kakelden en schreeuwden uiteindelijk tegen elkaar.

De baron maande hen in gedachten tot stilte, maar bracht niet meer dan een moeizaam gehijg uit. Zijn hart bonsde in zijn uitgemergelde hals. Hij mocht nu niet sterven. Niet nu. Hij wilde luisteren. Kijken. Begrijpen. Een zinvol verdedigingsplan opstellen.

Voorzichtig naderde hij de vensteropening weer. Beneden werd nu gevochten, maar vreemd en dubbelzinnig. Niet zoals bij een overval of belegering. Meer zoals bij een stormvloed. Als kind had Serach in Saghi ooit zo'n gevecht meegemaakt: mensen tegen de opdringende, razende en woedend schuimbekkende zee. Een stille strijd, die toen uitzichtloos was. Alleen de tijd won. Alleen de tijd.

De wachtsoldaat trok een wandtapijt van de muur, zwaaide ermee als bij een goocheltruc en sloeg ermee in op het vuur, dat zich in de ruimte begon te verspreiden. Daarbij brabbelde de soldaat de hele tijd iets, maar hij was met de beste wil van de wereld niet te verstaan.

In het licht van een brand kon de baron nu de kantelen duidelijker zien. Wat daar omhoog was geklommen en nu binnen langs de loodrechte muur weer omlaagkroop, waren reptielen, reusachtig opgeblazen hagedisachtigen. Wormen met armen. Visapen. Weekdieren. Mossels met tanden. Planten met doornentronies. Een oneindig aantal nachtmerriewezens.

De burcht was verloren.

Het traktaat.

Het baronaat.

Maar hoe was dat mogelijk? Waarom had niemand hen gewaarschuwd? Zelfs als dit de demonen uit de Poel waren, moesten ze toch al een paar dagen onderweg zijn geweest, en niemand, geen vluchteling te paard, geen rennende landman had de burcht vóór hen bereikt en de bewoners gewaarschuwd. Hoe was dat mogelijk?

Omdat er geen overlevenden waren. Geen enkele tussen hier en de Poel. Er was niets meer. Dit was nu de nieuwe rand van de Demonenpoel.

Beneden brulden de dragers hun doodskreet door de nacht. De hoofdtoren werd dus al bestormd.

Wat viel er nog te doen? Waaruit bestond de plicht van een door het volk gekozen baron, als alles, ook het volk, verloren was?

'Iemand moet overleven,' bracht Serach moeizaam uit. Toen blafte hij ineens tegen de brabbelende soldaat: 'De koningin moet worden gewaarschuwd! Iemand moet hier te paard levend vandaan komen! Zorg ervoor, kerel, dat iemand hier levend uit naar het noorden komt! Hoor je me? Laat dat toch branden! Scheer je weg naar het noorden!'

'Naar het noorden?' Het beroete gezicht van de soldaat vertrok van inspanning.

'Naar de koningin!' beet de baron hem midden in zijn gezicht toe.

'Naar de koningin, begrijp ik?'

'Orison wordt door demonen verslonden! Ga niet langs de helling! Klim langs een touw het raam uit! Toe dan, haast je toch, sukkel!'

De soldaat, die Kunn Berbes heette, had geen touw bij zich. Maar hij knoopte handig van diverse wandtapijten, manshoge kandelaars, een stoel en een haastig omgegooid en zo leeggemaakt boekenrek een hoekig maaksel, waarlangs hij het hoogteverschil naar de dichtstbijzijnde muuromloop kon overbruggen. De baron was te langzaam om hem te kunnen helpen. Van beneden bleef het gerochel van de vermoorden doorklinken en de eerste schrapende, stappende monstervoeten weerklonken op de hellingbaan. Van boven was nu ook iets te horen: de wachtposten van het torenplatform kwamen naar beneden gelopen om hun baron bij te staan. Zij vormden de laatste reserve van dapperen.

De soldaat aarzelde nog, maakte aanstalten om terug naar de baron te gaan, hem op te tillen, op zijn rug te nemen en in veiligheid te brengen.

Het gezicht van Serach den Saghi vertrok van woede. 'Laat me! Ben je gek geworden? Wil je je vlucht bemoeilijken met een stervende grijsaard? Je hebt een opdracht! De wereld zal ten onder gaan, en alle mensen met hem, als jij faalt!'

De soldaat knikte en salueerde. Een gebaar van hulpeloosheid. Toen sprong hij uit het venster. Overal borrelde het. De muren kookten over van de demonen. Zelfs door de rokerige regenlucht schoten vleermuisgieren en lepreuze vleugelmensen. Langs de gladde muren van de toren slijmden reusachtige slakwezens omhoog, die eruitzagen alsof in hun binnenste kinderen verteerd werden. Hier en daar vochten mensen met sabels, poken en fakkels voor hun leven, en delfden het onderspit. Een vrouw schoot met een kruisboog op een beest waarvan de vier poten zo lang waren als twee mensen. Een knecht stortte zich brandend in de put. Kunn Berbes kon helemaal niet op de muuromloop komen: daar stroomden onophoudelijk vijanden vanaf. Dus klom hij langs zijn piepende en krakende allegaartje van meubels zo ver mogelijk omlaag, sloeg daar met de knop van zijn sabel een venster in en wrong zich naar binnen. Hij was nu een verdieping lager dan de zeteldragers en had zo de moordbende die de toren beklom omzeild. Toch konden er elk moment nieuwe demonen van beneden opdringen, zoveel was hem wel duidelijk. Er restte hem echter niets anders. Hij snelde ze tegemoet, en toen inderdaad twee verwrongen nachtmerriefiguren hem de weg probeerden te versperren, sprong hij gewoon over ze heen en zocht zijn heil in de vlucht. Een van beide koos het luchtruim en dook vanaf het plafond op hem neer, maar het lukte Kunn Berbes om een stoel naar het wezen te smijten en het zo af te weren.

Hij bereikte de deur naar de binnenplaats. Die stond wijd open; de deurpost was bekleed met de resten van drie wachtposten.

Even dacht Kunn Berbes aan zelfmoord toen hij het gekrioel op de binnenplaats zag, maar toen was de gedachte aan het van angst en pijn vertrokken gezicht van zijn baron sterker dan al het andere.

Hij greep de enige kans die hem geboden werd: een paard galoppeerde hinnikend voorbij en probeerde ondertussen een pulserende zee-egel zo groot als een kat, die zich als een distel aan zijn rug vasthield, af te werpen. Kunn Berbes sprong vanaf de zijkant op het paard en stootte het zee-egelding eraf. Een van de stekels drong daarbij zijwaarts in zijn buik, maar dat voelde hij nauwelijks.

Voor het voortrennende paard werd een smal paadje gevormd. Zelfs het demonengebroed leek respect te voelen voor een aanstormend ros. Zonder zadel en teugels kon Kunn Berbes noch sturen, noch een veilig houvast vinden. Hij moest op het paard vertrouwen, dat de weg naar de slotpoort kende van vele ritten en die weg nu ook instinctief insloeg. Klauwen en tentakels probeerden Kunn Berbes van zijn rug te vegen, maar hij dook ineen, tot hij bijna aan de zijkant van het paard hing.

De slotpoort was nog altijd vergrendeld. De demonen hadden alle muren beklommen; de poort hadden ze verder niet belangrijk gevonden. Er was geen ontsnapping mogelijk voor de soldaat en het paard, maar hier bij de poort was tenminste minder strijdgewoel dan elders. Kunn Berbes sprong van het hinnikende en met de hoeven slaande paard en ging – zelf jammerend en razend – met de poort aan de gang, maar die was te zwaar voor één man alleen. Achter hem werden twee dienstmeiden opgevreten, die daarbij om hulp en vergiffenis schreeuwden.

Kunn Berbes klom de poortvergrendeling op en scheurde daarbij twee vingernagels, maar liet zich niet tegenhouden. Een vleermuisgier kreeg hem in het oog en schoot krijsend op hem af. Kunn Berbes trok zijn sabel en sloeg daarmee met één hand naar zijn aanvaller, die onthoofd tegen hem aan knalde en bijna zijn ruggengraat brak. Toen viel de vleermuisgier op de binnenplaats. 'Ze kunnen sterven!' riep Kunn Berbes triomfantelijk met tranen in zijn ogen, en deze overwinning gaf hem nieuwe kracht. Hij klom de bovenste poortomlijsting op.

Duizenden, zo geen tienduizenden demonen krioelden rond op de vlakte voor de burcht. Het zag eruit alsof ze van pure overmoed elkaar zouden gaan bevechten en opvreten.

Kunn Berbes zag nergens een doorkomen, nergens hoop. Al helemaal niet zonder paard.

Hij zakte boven op de poortbalustrade op zijn knieën, naast het lijk van de door een geworpen arm doorboorde wachtpost. Het was niet enkel wanhoop die hem omlaagdwong. Het gif van de zee-egel begon te werken en hem over zijn hele lichaam met kou te verlammen.

Niet veel later werd de verstijfde Kunn Berbes, die nog altijd leefde en snerpende ontzetting voelde, door een achtvleugelige wespenpanter van de balustrade geplukt, de lucht in gesleurd en van bovenaf als kleine versnapering voor onderweg onder het jubelende demonenleger verdeeld.

3
Nog zevenenveertig tot het einde

Voor Orogontorogon betekende de veldtocht reuze pret. Tenminste, zolang die opschepper van een Culcah niet in de buurt was.

Al vanaf de Poel had Orogontorogon alle instructies van de dikdoenerige driekop genegeerd en hij was eerst naar het zuidoosten gejakkerd, naar de dichtstbijzijnde grotere stad, met zijn tong naar buiten en een geestdriftig hondengezicht. Tienduizend waren hem gevolgd en Culcah had kunnen schreeuwen en tieren wat hij wilde. Het ging erom door de regen te lopen, zich in plassen te wentelen, over bomen te springen, schuttingen omver te trekken, door dorpen en hun huizen te razen, mensen te verstoren en op te jagen, honden kapot te bijten, met de wind mee en tegen de wind in te stormen, bruggetjes stuk te breken, door vuur te springen en je vacht maar een beetje te verzengen, kou en hitte te ervaren, in de bergen van rots naar rots te springen en in de vlakten van dal naar dal. Dat was een mooie wedren geweest met tienduizend anderen, een heerlijk uitwoeden door laatherfstige wolkbreuklandschappen.

Orogontorogon was niet als eerste in de havenstad Kurkjavok aangekomen, maar wel als een van de honderd eersten. De gevleugelden hadden in deze wedstrijd een oneerlijke voorsprong gehad, en daarom kortwiekte Orogontorogon ook eerst twee van hen. Toen werden mensen verscheurd, runderen vertrappeld, kippen in brand gestoken, huizen op hun kop gezet, schepen tot zinken gebracht en zelfs een vuurtoren omgetrokken. Overmoed voelde ongelooflijk lekker. Geschreeuw was te drinken als witte wijn. In de nachten die niet door dichte wolken werden beheerst lichtten boven in het firmament de verre steden des hemels op en beneden de brandstapels van de stad. Nog nooit eerder in zijn ondenkbaar lange bestaan had Orogontorogon zich zo levend gevoeld. Hij paarde zelfs met een mensenvrouw – tegen haar wil natuurlijk – en naderhand likte hij haar bloed van de door zijn klauwen verscheurde planken. Om hem heen veranderde alles in vuur en lawaai. Lachend keek hij toe hoe twee van zijn oude makkers uit de demonenraad, de kreeft met de ogen op steeltjes met de lange wimpers en de ijskleurige klappertand, zich buitengewoon wild en ongeremd gedroegen. Die twee waren eigenlijk verschrikkelijke bangeriken, maar in de menigte voelden ze zich sterk. Orogontorogon, de roodachtig vlammende hondendemon, was heel anders. Hij voelde zich altijd sterk, en het sterkst tot nu toe in Kurkjavok.

En dan de zee! De branding en de onregelmatige rimpeling erachter deden hem aan de Demonenpoel denken, aan het eeuwige gekringel en gekolk, maar dan helemaal zonder grenzen. Geen muren, nergens. Er was geen horizon, omdat de wereld niet plat was, maar lage en hoge stukken kende als op het land, en achter de horizon lag misschien nog een groter continent – maar een gevangenis was dat niet. Er waren geen gevangenissen meer voor demonen. De vrijheid smaakte naar zout en mensenbloed en wegspringende vonken.

Culcah was hem niet gevolgd naar de kust; hij commandeerde zijn lachwekkend bij elkaar geraapte leger landinwaarts. Maar ook Orogontorogon was niet met de andere tienduizend langs de kust op weg gegaan naar Icrivavez en Saghi, en in plaats daarvan weer hijgend terug naar het noorden gesneld, zodat hem niets zou ontgaan, zodat die vervloekte driekoppige Culcah niet alle room van de burchten voor zichzelf kon houden.

Bij de Buitenburcht van het Zesde Baronaat was Orogontorogon te laat aangekomen. De burcht was alleen nog een walmende puinhoop, die deed denken aan een door de vloed weggesleurd zandkasteel. Overal lagen volgevreten boerende demonen. Aan Culcahs discipline waren natuurlijke grenzen. Dat vervulde Orogontorogon van leedvermaak.

Op zijn vier poten rende hij verder noordwaarts. En ditmaal kwam hij op tijd. Het hoogtepunt van dit baronaat, de Hoofdburcht, was net bezig laaiend ten onder te gaan.

Culcah stond op een van mensenvlees en mensenbeenderen opgetrokken veldherenheuvel en schreeuwde bevelen naar alle kanten. Ook Orogontorogon gaf hij een bevel: 'Zorg ervoor dat ze niet allemaal om de buit gaan vechten! Jij kunt toch zo goed met iedereen opschieten? Gebruik dan je invloed om in het leger voor orde te zorgen!'

'Zorg er zelf maar voor, vetklep.'

'Dat is insubordinatie!'

Orogontorogon negeerde de omhooggevallen schertsfiguur, die onder Orisons bescherming dik wilde doen als een menselijke legercoördinator. Culcah begreep het gewoon niet: ze waren demonen, geen mensen. Wat had het voor zin om spelregels op te stellen als je de macht had om het spel naar believen vorm te geven? Waarom remmen als je op de lawine kon rijden? Orogontorogon had de zee gezien en de zee begrepen. De demonen waren een brandingsgolf. Ze zouden vroeg of laat vanzelf aan hoogte en kracht verliezen, omdat het land uitgestrekt was en achter het Wolkenpijnigergebergte nog verderging. De gebalde klauwenvuist zou vroeg of laat in een uitgeput likkende tong veranderen. Maar tot die tijd kon je de roes vieren en op dat feest alles om- en meetrekken wat ook maar een beetje hinderlijk in de weg stond.

Hij mengde zich in het aanvallende leger. Inderdaad was hier en daar ruzie om de buit begonnen. Orogontorogon zag demonen die woedend in elkaar vastzaten en elkaar stukken vlees uit het lijf scheurden. Culcahs leger zou waarschijnlijk zijn grootste verliezen lijden door onderlinge gevechten. Maar dat was grappig. Honderdduizend waren toch te veel om iedereen zijn deel en zijn pret te laten hebben. Nu al deelden de demonen zich op in bevelenontvangers en bevelengevers, in nietsvermoedenden en doelbewusten, in wilden en degenen die wat Orison betrof volgens plan handelden. Orogontorogon had het grootste respect voor Orison, de belangrijkste en machtigste demon aller tijden. Maar Orison had hem niet zonder reden in de demonenraad opgenomen. Orogontorogon vermoedde dat het zijn rol was om de wildste onder de wilden te zijn. Een tegengewicht tegen Culcahs pijnlijke maathouden. Alleen zo kon de veldtocht echt demonisch blijven en niet verworden tot een parodie op menselijk gedrag.

Het viel hem gemakkelijk om tot de muren door te dringen. Velen in het leger weken eerbiedig voor hem achteruit: Oro Gon Toro Gon van de raad.

Hij kon zich niet in de lucht verheffen om de muren vliegend over te steken, en hij kon zich ook niet omhoogzuigen, zoals de slijmerige kruipdieren deden, dus liet hij zich er door een twaalfarmige reus eenvoudig overheen gooien. Op zijn vier poten landde hij in de bloedige brij op de binnenplaats en meteen rook hij lonende buit. Alles was in ontbinding. De meeste gebouwen brandden al. De mooie ranke torens waren niet blauw meer, maar laaiden in een knisterend rood. De verdedigers waren geslacht vlees. Strijdrumoer drong enkel nog door uit de hoogste torens. Misschien had Orogontorogon wel geluk en kon hij een echte baron onder handen nemen.

Met een bokkensprong vloog hij over de andere demonen heen, die treuzelend in de buurt van de toreningang rondhingen.

'De andere gebouwen zien eruit of ze gemakkelijker te plunderen zijn,' mopperde er een.

'Maar als we niet snel beslissen, blijft er helemaal niets meer voor ons over,' tierde een ander.

Orogontorogon lachte om dit voetvolk. Die waren echt niet geschikt voor de raad. En dat terwijl de deur wijd openstond. De deurposten waren echt leuk opgetuigd met de resten van drie wachtposten. Feestversiering ter uitnodiging.

De hondendemon doorkruiste de benedenzaal en snelde de hellingbaan op. Op de vijfde verdieping werd nog gevochten. De laatste reserves van de torenplatformposten hielden dapper stand – waarbij ze het voordeel om van bovenaf te kunnen toeslaan en de kromming van de draaiende baan handig gebruikten – tegen een uit veel te lange ledematen bestaande demonentroep. Ze hielden stand tot Orogontorogon van achteren doorbrak. Hij doodde ook twee leden van zijn eigen partij bij zijn scheuraanval, maar dat maakte hem niet uit. Demonen genoeg. Genoeg voor twee Orisons, het land en zijn heerser.

Bloed spuitend kroop de laatste overlevende ridder van de baron achterwaarts voor Orogontorogon de hellingbaan af. Jammer dat het geen vrouw was, anders had de hondendemon hem gretig gepakt. Maar ook zo had hij er plezier in om de held te zien verrekken en met een lange tong zijn bloed van de treden te likken. De ridder zei iets wat klonk als: 'Verwijder u, misgeboorte uit de afgrond.' Maar misschien was het ook wel 'nageboorte van een hond'. Het maakte niet uit. Orogontorogon trok zijn hoofd eraf, vrat het zachte gezicht van zijn schedel en wierp de rest zijn uitgeputte demonen toe. 'Wacht hier. Boven zou het nog veel gevaarlijker kunnen worden,' loog hij grijnzend.

Op de volgende verdieping vond hij de baron al. Het kon niemand anders zijn: een stokoud mannetje op krukken, dat weliswaar naar verrotting en bederf rook, maar in het ornaat van een echte potentaat was gestoken.

'Hoe heet je, baronnetje?' gromde de hondendemon terwijl hij met zwaaiende armen dwars door de ruimte op de beverige oude man af liep.

De baron richtte zich zo waardig mogelijk op, hoewel zijn hart niet meer regelmatig sloeg en de stokkende bloedtoevoer in zijn hersenen hem duizelig maakte. Het wezen dat op hem af kwam was een twee pas grote, rechtop lopende jachthond met een laaiend rode vacht en de gespierde ledematen van een geoefende krijger. 'Serach,' antwoordde de baron zacht. 'Serach den Saghi.'

'Ach ja. Dat "den" betekent "van", nietwaar? Dat betekent dat je in de havenstad Saghi bent geboren. En het geslacht van de Den Daurens, dat het hier vóór jou voor het zeggen had, kwam uit een klein gat dat Dauren heet en op geen enkele behoorlijke kaart staat. Klopt dat?'

'Je bent... goed ingelicht voor iemand die sinds een eeuwigheid in een kolk... gevangen heeft gezeten.'

'Aaah, maar het land heeft ons verhalen verteld! Iedere smekeling die bij ons kwam om ons aan te gapen, iedere biddende kinkel die de kleine kapel als wc gebruikte heeft ons deelgenoot gemaakt van alles wat er buiten gebeurt. Natuurlijk zijn wij ingelicht! We willen toch weten in welke toestand het land zich bevindt dat ons toebehoort?'

'Niets behoort jullie toe,' protesteerde de grijsaard. 'Alleen de Poel waarin wij jullie... terug zullen drijven als de dieren die jullie zijn!'

'O ja, dat wordt maar al te makkelijk vergeten: jullie kennen de waarheid niet! Jullie geloven nog altijd dat Orison een mens was, een magiër, die ons demonen in de Poel heeft verbannen.' Orogontorogon huilde triomfantelijk naar het met schilderingen versierde plafond. 'Wat een meesterlijke maskerade! Wij waren er voor jullie, en wij zullen er na jullie zijn. In de tussentijd waren jullie niets anders dan rentmeesters. En ik moet zeggen: jullie hebben het land tamelijk beroerd beheerd.'

De demon was de baron nu zo dicht genaderd dat deze zijn naar vers bloed en pens stinkende adem kon ruiken. Serach kreeg braakneigingen van angst en walging. Hij was bang om te stikken en hield de kokhalsreflexen tegen. De hondentronie snuffelde van bovenaf aan hem en genoot van zijn ellende als van de geur van een bijzondere bloem.

'Weet je wat, baronnetje?' vroeg Orogontorogon, en zijn stem klonk nauwelijks nog menselijk, maar meer als een vervormd geblaf. 'Onze aanvoerder, Culcah, zou je waarschijnlijk levend willen hebben. Maar zal ik je eens iets vertellen? Ik mag hem niet, die Culcah.' Nu lachte hij, en toen scheurde hij de baron in stukken.

De plafondschilderingen, waarvan sommige de grote magiër Orison als bolwangig, belangrijk mens afbeeldden, die met een staf in zijn hand de horden der duisternis eens en voor altijd een halt toeriep, zagen er plotseling uit alsof ze bloed zweetten.

4
Nog zesenveertig tot het einde

Wat een chaos! Met bezwete gezichten probeerde Culcah iets van orde in zijn rangen te scheppen. Zoals het er op dit moment uitzag, verloor hij honderden demonen alleen maar doordat ze gewelddadig om de plunderbuit vochten!

Hij benoemde onderofficieren, die vervolgens deels in elkaar werden geslagen omdat ze andere demonen probeerden te commanderen. Hij probeerde het met smekende argumenten, maar faalde omdat de meeste van zijn ondergeschikten nog nooit eerder zelfstandig hadden nagedacht. Tot voor kort hadden ze als deel van een geheel in een kolk rondgetold – wat kon je dan verwachten?

Hij gebruikte gevleugelde demonen als boodschappers en liet deze bevelen naar het veld omlaagbrullen, die eenvoudig in het strijdrumoer verloren gingen. Wat was dat trouwens voor een strijdrumoer? Gevochten werd er immers bijna nergens meer. Dat was geen strijdlawaai. Dat was alleen maar het onophoudelijke schreeuwen, huilen, kraaien, fluiten, zingen en grommen van de over hun toeren geraakte demonen. Het was om van te kotsen!

Geen enkel strategisch doel werd bereikt. De baron werd niet levend gevangengenomen. Helemaal niemand van de familie van de baron kon als gijzelaar worden vastgehouden. Een bijzonder onbeschaamde officier beweerde zelfs dat de baron helemaal geen familie had gehad. Er konden geen waardevolle plannen, boeken, oorkonden of legerberichten worden buitgemaakt. Alles ging in vlammen op, als het daarvoor al niet was stukgekauwd, bepist, gebruikt om een gat mee af te vegen of benut als onderdeel van een kussen- of taartengevecht.

De demonen gedroegen zich als uitgelaten kinderen. Het was om van te kotsen!

Culcah voelde de verantwoordelijkheid om met een onoverzichtelijke horde feestvierende kinderen een veldtocht te moeten doorzetten als een loodzware bijl op zich rusten. In zichzelf liep hij telkens weer de cijfers langs:

Er waren negenmaal drie, dus zevenentwintig burchten. Elk van deze burchten was in vredestijd met hoogstens vijftig soldaten bezet, en in geval van nood konden uit de omgeving, uit dorpen en andere nederzettingen op z'n allerhoogst duizend man worden gerekruteerd; meer was onmogelijk. Zo kwam je op 27.000 weerbare mensen in de burchten, plus nog eens de 10.000 zeer gemotiveerde verdedigers van de kroon in Orison-Stad.

Zevenendertigduizend in totaal.

Daar kwamen dan nog de havensteden bij, twintig stuks. Als de nood het hoogst was zouden ook deze steden hoogstens op elk duizend verdedigers komen, hoewel dat al tamelijk onwaarschijnlijk was. Realistischer was eigenlijk dat minstens de helft van de havenstedelingen zijn heil zou zoeken in de vlucht, de open zee op of noordwaarts richting Coldrin. Maar als je heel pessimistisch wilde zijn – en Culcah was liever pessimistisch dan achteraf de klos – rekende je op twintigmaal duizend verdedigers aan de kust, dus nog eens 20.000.

Dat waren samen 57.000 mensen met wie als tegenstander rekening moest worden gehouden. Tegenover deze 57.000 weerbaren stonden 122.000 demonen, waarvan het aantal door de regen, de onbeheerstheid, de onderlinge rivaliteit, de puntige rotsformaties in de Brokkelige Bergen, de nachtelijke kou of de directe zonnestralen, sporadisch menselijk verzet en ook louter stompzinnige onachtzaamheid bij bijvoorbeeld de landing op gebouwen of het water halen uit diepe putten inmiddels tot 120.000 was geslonken.

Zelfs voor de meest pessimistisch rekenende veldheer moest het bij een krachtsverhouding van 120.000 tegen 70.000 duidelijk zijn: dat kon en mocht eigenlijk niet misgaan!

Temeer daar de mensen al twee burchten en drie havensteden hadden verloren en dus vijfduizend soldaten van de rekening konden worden gestreept. Honderdtwintigduizend tegen 52.000.

Temeer daar verscheidene demonen veel groter en sterker waren dan een mens. Er waren er die het tegen tien mensen – ja, tegen een heel bereden regiment tegelijk konden opnemen en uiteindelijk toch zouden zegevieren. Er waren er die konden vliegen. Er waren giftige. Er waren zuurdemonen en vuurdemonen en klingdemonen en projectieldemonen.

Temeer daar de mensen op de vlucht waren, radeloos en verward, vervuld van bijgelovige paniek, in de verdediging, en hun have en goed en hun volledige als bewapening bruikbare uitrusting kwijt waren.

Temeer daar ze honger zouden lijden op de vlucht en daarmee de noordelijke baronaten extra zouden belasten in plaats van versterken.

Temeer daar ze van inmiddels nog acht verschillende baronnen hun bevelen kregen en daarbij nog een koningin, dus negen verschillende tongen, die maar moeilijk één kant op zouden praten, terwijl de demonen onder Orisons en zijn, Culcahs, knoet samengedwongen werden tot een welgevormde legertros.

Tenminste in theorie.

Want precies dat was het zwakke punt in al deze berekeningen.

De mensen waren in het defensief, stonden met de rug tegen de muur, hadden niets meer te verliezen en waren dus tot alles in staat.

De mensen hadden een koningin tegen wie ze opkeken en in wier oordeel ze konden geloven. Ook de baronnen waren ondergeschikt aan de koningin. De mensen hadden dus een eenduidige machtspiramide boven zich, die hun orde garandeerde.

De mensen waren zich van de ernst van de toestand bewust.

Voor de demonen daarentegen was alles maar een spel, een rondrazen na een veel te lange gevangenschap. Orogontorogon, dat brutale mormel, had 10.000 van hen zuidwaarts naar de havensteden geleid, die nog altijd niet terug waren, hoewel Orogontorogon zelf hier weer op de Hoofdburcht van het Zesde Baronaat was opgedoken, waarschijnlijk om hem nog meer last te bezorgen. Goed, 110.000 strijders waren nog altijd meer dan genoeg om één enkel slot in te nemen, maar toch voelde Culcah het ontbreken van die 10.000 alsof een van zijn gezichten kiespijn had.

Tot een paar dagen geleden waren ze allemaal één geweest. Hoe kon je dat ooit vergeten? Hoe kon je níét het verlies van elk afzonderlijk als verzwakking van het eigen lichaam opvatten?

Culcah keek over de vlakte met de brandende burcht in het midden.

De verliezers waren allemaal in de dood verenigd. De winnaars daarentegen gedroegen zich als een door lagere driften en lusten beheerste bende. Als een aanfluiting. Een lappendeken waarvan elke afzonderlijke draad amok maakte en alleen nog aan zichzelf dacht. Het was om van te kotsen!

Omdat hij toch geen mogelijkheid zag om in het tumult van zijn leger enige vorm van structuur aan te brengen, wendde Culcah zich van deze vlakte af, pakte een wezenloos onderworpen vleugeldemon en fladderde daarop terug naar de Brokkelige Bergen, om daar een gesprek met zijn koning te voeren.

De Poel was leeg en kolkte niet meer. Niets bewoog. De diepte was onpeilbaar en zwarter dan een nacht met nieuwe maan. En toch rook het nog altijd naar rotte eieren. Orison was daar nog ergens beneden. De grootste en onbevattelijkste van allen.

'Orison, mijn heerser – kun je me horen? Ik ben het, Culcah!' De stemmen uit de drie gezichten weerkaatsten in spiralen omlaag.

Het antwoord kwam als diep gebrom, meer waarneembaar in de maag dan in het oor. 'Hoe staat het ervoor?'

'De Hoofdburcht en de Buitenburcht van het Zesde Baronaat zijn gevallen. Aan gijzelaars en andere tactische buit valt echter nog niet te denken. Het leger gedraagt zich te wild.'

'Van geen belang.'

'Van geen belang? Ik maak me ernstige zorgen! Die domme hond Orogontorogon heeft een deel van het leger naar de kust meegesleurd. Er zullen daar zeker overlevenden zijn geweest, die er in boten vandoor kunnen zijn gegaan. Waarschijnlijk zijn er nu al bereden ordonnansen onderweg naar het noorden om de koningin over onze uitbraak in te lichten.'

'Van geen belang. Een veldtocht als deze valt niet geheim te houden.'

'Maar mijn plan was zo mooi! We laten gewoon nooit iemand ontkomen en rollen het land langzaam op naar het noorden, tot we voor de burcht van de koningin staan en niemand weet wat hem overkomt!'

'Het maakt niet uit. Laat ze zich verzamelen en vluchten. Neem de hoofdstad in. Drijf de mensen voor je uit als schapen. Drijf ze in de armen van de Coldriners. Die zorgen dan voor de rest.'

'Ik herinner me Coldrin niet meer. Hoe was het destijds, toen wij demonen over het land heersten en overal vrede en schoonheid was? Bestond Coldrin toen al?'

'Coldrin bestond al, en zijn koning was destijds dezelfde als nu: Turer. Een wezen zo oud en onbarmhartig dat zelfs een demon er bang voor moet zijn.'

'Zelfs u, mijn heerser?'

'Zelfs ik. Want zonder angst was ik geen geheel. Turer van Coldrin is mijn angst.'

Culcah voelde een huivering onder zijn keverpantser door lopen. 'Ook ik voel angst, mijn heerser. Angst dat ik deze veldtocht niet tot uw tevredenheid ten einde zal kunnen brengen. Het leger luistert niet naar mij. Het lacht als ik bevelen geef. Goed beschouwd is het helemaal geen leger. Ik heb zelfs al demonen zien paren, uit pure overmoed. Het is om van te kotsen!'

'Het zijn geen mensen, Culcah. Gun ze hun natuur. Maar wijs ze een richting, want zonder jou hebben ze er geen.'

'Maar wat is er met u, mijn heerser? Waarom voert u ons niet zelf aan? Voor u zullen ze beven! U zullen ze volgen, waar ook maar heen!'

'Ik ben nog niet zover. De maalstroom van de demonen is gebroken. De magie die ik zelf heb geschapen is in honderdduizend stukken versplinterd door de druk van tijd en beweging. Maar veel ervan is nog hier. Alleen het levende is eruit gesprongen en dartelt nu rond onder jouw commando. De rest moet echter nog door mij worden verzameld. Als ik omhoogkom, zal het in mijn volle grootheid zijn. Aan het eind, als het land dat nog altijd mijn naam draagt ons allang toebehoort, moet ik ook Turer van Coldrin tegemoet treden. Voor die dag moet ik mij wapenen, nu al.'

'Ik ben nieuwsgierig, mijn heerser. Is dat wat u daar beneden verzamelt de levenskracht?'

'Nee. Die hebben wij nu niet meer nodig. We zijn vrij. Vrij om ons vlees en bloed en – wie dat zou willen – ook gras of zeewater als voeding te kiezen. Toen Gouwl en Irathindur eenentwintig jaar geleden vluchtten, konden ze zonder levenskracht niet overleven in de mensenwereld, want de Demonenpoel bestond nog en hun vlucht was tegen mijn regels. Maar nu is de Poel opgelost. De tijd was rijp. Mijn geduld heeft vruchten afgeworpen. Alle demonen zijn nu van zichzelf. De levenskracht is voor ons verwaarloosbaar geworden. Nee, wat ik hier beneden moet verzamelen en opnieuw moet samenvoegen, voor ik ten slotte bij jullie boven kan komen, is mijn eigen magie, waarmee ik de demonen tot een kolk had gevormd zodat ze konden overleven.'

Culcah keek onzeker alle kanten op. De gebroken resten van de kapel verontrustten hem. 'Ik weet dat we het er al vóór de uitbraak over gehad hebben, maar nu u net Gouwl en Irathindur noemt: mijn veldtocht zou een stuk eenvoudiger zijn als we in mensen konden kruipen. In de koningin bijvoorbeeld, zoals die twee dat destijds ook hebben gedaan. Als we de aanvoerders van het vijandelijke leger zouden overnemen, konden alle gevechten met hun grote verliezen worden vermeden.'

'Ja, dat heb ik je al uitgelegd, Culcah. Gouwl en Irathindur waren vluchtelingen. Ze hadden niets te verliezen. Hun lichaam opgeven om in een mens te glippen scheen hun nog altijd een kleiner waagstuk en een ruimere gevangenis toe dan nog een eeuwigheid in de Poel. Maar de demonen die nu onder jouw bevel staan zijn geen vluchtelingen. Ze zijn vrij. Je zou ze kunnen bevelen mensen binnen te gaan, maar de kans dat ze daarbij zullen falen en door hun menselijke gastheer overwonnen worden is groot. Je hebt een wilskrachtige demon als Orogontorogon nodig om een koningin over te nemen. Maar ook Orogontorogon is destijds in de strijd om de twee koninklijke oorringen door Gouwl en Irathindur verslagen. Hoewel die twee niet tot de raad zijn doorgedrongen zolang ze nog bij ons leefden, staken ze toch boven de andere demonen uit. Ze waren het dichtst bij de oppervlakte, omdat hun wil om te vluchten en de ontevredenheid met hun lot groter waren dan bij alle anderen. Dwing demonen tot lichaamswisseling en ze zullen zwak, besluiteloos en laf zijn. Omdat ze hun lichaam verliezen en aan iets vreemds moeten wennen. Maar vind demonen van het formaat van Gouwl en Irathindur, en je zou succes kunnen hebben.'

Culcah begon ontevreden te worden. 'Ik zou de veldtocht als natuurlijke selectie kunnen gebruiken. Wie uitmunt in de strijd zou een geschikte kandidaat voor de overname van een koning kunnen zijn. Maar daar staat tegenover: hoe langer de veldtocht duurt, hoe minder het nog oplevert om de koningin te manipuleren. Het zou nu van nut zijn. Nu!'

'Doe wat je wilt is het devies. Ik heb jóú niet zomaar het commando gegeven. Je zat nog niet lang in de raad, maar je bezit strategische vaardigheden die de andere raadsleden missen.'

De lof van zijn heerser hielp Culcah om zijn ongenoegen te beheersen. Toch buitelden zijn gedachten over elkaar heen. 'Nee, ik kan Orogontorogon niet nemen,' zei hij zacht. 'Hij zou mij als koningin niet van nut zijn, maar waarschijnlijk eerder een rivaal.' Luider voegde hij eraan toe: 'Maar als die vervloekte hond nu eens uit zichzelf op het idee komt om voor koningin te spelen? Als hij zich, alleen maar om aan mij te ontkomen, als heerseres over 52.000 menselijke soldaten opwerpt?'

'Orogontorogon is veel te trots om zijn lichaam op te geven. Maak je niet zoveel zorgen om hem. Als jachthond van de oorlog speelt hij zijn rol in het totaalgebeuren net zo ijverig als jij en ik.'

Culcah kon zijn gedachten niet tot rust brengen. De aanblik van de lege Poel, waarin zijn meester nog altijd magie bijeensprokkelde, deprimeerde hem. Hij nam eerbiedig afscheid en besteeg zijn vliegende dienaar weer.

Veel had Orison hem niet kunnen helpen, behalve door ook in het licht van de chaotische gebeurtenissen in de Hoofdburcht van het Zesde Baronaat opnieuw zijn vertrouwen in hem uit te spreken. Dat was toch nog altijd iets.

Culcah vloog naar het vechtende, zuipende, joelende en scheldende leger terug. Van bovenaf zag het geheel eruit als een mierenhoop waarin niemand aan het gemeenschappelijke belang dacht, maar elke afzonderlijke mier door een andere vorm van razernij was bevangen.

Culcah liet zich door verschillende volkomen uitgeputte onderofficiers verslag uitbrengen. Daarna startte hij drie experimenten.

Hij liet honderd van de brutaalste plunderaars door andere demonen met ijzeren stangen doorboren.

Hij versloeg een bende groenige, korstige onruststokers, die elkaar op grond van hun relatieve lichaamsovereenkomst hadden gevonden en nu wilden samenspannen. Om een voorbeeld te stellen tegen elke vorm van samenzwering liet Culcah deze twaalf demonen in het openbaar op een speciaal daarvoor opgerichte brandstapel branden. Daar stierven ze niet aan, hun hagedissenhuid was relatief vuurvast. Maar ze werden er allemaal nog korstiger van en waren sindsdien vaak het slachtoffer van grove grappen.

Het derde experiment van Culcah bestond eruit vrijwilligers te zoeken voor een overname van koningin Lae.

5
Nog vijfenveertig tot het einde

Snidralek was een relatief kleine demon.

Rechtopstaand mat hij nog niet eens één enkele pas, en hij werd dan ook in het gedrang nogal vaak omgeduwd en vaak zelfs door de reusachtige demonen per ongeluk of expres over het hoofd gezien. Doordat hij daarom zijn schouders liet hangen leek hij nog kleiner.

Hij was dof oranje gekleurd, had een grote neus waarin zijn hele gezicht samenkwam, en een buikje waar geen kruid tegen gewassen was. Zelfs als hij vastte zwol zijn buikje op. 'Te veel lucht,' had een tweemaal zo grote demon gespot.

De bestorming van de Hoofdburcht van het Zesde Baronaat was ontzettend inspannend geweest voor de kleine Snidralek. Al bij de aanval was hij bijna tussen twee dikke kolossen geplet. Beide hadden de hele tijd gelachen en een heleboel lol gemaakt over de slag.

Toen was Snidralek de muur niet op gekomen, hoe hij ook zijn best deed. Een van Culcahs onderofficiers kreeg dat in de gaten en besloot gewichtig te doen. Hij foeterde Snidralek uit tot de tranen bijna in zijn ogen sprongen. Uiteindelijk verklaarde Snidralek zich bereid door een naar looizuur stinkende demonenspin de muur op en aan de andere kant weer af te worden gedragen.

Op de binnenplaats had een in brand staand paard hem, nog helemaal versuft door de spinnenstank, bijna omvergelopen. Een dienstmeid, op de vlucht voor drie middelgrote demonen, had Snidralek als slachtoffer uitgekozen en hem als laatste verzetsdaad van haar leven negen keer met een ijzeren keukenlepel op zijn schedel gebeukt. Negen keer! En hij had nog helemaal niets kunnen doen! Terwijl hij versuft omtuimelde, was Snidralek bijna in de put gevallen, waarin al een vette vliegendemon was verzopen.

Hij wilde net gaan zitten om uit te blazen toen die onderofficier weer voorbij kwam rennen en hem toesnauwde. Met gespeelde geestdrift was Snidralek de onderofficier en een paar andere plunderaars een brandend gebouw in gevolgd, dat kort daarop krakend instortte en iedereen onder zich begroef. Snidralek overleefde het doordat hij zo klein was dat de vallende balken hem misten. Ten slotte, toen hij buiten door de dichte walm liep, trof een stuk van een projectieldemon hem in zijn rechterschouder. Zoiets als lazaretten kenden de demonen niet. Snidralek kroop huilend in een met vuilnis bezaaide hoek en behandelde zichzelf zo goed mogelijk. Het gloeiendhete projectiel kon hij met zijn blote handen uit zijn schouder peuteren, maar de pijn ging daarna niet meer weg. Zijn hele rechterkant voelde heet en stijf aan. En die oerstomme projectieldemon had niet eens sorry gezegd.

Als hij eerlijk tegen zichzelf was, moest Snidralek toegeven dat hij niet voor krijger in de wieg was gelegd. Goed beschouwd had niemand hem ook verteld dat het hier buiten zo'n verdomd klotewerk zou zijn. In de Poel was altijd alleen maar sprake geweest van vrijheid, van lieflijke landschappen, de lichtende steden van de hemel, de schuimende zee, van willige vrouwen en eindeloze verten. Maar nauwelijks was hij aan het richtingloze geraas van de Poel ontstegen, of Snidralek werd al in het gelid geduwd, moest marcheren, mocht alleen eten en pissen als het de officiers met de dierenkoppen uitkwam en werd tot vechten aangezet.

Vechten?

Als je een van de kleinsten was?

Alleen een paar luizendemonen en wormdemonen waren nog onaanzienlijker en armzaliger dan Snidralek, maar van hen eiste dan ook niemand iets. Die hoefden geen deel van een troep te worden waarin alleen de sterksten bij de verdeling van de voorraden behoorlijk aan hun trekken kwamen, en waarbij de kleinsten het risico liepen door de grootsten te worden opgevreten als ze het waagden tegen te sputteren.

De officiers hadden geen flauw idee! Tientallen zwakkere demonen waren al in de muilen en magen van de anderen verdwenen. Niemand kwam met precieze cijfers. Er werd altijd alleen maar geschat, en in een wriemelende hoop is het makkelijk om verkeerd te schatten. Snidralek wist niet wat erger was: de waanzinnig ongeordende gevechten om de burchten, het marcheren tussendoor in idioot koud regenweer door kniediepe modder en duisternis, of de rustpauzes tussen de slachtpartijen en het gemodder, als je de represailles van de groteren moest vrezen en doorstaan.

Toen hij hoorde dat veldheer Culcah vrijwilligers zocht voor een belangrijke oorlogsmissie waarbij men zijn eigen lichaam kwijt zou kunnen raken, meldde hij zich meteen. Hij hechtte geen waarde meer aan zijn nietige, buikige, pijnlijke lijf.

Vier andere demonen waren voor hem aan de beurt.

De missie luidde: het lichaam van de mensenkoningin Lae in bezit nemen en haar óf in demonische zin te sturen, haar waanzinnig te laten lijken, óf haar lichaam een gefingeerde zelfmoord te laten ondergaan.

Het probleem daarbij was dat de demonen noch haar huidige verblijfplaats wisten, noch hoe koningin Lae er precies uitzag.

Eenentwintig jaar geleden was het de twee inmiddels legendarische uitbrekers Gouwl en Irathindur gelukt bezit te nemen van de menselijke koning en een menselijke barones. Maar die twee hadden het relatief makkelijk gehad. De koning was hoogstpersoonlijk bij hen aan de Demonenpoel verschenen en had hun twee nog lichaamswarme oorringen als teken van zijn bezetenheid geschonken. De barones op haar beurt was duidelijk en lichtgevend verschenen in de fantasieën van een coördinator die ongelukkig op haar verliefd was. Ze was niet te missen geweest, zo dronken van liefde als hij was.

Maar nu moest er op goed geluk worden geopereerd. Ze volgden een titel en ongeveer een richting; meer hadden ze niet.

De eerste vrijwilliger kwam maar een paar honderd passen ver. Zijn onstoffelijke essentie vervloog ongeconcentreerd in de chaos van het omliggende legerkamp en kon nooit meer zinvol worden samengesteld.

De tweede vloog verkeerd op zoek naar Orison-Stad. Een vrij rondjagende buizerd hield hem voor de geest van een duif en doodde hem in de lucht.

De derde bereikte Orison-Stad, maar voer de verkeerde vrouw binnen. Hij nam de eerste de beste aristocrate die zich koninklijk gedroeg en kwam er vervolgens niet meer uit. Een paar weken later stierf hij in haar lichaam op de heilloze vlucht naar het noorden.

De vierde was een tegenvaller. Hij verliet weliswaar zijn eigen lichaam, maar dat lichaam stierf meteen. In paniek en gekweld door vreselijke heimwee pleegde de essentie van deze demon zelfmoord door te gaan klonteren en als nietig restje ectoplasma omlaag te zakken.

Snidralek kwam het verst.

Hij steeg op zonder lichaam en keek neer op het leger. Voor iemand die gewend was naar anderen op te kijken was dat een adembenemende aanblik. Bijna vormden zich van bovenaf bekeken patronen in het gewemel, maar alleen bijna. Het leger was een zwijnenbende, zelfs van bovenaf.

Nu zweefde hij naar het noorden. Hij liet zich door de wind en andere, mogelijk magnetische stromingen meedrijven. Hij kon zelfs twee bestaanssporen waarnemen van de twee demonen die vóór hem richting Orison-Stad waren vertrokken en boven het legerkamp uit waren gekomen. Snidralek volgde deze sporen argwanend; tenslotte waren die twee niet teruggekeerd. Inderdaad ging het ene spoor verloren in een soort bleekroze detonatie in de lucht. Dat was dus de dood van eentje die geen lichaam meer had.

Het andere bestaansspoor leidde omhoog en verder naar het noorden. Op dit spoor brak Snidralek door de laaghangende regenwolken heen en leerde zo dat deze zware, donkere formaties uit vochtig gas bestonden. Boven de wolken kon je je niet meer in de vluchtrichting vergissen, want op dagreizen afstand schitterden de besneeuwde toppen van het Wolkenpijnigergebergte in de zon, de bergketen die de noordelijke rand van het land van Coldrin scheidde. Snidralek leerde dat de zon altijd scheen, ook als het beneden somber regenweer was. Misschien, zo dacht hij, scheen de zon ook 's nachts, en was de nacht een soort wolk die zich tussen de zon en de wereld schoof.

Hij vloog naar het noorden. Hij probeerde sneller te vliegen dan vogels. Het was vreemd om samen te zijn met wezens die geen demonen waren. Vreemd – en tegelijk vertrouwd, als uit de verre tijd voordat ze allemaal hun toevlucht hadden moeten zoeken in de Demonenpoel.

Snidralek dook weer onder de wolken om iets van het land te zien. Zo vloog hij over de Binnenburcht van het Zesde Baronaat, het volgende doelwit van Culcahs zwijnenbende. Daarna over de rivier de Erifel, gezwollen en in beroering gebracht door de lange regen. Zijn oevers waren onduidelijk en gingen naadloos over in de modder van het land.

Nog verder noordwaarts lag links de Binnenburcht van het Zevende

Baronaat en rechts die van het Vijfde Baronaat. De landerijen liepen hier al heel spits toe. Voor een vogel was het dagelijks werk om alle drie de baronaten in één oogopslag te kunnen zien.

Toen kwam Orison-Stad in zicht. Bijna een klein gebergte op zich. Huizen torenden boven elkaar uit als de bouwsels van insecten. In het midden, als kroon van de stad, stond de Koningsburcht. Eenentwintig jaar geleden, in het duel tussen twee demonen, was hij grotendeels verwoest, maar sindsdien allang weer opgebouwd: nog prachtiger, nog meer versierd, en nog suikertaartachtiger dan daarvoor. Hij maakte niet meer zo'n afgeronde en zachtglooiende indruk als voor de oorlog. De verscheidene erkers, fialen, spitsbogen, steunbalken, triforia, kapitelen, pilaren en versieringen gaven hem nu een stekelige, weerbare uitstraling.

Het bestaansspoor van de andere demon takte hier af en ging ergens verloren in de welgestelde wijken. Snidralek kon alleen maar zijn ontbrekende kop schudden over zoveel domheid: met het onmiskenbare doel in zicht nog verkeerd afslaan! De andere demon was dan ook maar een soldaat geweest. Een soldaat zonder bevelen was een niets.

Snidralek daarentegen zag zichzelf niet als soldaat. Hij zat tegen zijn wil in het leger. Koningin worden leek hem echt een aansprekend alternatief. Mannelijk was hij slechts uit verlegenheid, omdat onder militairen de meesten dat zo deden. Dat was ook snel weer te veranderen.

Hij vloog nog een tijdje kriskras over de stad en genoot van het gewemel van de mensen, dat nauwelijks gecoördineerder leek dan Culcahs zwijnenpan. Maar de mensen zagen er tenminste allemaal hetzelfde uit, waardoor een zekere visuele harmonie ontstond.

Hij zou nog verder buiten hebben rondgedwaald als niet een torenvalk schuine blikken op hem had geworpen. Snidralek bedacht wat zijn voorganger in dit experiment waarschijnlijk was overkomen en gaf er de voorkeur aan de bleekroze dood in de lucht te ontvluchten.

Hij drong de Koningsburcht binnen. Drong zelfs door muren heen, en door een onoplettende koksmaat, die hevig schrok en rinkelend serviesgoed liet vallen. Snidralek snelde een darmenstelsel van gangen door op zoek naar de koningin en vond haar ten slotte – weliswaar zonder kroon, maar ongetwijfeld koninklijk – in een kamer achter de eigenlijke troonzaal. Ze werd met Lae aangesproken door haar raadsheer en lag languit op een lange zetel bij haar thee. Ze was echt statig en zag er nog uitgesproken goed uit voor iemand van halverwege de veertig, maar dat was dan ook geen wonder: zij was de koningin en kon zich de beste verzorging veroorloven die in Orison te koop was. Misschien lag ze iets meer wijdbeens op de lange zetel dan passend was voor een dame, maar haar raadsheer scheen dat niet te storen.

Koningin Lae I nam een zandkoekje, stopte het helemaal in haar mond, en hoeps – de demon Snidralek was langs haar gehemelte bij haar binnengedrongen.

Maar nu gebeurde er iets volkomen onverwachts.

Snidralek vond totaal geen houvast in het binnenste van de koningin. Alles keerde zich tegen hem. Wanden stulpten naar voren. Krommingen trokken samen. Zuren wilden hem aanvreten. Minuscule, vormloze deeltjes vielen hem zelfs aan.

De koningin kromde zich, hoestte – en Snidralek ontsnapte haar voor haar lichamelijke tegenreactie hem kon overweldigen. Om op adem te komen bleef hij onder het plafond zweven.

'Wat is er met je, lieveling?' vroeg Taisser Sildien, de raadsheer van de koningin.

'O, niets,' weerde ze zijn hulpmaatregelen met een glimlach af. 'Er was waarschijnlijk een kruimel in het verkeerde keelgat geschoten.'

Een kruimel, dacht Snidralek verontwaardigd. Natuurlijk was hij weer maar een kruimel, een kleine, verwaarloosbare ergernis! Wacht maar, dacht hij, ik zal je eens wat laten zien!

Hij probeerde het nog een keer. Ditmaal wat minder direct stoffelijk en lichaamsgericht. Ditmaal liet hij zich inademen, als fijne nevelvlaag door haar koninklijke neus.

Opnieuw ontsnapte hij slechts ternauwernood. Haar lichaam leek een woud van speren naar binnen te richten om hem te vermorzelen. Opnieuw kromp de koningin even ineen, maar ze herstelde zich snel.

'Ik weet ook niet wat er aan de hand is,' zei ze. Ze kwam overeind en deed een paar stappen. 'Waarschijnlijk te veel gezeten. Te weinig beweging. Dan moet het je wel zwart voor ogen worden.'

Nu begreep Snidralek wat er verkeerd ging. Deze koningin was niet als koningin ter wereld gekomen. Ze was soldate geweest, een uit het voetvolk gepromoveerde officier zelfs, vóór het lot de verweesde kroon van Tenmac III voor haar voeten had gerold. Het was een makkie om een zwakke koning als Tenmac III over te nemen of een verfijnd, grillig persoon als barones Meridienn den Dauren. Maar bij een voormalig soldate, die nog steeds aan lichaamsoefening deed, zag dat er heel anders uit. Zij beschikte over afweerkrachten die aristocraten in het algemeen niet bezaten.

Snidralek overwoog uitgebreid of hij het nog een derde maal zou wagen. Door een drank misschien. Door een oor. Door haar vrouwelijkheid. Of oneindig verfijnd door al haar poriën tegelijk. Maar hij besloot ervan af te zien. Zelfs al zou de overname slagen, wie kon hem dan garanderen dat het hem zou lukken zich blijvend in haar te handhaven? Dat haar lichaam en geest hem niet gewoon als indringer in haar binnenste langzaam en pijnlijk zouden doden? Wat zou het hem opleveren als hij zich nog eens aan dat gevaar blootstelde? Moeite en angst. Verantwoordelijkheid. Uiteindelijk Culcahs lof. Meer niet. Maar verliezen kon hij alles. Zijn vrijheid. Zijn bestaan.

Even overwoog hij om in plaats daarvan haar raadsheer binnen te glippen. Die zag er weker uit, met zijn gezicht van een verwende dromer op jaren.

Maar wat kon Snidralek betekenen voor de zaak van de demonen door als raadsheer valse raadgevingen in het oor van een koningin te druppelen die ook zonder raadsheer sterk genoeg was om juist van onjuist te onderscheiden?

Snidralek verklaarde de onderneming voor mislukt en verliet de Koningsburcht. Hij had het tenminste serieus geprobeerd en was niet onderweg pijnlijk de pijp uit gegaan, zoals zijn vier voorgangers.

Maar toen hij zo over het dakenlabyrint van Orison-Stad gleed, steeds op zijn hoede voor de gulzige torenvalk, begon hij te twijfelen aan zijn voornemen naar Culcah terug te keren en verslag uit te brengen. Zou er begrip voor zijn dat hij gefaald had? Vast niet. Hadden niet nog maar twee dagen geleden honderd demonen stokslagen gekregen en twaalf zelfs moeten branden, alleen omdat hun gedrag Culcah niet bevallen was?

Snidralek twijfelde hevig.

Hij vloog vrij rond en genoot ervan. Het was heerlijk om niet meer op een lichaam aangewezen te zijn! Geen loopneus meer, geen rommelende buik, geen pijnlijk gezwollen voeten van het marcheren, geen doorboorde ontstoken schouder. Snidralek miste zijn lichaam totaal niet!

Maar hoe lang kon een demon zich zonder lichaam handhaven, voor een roofvogel hem te pakken kreeg of een plotselinge windvlaag hem uiteenjoeg? Waarmee voedde je je eigenlijk als je geen mond meer had? Met de lucht? 'Te veel lucht' viel hem weer in. Het vernietigende oordeel van een grote over een kleine.

Woede borrelde in Snidralek op.

Hij had een behuizing nodig, zoveel was zeker. Buiten de poelmaalstroom was een demon niet geschapen om lange tijd lichaamsloos te blijven. Maar Snidralek voelde niet de minste lust om in zijn eigen, piepkleine, van pijn doorgroefde lichaam terug te keren en vervolgens voor de rest van zijn leven door de groteren rond te worden geduwd. Dus wie zou hij nemen? Een mens? Dat zou niet slim zijn, want de mensen zouden binnen een paar weken al dusdanig door de demonen onder de voet worden gelopen dat er maar weinig of geen over zouden blijven.

Het slimste was dus om zich in een demon te nestelen. Waarom eigenlijk niet? Was dat al eens geprobeerd? Een demon die door een demon bezeten wordt?

Een grote moest het zijn.

De groten waren simpele zielen. Moeilijk te missen, en waarschijnlijk met weinig geestkracht gezegend. De meeste groten waren oliedom. Waarom zou je ook moeten denken als je de kracht van een span ossen had? Vanzelfsprekend moest hij rekening houden met lichaamseigen afweermechanismen, net als bij koningin Lae. Grote lichamen blaakten van gezondheid en kracht, dus waren ze waarschijnlijk ook goed beschermd en nauwelijks kwetsbaar. Maar in tegenstelling tot de koningin zou een titanenlijf log zijn. Langzaam in zijn reacties. Met de slimheid van een kleintje zou in een reus wel een weg te vinden zijn.

Snidralek bereikte Culcahs beestenbende. Hij voelde goed dat het hem had uitgeput om zo'n lange afstand in de lucht af te leggen. Hij had nu dringend een tehuis nodig.

Even keek hij naar zijn eigen lijf. Culcah en zijn vazallen stonden er nog altijd omheen en wachtten tevergeefs op enige vorm van resultaat.

Toen zag Snidralek een lonend doelwit: de twaalfarmige titaan die in de slag om de Hoofdburcht Orogontorogon over de muur had gegooid. Bijna vijf pas groot. Met een steengrijze kleur, een brede, gezwollen schedel en oren waaruit bosjes haar puilden. Lelijk als de nacht, maar zelfs onder de reuzen een reus. Hij rook afschuwelijk, want hij deed voortdurend zijn behoefte, al staande, en niemand durfde zich daarover te beklagen. Ach, dat akelige gedrag kon hem wel afgeleerd worden.

Snidralek drong door een van zijn beboste oren bij hem binnen.

Het was daar zo leeg en ruim dat Snidraleks ritselende bewegingen echo's veroorzaakten en de reus zich aan zijn achterste moest krabben.

'Te veel lucht!' lachte Snidralek. 'Te veel lucht!'

De reeks pogingen tot overname van koningin Lae werd hier stopgezet.

Alle vijf vrijwilligers moesten bij gebrek aan bewijs van het tegendeel doodverklaard worden. Culcah had geen zin meer om nog meer van zijn ondergeschikten zinloos de dood in te jagen.

Alleen Snidralek was zeer tevreden met het resultaat.

6

Nog vierenveertig tot het einde

De naam van de boodschapster was Nenamlelah Ekiam.

Ze kwam oorspronkelijk van het eiland Rurga en was dus een met donkere huid gezegend natuurkind, maar was daarna verliefd geworden op een baardige zeevaarder, was op haar zeventiende met hem getrouwd en met hem naar Icrivavez verhuisd. Icrivavez en Rurga lagen niet al te ver bij elkaar vandaan. Nenamlelah en Donter konden hun beider ouders, broers en zussen regelmatig om de beurt bezoeken. Ze waren nog jong en hadden zelf geen kinderen.

Toen de demonen Icrivavez overvielen, waren Nenamlelah en haar man net van Rurga teruggekeerd en voeren ze juist in een eenmaster met zeil op de buitenste havensteiger aan. Donter was meteen met de omkeringsmanoeuvre begonnen. Toch had een gevleugelde kolendemon hen gezien en aangevallen. Het gevecht op de wiebelende boot duurde bijna een kwartier. Aan het eind lag Donter dood in zijn bloed en Nenamlelah bewusteloos in de versplinterde brokstukken en stofwolken van de kolendemon, met de roeiriem die ze op het laatst als wapen had gebruikt nog altijd in haar verkrampte handen.

Toen ze weer bijkwam en de hele haven zag branden, wist ze dat voor Donters ouders, broers, zussen en vrienden, en ook voor hun eigen hut, elke hulp te laat kwam. In de laaiende omtrekken van de stad woedden monsters zoals je je niet eens in een nachtmerrie zou kunnen voorstellen.

Ze zeilde terug naar het zuiden, verward klagend, om haar eigen familie te waarschuwen. Op Rurga was alles nog rustig. Daar bewapende de bevolking zich, bewees de zeeman en echtgenoot Donter Ekiam de laatste eer in de zandrotsen en gaf Nenamlelah twee van haar drie broers mee als geleide, want ze wilden de overige kuststeden bezoeken om ze zo mogelijk voor het gevaar te waarschuwen.

Met z'n drieën staken ze in de kleine eenmaster van de Ekiams noordwaarts in zee, naar Kurkjavok, waar Nenamlelah via haar man vrienden had. Maar in Kurkjavok wachtte hun een soortgelijk beeld als in Icrivavez, bijna nog verschrikkelijker. Geen vlammen en monsters meer. Maar wel ruïnes, en in die ruïnes, opgehangen als vlaggen, of uitgehangen als was om te drogen, mensenlijken. Verminkte, vernederde, duizendvoudige dood. De gruwelijke hoon van monsters. Stank drong door tot op de zee, die rond Kurkjavok niet meer groen was, maar zich met rood tot bruin had gemengd.

Ze voeren, steeds op hun hoede voor gevleugelde nachtmerries, door rokerige herfstnevel verder naar Saghi. Ook Saghi was vernietigd. De hele wereld leek kapot te zijn.

Pas in het Vijfde Baronaat, in Tjetdrias, trof het drietal weer een stad aan zoals ze die gewend waren. In een ogenblik van zwakte leek het Nenamlelah alsof het allemaal niet waar was, maar Donters bloed kleurde de planken van de boot nog altijd roestbruin, en ze begreep dat ze de plicht had om de nietsvermoedende mensen op de hoogte te brengen. Álle nietsvermoedende mensen. Ze moest naar de koningin.

In Tjetdrias wist men nog altijd van niets. De zee werd in dit onberekenbare seizoen niet al te veel bevaren. Dat hier de laatste weken geen schip uit het Zesde Baronaat was binnengelopen verwonderde niemand dus, en de schepen uit Tjetdrias die naar het Zesde waren vertrokken, waren nog niet teruggekeerd. 'Reken maar niet op ze,' zei Nenamlelah bitter, en de mensen verbleekten tot op het bot.

Vliegensvlug werd er een berichtenketen langs de kust noordwaarts georganiseerd, een verdediging van de stad ook tegen aanvallen uit de lucht, en snelle paarden voor Nenamlelah en haar broers, zodat die onmiddellijk naar Orison-Stad konden vertrekken. In elk van de drie burchten van het Vijfde Baronaat verversten ze hun paarden, en in elk van deze drie burchten veroorzaakten ze landinwaarts ontzetting met hun melding van een grootscheepse aanval van demonen. Sommige mensen spotten over deze drie 'eilandkinderen', maar buiten in de herfsthemel rolde de donder en flitsten de bliksems, en de ondergang van Orison leek geen al te vergezocht visioen te zijn. De drie 'eilandkinderen' waren donker genoeg om geloofwaardig te zijn als aankondigers van een noodlottig gebeuren.

Het Vijfde Baronaat gordde zich in ijzer en hard leer.

Nenamlelah en haar twee broers bereikten Orison-Stad en werden onmiddellijk – want ze hadden van drie burchten op een rij volmachten gekregen – tot koningin Lae I en haar raadsheer Taisser Sildien toegelaten. Ze merkten de praal waarin ze werden binnengeleid nauwelijks op. Dat was allemaal maar opsmuk aan de randen van hun door angst en verlies vernauwde waarneming.

'We waren al verbaasd,' zei de koningin terwijl ze somber in de verte tuurde nadat Nenamlelah haar verhaal had beëindigd. 'Al wekenlang zijn er geen postduiven, bereden koeriers of andersoortige contacten geweest met Icrivavez, Kurkjavok en Saghi, en al evenmin met de Buitenburcht en de Hoofdburcht van het Zesde Baronaat. Wij weten dat aan het slechte weer. Het onvriendelijke jaargetijde.'

'De ligging van de vijf verloren plaatsen op de kaart van het Zesde Baronaat laat maar één conclusie toe,' merkte Taisser Sildien op. 'De Demonenpoel heeft zijn bewoners de wereld in gespuwd. Dat betekent dat het Zevende Baronaat ook in gevaar verkeert, maar tot nu toe krijgen we nog tekenen van leven uit het Zevende, en wel heel rustige, uit alle vier de havensteden en de drie burchten.'

'Dat betekent dat de demonen niet simpelweg alles om hen heen verwoesten,' peinsde de koningin zacht. 'Een kort uitstapje naar de kust wellicht, om geen vijand in de rug te hebben. Maar ze gaan niet naar het Zevende, maar naar het noorden tot de Hoofdburcht van het Zesde. Hun doel is Orison-Stad.'

'Ik begrijp niet waarom er zo weinig mensen zijn die ons bericht kunnen zenden.' Taisser Sildien bleef iets onduidelijk vinden. 'Waarom hebben wij niet allang van meerdere zijden berichten ontvangen, als er feitelijk op ons eigen grondgebied zoiets als een veldslag aan de gang is?'

'Omdat ze niemand laten overleven,' zei Nenamlelah. 'In de steden die wij gezien hebben, bewoog helemaal niets meer. Hoe moeilijk ik het ook vind om het zo te zeggen, ik had geluk. Ik was half op zee, en de demon die ons aanviel was door mij en mijn man te verslaan.'

'Maar ook andere schepen die op de Groene Zee varen moeten toch vanaf zee zien dat de havensteden verwoest zijn?'

'Andere schepen, eerwaarde raadsheer, zijn mogelijk te groot. Ze worden door de demonen ontdekt en tot zinken gebracht. Geen overlevenden.'

'Dan moeten er nog altijd demonen aan de kust zijn die de wacht houden.'

'Daar kunnen we wel van uitgaan.'

'En waarom hebben ze jullie niet ontdekt?'

'Wij waren te klein en te ver weg.' Het gesprek draaide in een kringetje rond, tot de koningin het van richting veranderde.

'Hoeveel?' vroeg ze de drie ooggetuigen. 'Met hoeveel demonen hebben we te maken?'

'Moeilijk te zeggen. Ik heb er misschien duizend in de vlammen van Icrivavez zien dansen. Maar misschien waren het er ook meer. Tweeduizend, drieduizend.'

'Ze hebben drie havensteden en twee burchten aangevallen,' bracht Taisser Sildien in het midden. 'Als die vijf aanvallen gelijktijdig hebben plaatsgevonden, kunnen het ook vijfmaal drieduizend demonen zijn.

'Vijftienduizend,' rekende koningin Lae uit. 'Ik geloof niet dat alle vijf doelen tegelijk zijn aangevallen. De havensteden misschien, maar voor de Hoofdburcht hebben ze vast hun krachten weer gebundeld. We zullen met hoogstens 12.000 tegenstanders te maken hebben. Hoeveel demonen kon de Poel dan bevatten? Ook 12.000 komt mij al voor als waanzinnig veel. Taisser, lukt het ons om in zo kort mogelijke tijd een leger van 25.000 vrouwen en mannen op de been te krijgen?'

'Als we alles wat Orison-Stad oplevert en wat de negen omliggende Binnenburchten kunnen mobiliseren bij elkaar brengen, komen we op zo'n 20.000 soldaten. Als we dan zuidwaarts marcheren, de demonen tegemoet, kunnen de Hoofdburchten van de Baronaten Zeven, Acht en Vijf ons bovendien nog ondersteunen. Ja, misschien krijgen we dan zo precies 25.000 soldaten bij elkaar.'

'Dat zou toch meer dan voldoende moeten zijn. Wie zou je tot opperste legercoördinator benoemen?'

'De legercoördinator van het Vijfde Baronaat, Hugart Belischell. Hij is een veteraan van de Irathindurische Oorlog en heeft zich destijds dapper geweerd tegen de invasie van de zelfbenoemde godin.'

'Maar het Vijfde heeft verloren en werd geannexeerd.'

'Ja. Maar uiteindelijk hebben de geannexeerden de oorlog gewonnen, terwijl de tijdelijke overwinnaars Irathindurië en Helingerdia nu niet meer bestaan.'

'Zeg het maar meteen: je vindt hem aardig, omdat je af en toe met hem kaart.'

'Ik vertrouw hem.'

'Dan,' zei de koningin glimlachend, 'wil ik hem ook wel vertrouwen. Laat hem onmiddellijk hier ontbieden. En start de mobilisatie. Orison moet in staat van alarm worden gebracht. We zijn in oorlog, en de zuidkust is al in handen van de vijand.'

De raadsheer snelde de ruimte uit. De koningin bleef alleen achter met de boodschapster en haar twee broers van het eiland Rurga.

'Vergeef me dat ik jouw wondermooie, maar zeer ingewikkelde naam niet mee heb gekregen,' begon ze.

'Nenamlelah,' hielp Nenamlelah haar.

'Nenamlelah,' herhaalde de koningin. 'Je hebt je zeer verdienstelijk gemaakt voor Orison. Ik zal je een brief meegeven voor de koninklijke schatbewaarder. Een vorstelijke beloning is wel het minste wat een koningin je zou moeten schenken.'

'Met permissie, mijn koningin, geld speelt op het eiland Rurga nauwelijks een rol. Als u me iets zou willen geven, geef me dan soldaten mee om het eiland Rurga tegen aanvallen te verdedigen.'

'Hmm.' Koningin Lae I dacht enige tijd na. 'Maar hoeveel moet ik je meegeven? Onder normale omstandigheden zou ik zeggen: vijftig soldaten zouden voldoende moeten zijn om zo'n klein eiland te versterken. Maar als de demonen nu eens met duizend man aanvallen? Dan zou ik je tweeduizend moeten meegeven. En als de demonen met vijfduizend aanvallen? Dan verlies ik daar in het zuiden op een eiland tweeduizend soldaten, helemaal voor niets. Nee, ik ben bang, hoe graag ik ook zou willen, dat ik die wens niet kan vervullen. Ik ben verantwoordelijk voor de vele tienduizenden mensen ten noorden van de Zesde Hoofdburcht. Je hebt zelf gehoord dat we nauwelijks een leger op de been kunnen krijgen dat groot genoeg is. Ik mag geen soldaten detacheren om een eiland te beschermen dat achter de vijandelijke linies ligt en dus van geen enkel tactisch belang is.'

'Maar vanaf dat eiland zou u de vijand in de rug kunnen aanvallen!'

Treurig schudde de koningin haar hoofd. 'Als we ze vanaf de kust of vanaf zee aanvallen, drijven we ze alleen maar landinwaarts. Dat is slecht voor alle mensen die daar wonen. Ik zou de demonen liever de zee in drijven om ze te laten verdrinken. Niet andersom.'

Nenamlelah liet haar hoofd zakken. De koningin eveneens. Nenamlelahs broers konden in de aanwezigheid van de koningin, zo dichtbij dat ze zelfs haar parfum konden ruiken, nog steeds geen woord uitbrengen.

Plotseling hief Nenamlelah haar hoofd weer op. 'Geef ons dan maar drie man mee. Drie man, die de mensen van mijn eiland kunnen leren vechten. En ik beloof u, mijn koningin: het eiland Rurga zal zich staande houden!'

De koningin sloot de jonge weduwe in haar armen.

7
Nog drieënveertig tot het einde

De legercoördinator van het Vijfde Baronaat, Hugart Belischell, was een voorzichtig mens. Met zijn slanke en rijzige gestalte en zijn witte golvende haar maakte hij al van veraf de indruk geen man te zijn die zich ooit aan een eenvoudig genoegen overgaf zonder van tevoren rekening te houden met de prijs en de consequenties.

Nadat hij zo snel mogelijk uit de Hoofdburcht van het Vijfde Baronaat naar de hoofdstad was gereden, lieten de koningin en haar raadsheer hem weten dat in het zuiden oorlog heerste en dat hij onmiddellijk een leger van 25.000 soldaten moest opstellen. Hij werd maar heel even bleek. Toen ging hij meteen aan het werk.

Het ging tegen demonen.

Dit was de nachtmerrie van zijn verleden.

Hij was al in zijn jonge jaren tot legercoördinator gepromoveerd, onder de goedige, ouwelijke baron van het Vijfde Baronaat. Legercoördinator was een vreemde taak geweest, want destijds heerste nergens oorlog. Het was het juiste beroep geweest voor een voorzichtig mens. Je moest soldaten vormen en disciplineren, hen na een paar jaar dienst onder de wapenen weer het burgerleven in sturen, en proberen hun in de tussentijd iets mee te geven dat hun in hun verdere leven van nut zou kunnen zijn. Geen beroerde taak eigenlijk. Vooral administratieve rompslomp en aansporende redevoeringen houden. Appèl houden. Parades inspecteren.

Toen was plotseling, letterlijk als een donderslag bij heldere hemel, de oorlog begonnen.

Het Zesde Baronaat was waanzinnig geworden en viel onder de naam Irathindurië zijn buren aan. Vanaf zee had de huiveringwekkende legercoördinator van Irathindurië Eiber Matutin het Vijfde Baronaat overrompeld, en de opperste schouten van de havensteden leverden hem niet alleen hun steden uit, maar gaven hem ook nog soldaten om zijn linies te versterken. Niemand wist goed met oorlog om te gaan. Aan zee werd gedacht dat het slimmer was om schade te vermijden dan lang verzet te bieden.

De Buitenburcht gaf zich eveneens over aan de vijand, die kort tevoren nog een vriend was geweest.

De Hoofdburcht bood evenwel bitter verzet. De goedige, ouwelijke baron en zijn jonge legercoördinator Hugart Belischell. De slag om de Hoofdburcht werd een verschrikkelijk bloedbad. Hugart Belischell was zo diep in het vlees van andere mensen gedoken dat hij zichzelf naderhand nauwelijks nog herkende. De burcht brandde af, en daarmee verdween ook de goedige, ouwelijke baron. Het lukte Hugart Belischell zich een weg naar de Binnenburcht te vechten. De overlevenden vroegen hun andere buren, het Vierde Baronaat, om hulp. Maar het Vierde Baronaat was ook waanzinnig geworden, noemde zich nu Helingerdia en dreigde hoonlachend binnen te vallen. Hugart Belischell capituleerde, moest toezien hoe zijn laatste troepen in het Irathindurische leger werden opgenomen en een volkomen zinloze oorlog tegen Helingerdia in trokken, en bracht zelf de rest van de oorlog door in een een smerige kerker in de Binnenburcht. Strikt genomen had hij het alleen aan de ontoerekeningsvatbaarheid van Eiber Matutin te danken dat hij niet ter plekke was terechtgesteld.

In de kerker had Hugart Belischell ruimschoots de tijd om zich het hoofd te breken over wat er eigenlijk was gebeurd.

En toen, later, kwam hij het te weten.

Zijn bewakers vertelden hem dat de barones van Irathindurië zich nu godin noemde en zich lichamelijk had veranderd in een gouden demon in gouden wapenrusting. Er werd zelfs verteld over een tweede, zwarte demon, die zich de koningskroon had toegeëigend en samen met de gouden demon Orison-Stad in de as legde.

Hugart Belischell begreep dat niet mensen, maar demonen verantwoordelijk waren voor de verschrikkelijke oorlog. Alle andere mogelijkheden waren ook volstrekt onzinnig geweest. Zo verloor hij zijn geloof in god en de mensheid niet en kon hij verder leven nadat de demonen gedood en de kerkers weer geopend waren.

Nu dus opnieuw: demonen. Meer dan twee ditmaal. Tienduizend, of meer dan tienduizend. Dit was een verschrikkelijke, maar lonende taak. De bekroning en afronding van een leven dat in zijn jonge jaren was ontwricht.

De legercoördinator zond verkenners naar het zuiden om de beweringen van de drie ooggetuigen van het eiland Rurga te staven. Van de verkenners werd nooit meer iets vernomen. Hij wist genoeg.

Binnen de kortste keren rekruteerde hij in Orison-Stad 18.000 vrijwilligers. De omliggende negen Binnenburchten mobiliseerden nog eens 5000 lansknechten en zonden hen naar de hoofdstad. Uit de hoofdburchten van de Baronaten Negen, Acht, Zeven en Vijf kwamen nog eens 6000 vrouwen en mannen om de veldtocht tegen de demonen te versterken, 29.000 soldaten in totaal. Alle toegangswegen waren verstopt met marcherende mensen in de meest uiteenlopende fantasie-uniformen van de negen baronaten. Wie niet kon of mocht vechten, juichte de verdedigers van het land toe. Er heerste een eigenaardige volksfeeststemming, waar Hugart Belischell zich niet echt bij kon aansluiten. Zelfs al kon hij nu op tweemaal zoveel strijders bogen als de vijand, demonen mochten in geen geval onderschat worden. Hij hield er rekening mee dat een demon op het slagveld zeker de kracht van twee mensen had. Misschien zelfs van drie. Zorgvuldig tactisch optreden was zonder meer noodzakelijk.

Zijn gedachten werden verstoord door merkwaardige zaken. Op een blad papier nummerde hij deze zaken van 1 tot 12:

Merkwaardige zaak 1

Een vrouw die zichzelf 'Irath' noemde, beweerde in de Grote Irathindurische Oorlog van eenentwintig jaar geleden door de 'godin' persoonlijk 'beroerd' te zijn en sindsdien over magische krachten te beschikken. Ze zou geweten hebben van de grootscheepse demonenaanval, lang voor iemand haar ernaar had gevraagd. Ook beweerde ze als enige menselijke tovenares van Orison voor het leger van onvoorstelbaar nut te kunnen zijn als haar werd toegestaan – vanzelfsprekend tegen een passend honorarium – het leger vóór de afmars met 'zegespreuken' tegen het 'geweld van de demonen' 'in te kleden'.

Iraths roodgeverfde haren maakten weinig indruk op Hugart Belischell. Als ze echt een tovenares was geweest, had men de afgelopen eenentwintig jaar van haar en haar daden moeten horen.

Twee dagen later probeerde de vrouw het nog eens. Ditmaal noemde ze zich 'Indur' en was haar haar weer bruin met enkel nog een heel licht rood tintje. Maar het was dezelfde vrouw, zonder twijfel.

Merkwaardige zaak 2

De kerkcoördinatoren van de Baronaten Acht, Vijf en merkwaardig genoeg ook Twee hadden zich aaneengesloten om de legercoördinator verscheidene petities voor te leggen waarin sprake was van de buitengewone religieuze betekenis van de aanstaande veldtocht. Een geloofsstrijd. Getuigenis voor de triomf van het geloof. Omverwerping van het onreine. Uitbanning van het kwaad. Enzovoort.

De drie coördinatoren legden Hugart Belischell basisregels voor waar de soldaten zich onvoorwaardelijk aan moesten houden om hun onbeperkte morele superioriteit te waarborgen. Een van deze regels luidde dat als je je behoefte deed je die door een gelijktijdig uitgesproken gebed van vuil zou moeten bevrijden. Een andere regel was dat de strijders voor en na het doden hun handen met wijwater moesten wassen.

Hugart Belischell had geen tijd voor zulke flauwekul. Hij was een gelovig mens, maar hij wist dat kerkgang kerkgang was, en oorlog oorlog.

Merkwaardige zaak 3

Een moeder probeerde hem haar twaalfjarige zoon te verkopen. 'Hij is een demon,' kwijlde ze. 'Alleen al zoals hij mij aankijkt! Dat is nooit van zijn leven mijn zoon! Nooit luistert hij naar wat ik zeg, altijd maar kattenkwaad en narigheid in zijn kop! Neem hem mee de oorlog in, hooggeëerde coördinator! U zult een demon aan uw kant goed kunnen gebruiken. Kijk hoe hij zich gedraagt, wat voor streken en vuiligheid hij uitbroedt, en u zult meer over uw vijanden te weten komen dan als u er een paar gevangenneemt en martelt!'

Hugart Belischell stuurde moeder en zoon naar huis en liet hen aan hun eigen dagelijkse marteling over.

Merkwaardige zaak 4

Een bataljon burgers wilde per se aan de veldtocht meedoen. Het ging om een bende dronkenlappen, die nooit helemaal nuchter waren en in alle ernst de mening ventileerden dat ze, als ze maar genoeg alcohol op hadden, gevrijwaard waren voor verleidingen en aanvallen van de demonen.

Merkwaardige zaak 5

Een huisdierenhandelaar wilde hem beesten voor de veldtocht aansmeren, ter versterking van het menselijke leger. De handelaar beweerde dat dieren veel meer op demonen leken dan mensen, en daarom kon je heel goed ossen, afgerichte honden of zelfs halftamme roofkatten het slagveld op sturen om de demonen zware schade toe te brengen.

Het idee van de strijdossen beviel de coördinator helemaal niet slecht, maar de handelaar had er net geen bij de hand en kon hem alleen maar vier kleine hondjes aanbieden.

Merkwaardige zaak 6

Een smid uit de hoofdstad beweerde dat hij de ultieme demonenverpletterzwaarden kon vervaardigen. Omdat voor de productie alleen de edelste materialen in aanmerking kwamen, verlangde hij buitensporige bedragen.

Er waren ook nog andere gewiekste mannelijke en vrouwelijke handelaars die aan de oorlog wilden verdienen. Eentje bood hem onkwetsbaarheidszalven aan, een ander zelfgebakken koekjes die moesten helpen de lichaamslucht van verkenners te verminderen bij het bespioneren van het vijandelijke kamp.

Hugart Belischell liet zich door niemand iets aansmeren.

Merkwaardige zaak 7

Een groep van acht lichtekooien wilde de veldtocht begeleiden om de stemming erin te houden bij de soldaten.

Nu was het echter in Orison al ruim twee eeuwen goed gebruik dat het leger uit zowel mannen als vrouwen bestond. Omwille van de rechtvaardigheid had de coördinator dus ook een paar mannelijke lichtekooien moeten organiseren.

Hij verwierp het hele idee. Een veldtocht was tenslotte geen plezierreisje. Als ze het echt anders niet uithielden, moesten de mannen en vrouwen van het leger elkaar maar ter wille zijn, zoals dat al ruim tweehonderd jaar goed gebruik was.

Merkwaardige zaak 8

De legercoördinator van het Negende Baronaat, normaal een verstandige vrouw met gevoel voor de haalbaarheid van dingen, stond erop haar 'jongelui' – zoals ze de ongeveer vierhonderd mannen en vrouwen van het door haar uitgezonden legerdeel noemde – op de veldtocht te vergezellen. 'Ik kan hen toch onmogelijk zonder mijn raadgevingen, mijn kennis en mijn ervaring zo'n strijd in laten trekken. Tegen demonen nog wel. Nee, dat kan ik gewoon niet over mijn hart verkrijgen. De meesten zijn nog maar kinderen!'

Hugart Belischell bracht het niet op haar wens af te slaan. De Negende Coördinator mocht de Negenden aanvoeren. Zolang ze maar voor ogen hield dat Belischell – eigenlijk van gelijke rang – in deze missie boven haar geplaatst was, moest dat geen problemen opleveren.

Merkwaardige zaak 9

Een gemengd zangkoor uit de hoofdstad bood aan de veldtocht vrijwillig te begeleiden. De zangers – tien vrouwen en negen mannen – wilden natuurlijk niet in strijdhandelingen verwikkeld raken, maar ze waren van mening dat welluidend gezang het moreel van de troepen kon versterken.

Hugart Belischell had tot nu toe nog nooit het tegendeel beweerd. Hij was zich er goed van bewust wat voor versterkende werking bijvoorbeeld het gemeenschappelijke zingen in de kerk op ieders hart en ziel kon hebben.

Dus liet hij het gemengde koor een proef van hun kunnen ten beste geven. Ze hadden vrolijke liederen in hun repertoire, maar ook de een of andere plechtige, religieus gestemde compositie. Geen strijdliederen. Die konden ze onderweg nog instuderen.

Hugart Belischell stond toe dat het koor de troepen begeleidde en drukte de koorleider nog eens op het hart dat hij onvoorwaardelijk en onder alle omstandigheden altijd ver achter het front moest blijven.

Merkwaardige zaak 10

Een knappe jongeman beweerde de beste zwaardvechter te zijn die 'het land Orison ooit had gezien'. Hij was van ver gekomen, uit Zarezted, om de hoofdstad met eigen ogen te aanschouwen. Hij wilde niet in een troep worden ingedeeld en geen uniform dragen. 'Bevelen opvolgen is niet zo mijn ding,' zei hij, nonchalant op zijn anderhalfhandszwaard leunend. 'Maar met mijn legendarische vermogens kan ik u toch zeer van nut zijn. Ik kan het tegen tien – wat heet, tegen twintig man opnemen.'

Hugart Belischell besloot hem aan een proef te onderwerpen. Hij liet hem een zwaardgevecht houden tegen een ervaren soldate uit zijn Vijfde, een veterane van de Irathindurische Oorlog, net als hijzelf. De bijna vijftigjarige vrouw maakte het ventje volgens alle regelen der kunst in. De knaap begon zelfs te grienen en kon helemaal niet meer tot bedaren komen. Hugart Belischell nam zijn waarschijnlijk gestolen zwaard in beslag en stuurde hem terug naar Zarezted.

Merkwaardige zaak II

Iemand klopte aan de deur van Belischells privévertrekken en beweerde demonenexpert te zijn.

'De laatste vijftien jaar,' verklaarde de geleerde, 'heb ik de Demonenpoel achtendertigmaal bezocht. Om te kijken. Aantekeningen te maken. Te luisteren. Ook om te bidden. Te snuffelen. Om alles op me te laten inwerken en me ervan te laten doordringen. Geen enkele keer heb ik daar een echt teken van leven kunnen ontdekken. Er draait daar een soort kolk beneden, zonder meer. Het ruikt er naar rotte eieren, zonder meer. Er zijn bewegingen, draaiingen, wervelingen en tegenbewegingen. Zonder meer. Maar het lijkt me toch eerder om een zwaar gas te gaan dat daar beneden ronddraait dan om een samenballing van zielen, laat staan vreemdsoortige levende wezens. De Brokkelige Bergen zitten vol hete bronnen en onderaardse gasbellen. Overal stuit je er op geisers. Waarom zou de Demonenpoel, die dieper is dan alle andere schachten, dan iets anders herbergen dan overkokend water of stinkende nevel? Volgens mij bestaan demonen niet. Ze vormen slechts een aspect van de ziel van elk mens. Iedereen is een demon. Maar de meesten van ons hebben hun eigen demon – zichzelf – wel onder controle.'

'Als er geen demonen bestaan,' vroeg Hugart Belischell, 'wie vernietigt dan onze steden in het zuiden?'

Nu kwam de geleerde onbetamelijk dicht bij hem en fluisterde: 'Laten we aannemen dat het om een soort ziekte gaat. Die ziekte verandert mensen in karikaturen van mensen. Demonen, zonder meer, maar toch helaas maar mensen. En deze ziekte is besmettelijk. Hij verspreidt zich in het zuiden. Niemand kan eraan ontkomen. Is onder zulke omstandigheden een veldtocht niet een verschrikkelijke fout? Verandert u door uw onderneming niet bijna 30.000 gezonde mensen eveneens in demonen?'

Hierbij brak Hugart Belischell echt het zweet uit. Als deze man nu eens gelijk had? Een ziekte was niet met wapens te overwinnen. Voerde hij al zijn beschermelingen naar de ondergang?

Maar nee. Er was een bewijs tegen de theorie van de zelfbenoemde demonenexpert: Nenamlelah Ekiam. Zij was direct met een demon in contact gekomen. Het gevleugelde kolen-ondier had haar zelfs diepe schrammen toegebracht. En zij was niet geïnfecteerd, niet veranderd.

Nee. Het was ook niet denkbaar dat een ziekte een mens vleugels gaf.

De geleerde vergiste zich, omdat hij te veel hoop koesterde.

Demonen bestonden.

Maar demonenexperts niet.

Merkwaardige zaak 12

De Dochters van Benesand

Ze noemden zich Marna Benesand, Aligia Benesand, Nikoki Benesand, Chasme Benesand, Teanna Benesand, Zilia Benesand, Tanuya Benesand, Chesea Benesand, Nyome Benesand, Myta Benesand, Hazmine Benesand en Ilura Benesand. Ze leken totaal niet op elkaar en hadden bijna allemaal een andere kleur haar en de welgevormde figuren van danseressen. Waarschijnlijk waren ze dat ook; een groep beroepsdanseressen. Maar ze bezaten eigen paarden en diverse steekwapens, en wilden als bereden huurlingentroep aan de veldtocht meedoen. Zonder loon. Alleen wat ze op het slagveld buitmaakten zou van hen zijn.

Hugart Belischell kon zich nog herinneren wie Benesand was. Tijdens de Irathindurische Oorlog was Faur Benesand veroveringscoördinator van het Zesde Baronaat geweest. In de chaos van de oorlog dook hij vervolgens in de hoofdstad op. Hij had zijn tot godin gepromoveerde barones de trouw opgezegd en werd in Orison-Stad hoog onderscheiden voor zijn strijd tegen de Helingerdiase belegeringstroepen. Daarna ging zijn spoor verloren in de chaos van de wederzijdse afslachting van de baronaten.

Hugart Belischell had de jongeman eenmaal bij een onbeduidende officiële gelegenheid gezien. Als coördinatoren van buurbaronaten hadden ze aan dezelfde tafel gegeten. Hugart Belischell kon met de beste wil van de wereld niet verklaren wat er aan deze holle, ongelooflijk verwaande kwast zo interessant was dat nu twaalf mooie jonge vrouwen zich zijn dochters noemden.

Maar dat was maar een naam. Ze hadden paarden en wapens, en zagen er heel goed uit.

Hugart Belischell had de lichtekooien niet meegenomen. Maar wel een zangkoor.

Misschien konden de Dochters van Benesand een soort gemiddelde tussen beide vormen. Iets voor het oog. Een verrijking voor het leger. Een extra stimulans voor zoveel zuchtende soldaten.

Hij nam hen mee en deelde hen in bij zijn eigen soldaten van het Vijfde.

Het weer spuugde nog altijd op de mensen. De regen mengde zich al met hagel en sneeuw. De winter daalde neer met storm en onweer.

Toen Hugart Belischell de dag voor de afmars de grootste kathedraal in de hoofdstad bezocht om voor de aanstaande bevrijding van het zuiden te bidden, begon er een klok te luiden, hoewel het daar helemaal niet de juiste tijd voor was. Het was vast de storm die de klok aan het zwaaien bracht, die onophoudelijk door de stad striemende wind die het ademen bemoeilijkte en de herfstbladeren die nog overal op straat lagen deed rondwervelen als een jongleur zijn ballen.

Het grootste leger dat het land Orison ooit had gezien vertrok zuidwaarts. Vooraan liep Hugart Belischell, coördinator van het leger. Erachter stonden koningin Lae I en het verzamelde volk van de hoofdstad, dat de verdedigers van de mensheid uitgeleide deed met bloemen, zwaaien, zingen, lachen, huilen, angst en bidden.

Dit was absoluut ongekend.

Zelfs in de oorlog tussen Irathindurië en Helingerdia waren de legers nooit zo groot geweest, want de afzonderlijke baronaten hadden tegen elkaar gestreden en waren daardoor steeds verder versplinterd. Ditmaal echter voegden alle negen baronaten zich samen tot een wig.

Een wig die in de natte sneeuw en de razende wind zuidwaarts streefde, naar de Binnenburcht van het Zesde Baronaat, en waarbij zich onderweg steeds nog meer vrijwilligers aansloten, zodat de wig uiteindelijk uit 30.000 al ineengevoegde deeltjes bestond.

8

Nog tweeënveertig tot het einde

Tijdens de mars naar het noorden stond Culcah herhaaldelijk op het punt het bijltje erbij neer te gooien.

Hoe kon hij orde scheppen in een troep van 100.000 wezens, van wie sommige geen ogen hadden, andere geen oren, weer andere geen monden, geen benen, geen armen, geen kop, dan wel hersens in de wervelkolom, helemaal geen hersens, geen wervelkolom, geen taalvermogen, geen geheugen, geen oriënteringszin, geen hart, geen ademhalingsorganen, geen wensen, geen doelen, geen ambities? Hoe kon hij zich legerleider durven noemen als het leger elke leiding weigerde?

Ja, ze gingen naar het noorden. Maar langzaam en op een vreemde manier. Meer als een slang die zich zijwaarts naar voren slingert dan als een leger.

Van de 120.000 demonen die Culcah theoretisch ter beschikking stonden, vormden ongeveer 50.000 de legertros. Deze 50.000 kon Culcah enigszins sturen, ook al waren ze allemaal zo verschillend dat het er regelrecht lachwekkend uitzag als ze zich in rijen opstelden.

De andere 70.000 zwermden ergens rond. Meer dan de helft van allemaal: 70.000.

Tienduizend van deze 70.000 bevonden zich nog altijd aan de kust. Niemand wist of ze ooit naar het leger zouden terugkeren. Misschien zouden ze ook het zeegat kiezen, op naar nieuwe landen en nieuwe avonturen.

Vijfduizend hielden zich steeds vóór de voorhoede op. Deze 5000 vormden een bijzondere bron van ergernis, want hoe kon je effectief doelen aanvallen en uitschakelen als de tegenstander telkens al door aanstormende chaoten was gewaarschuwd? Culcah probeerde meedogenloos op te treden tegen deze voorhoedesaboteurs. Sommige van hen liet hij zelfs terechtstellen. Maar er waren telkens weer nieuwe die naar voren oprukten. De totale legerperiferie roteerde voortdurend. Dat waren de demonen uit de Poel zo gewend: draaiingen.

Twintigduizend demonen slenterden rond achter de achterhoede. Op Culcah kwamen ze over als een reusachtige afvalhoop. Iedereen die te langzaam, te zwak, te lusteloos of te dom was om het eigenlijke marstempo vol te houden – maar anderzijds ook te laf was om echt te deserteren.

Werkelijk gedeserteerd waren er nog eens 1000. Ze waren gewoon opgekrast. Verdwenen. Waarschijnlijk onder dekking van de nacht. Niemand wist waarheen. Maar misschien ging het ook wel om een schattings- of telfout door de voortdurende rotaties. Culcah kon alleen maar hopen dat deze 1000 niet in de buiken van grotere demonen terecht waren gekomen.

Ten slotte waren er nog 34.000 die zich buiten de flanken bevonden, als toeschouwers die met de eigenlijke oorlog niets te maken wilden hebben. Ze waren niet zo langzaam als degenen achter de achterhoede. Ze waren voortdurend in de weer in ofwel het Zevende, ofwel het Vijfde Baronaat, om daar op eigen houtje buit te vergaren. Deze 34.000 vond Culcah het gevaarlijkst, want zij waren moeilijk te arresteren. Telkens als hij er een paar te pakken wilde nemen en ter verantwoording wilde roepen, bewogen ze simpelweg dichter naar het leger toe en voegden zich in, of beweerden brutaal even de bosjes in te zijn gegaan om te plassen.

'Het is om van te kotsen!' luidde de zin die Culcah in deze dagen van geforceerd marcheren het vaakst gebruikte.

Ook het weer speelde zijn leger parten. Sinds het af en toe hagelde, waren er al meer dan vijftig weekdieren het slachtoffer geworden van de ijskorrels uit de hemel. Bijgelovigen beweerden dat de god van de mensen al oorlog tegen hen voerde. Daarop laaide de discussie weer op of de god van de mensen niet ook de god van de demonen en schepper van al het leven was. De demonen discussieerden over godsdienst, terwijl ze zich voedden met verdord gras, natgeregend wild, dorpsmensen en wormen. Verscheidene waren in de diepe modder weggezonken of gestikt, of 's nachts in de bijtende kou doodgevroren.

Ze waren geen inspanningen gewend. Het bestaan in de Poel had geen moeite gekost. Je liet je drijven en gaan, en wachtte op de vervulling van de plannen van de grote Orison. Nu waren deze plannen werkelijkheid geworden, en alles mopperde en jammerde.

'Huilebalken dat jullie zijn!' Culcah spuwde het met al zijn drie gezichten tegelijk uit om uitdrukking te geven aan zijn ongenoegen. Zijn onderofficiers haastten zich om hem met berichten over nieuwe structureringsmaatregelen en opgelegde straffen in de stemming te houden.

Hij had zo'n mooi plan bedacht om de Binnenburcht gemakkelijk te kunnen innemen. Gevleugelde demonen moesten 's nachts de wachters van de kantelen plukken en daarna van binnenuit de poorten openen. Een paar geselecteerde eenheden van honderd man marcheerden naar binnen – en de overwinning zou heerlijk en puur zijn! Een burcht, op de borst gespeld als een ordeteken, één in een lange rij die zou volgen.

Maar dat zou niets worden. De 5000 plunderaars vóór de voorhoede zouden alles al kort en klein hebben geslagen voordat het eigenlijke leger de plaats van bestemming ook maar bereikt had. Ongetwijfeld bevond Orogontorogon zich onder die schaamtelozen!

Toen ze op een ochtend inderdaad de Binnenburcht bereikten, zag Culcah werkelijk al van verre demonen overmoedig kunstjes uithalen op de torendaken.

'Trek rond het slot!' beval hij zijn 50.000 getrouwen. 'Laat die 5000 *&$#&%*# maar hun *&$#&%*# lol hebben, als ze de *&$#&%*# *&$#&%*# bij *&$#&%*# de *&$#&%*# *&$#&%*# *&$#&%*#!'

Slechts een paar verstonden hem.

Geen oren, geen hersens, of geen taalbegrip.

9
Nog eenenveertig tot het einde

Marna Benesands echte achternaam was Gressnaar.

Haar moeder, Heluga Gressnaar, was in haar jeugd in Icrivavez verliefd geweest op de jonge, eerzuchtige Faur Benesand. Faur Benesand bleef de grote gemiste kans van haar leven. Zoals veel vrouwen hun hele leven hun grote gemiste kans blijven betreuren als ze zich eenmaal tevreden moeten stellen met een leven aan de zijde van een onvolmaakte, weinig opwindende echtgenoot.

Haar hele jeugd had Marna de verhalen over Faur Benesand moeten aanhoren, aan de randen geslepen en verguld door de fluwelen stem van haar moeder. 'Faur was zo'n knappe jongeman. Zijn lange blonde haren. Zijn innemende glimlach. Altijd in voor een kunstje en een grapje. Maar ambitieus dat hij was! Anders dan de andere mannen in Icrivavez. "Ik wil naar de Hoofdburcht," zei hij altijd, en behalve mij zag niemand hem er echt toe in staat. Maar hij heeft het gefikst. Op eigen kracht heeft hij zich opgewerkt. Hij is in Icrivavez begonnen als leerling in de haven om de inkomsten en uitgaven te controleren, en toen er vervolgens in de Hoofdburcht iemand werd gevraagd voor de functie van innamecoördinator heeft hij gesolliciteerd en alle concurrenten in een lange reeks proeven verslagen!'

'En de barones?' had Marna dan vaak gevraagd om haar dweepzieke moeder te plagen.

'Ach, die! Die heeft toch helemaal niets voor hem gedaan? Hij was een trouw en toegewijd onderdaan, en dat mens draait gewoon door en dwingt hem zijn geweten te volgen en de koning te steunen.'

Ook die verhalen had Marna honderdmaal gehoord. Over Faur Benesand, de oorlogsheld, die de Irathindurische afsplitsing verlaat om aan de zijde van de jonge, onervaren koning Tenmac III voor recht en vrijheid te strijden. Vol doodsverachting op de kantelen. Regelrecht waaghalzig midden in de gelederen van de aanstormende vijanden. Altijd in voor een kunstje en een grapje.

Toen was hij verdwenen.

Sommigen fluisterden dat hij op een geheime missie naar het noorden om het leven was gekomen, een missie die iets met de aanvallende Coldriners te maken had. Anderen zeiden dat hij in de onoverzichtelijke strijd om Orison-Stad een van de vele slachtoffers was geweest. Weer anderen beweerden dat Faur Benesand op de nachtmerrieachtige dag dat twee demonen de koningsburcht in de as legden zijn koning het leven had gered en zichzelf daarbij had opgeofferd. Er waren er zelfs – vooral vrouwen – die meenden te weten dat de hoog onderscheiden Faur Benesand hoogstpersoonlijk beide demonen had gedood.

Marna's moeder was minder hoogdravend, maar tegelijk romantischer. Volgens haar leefde Faur Benesand nog altijd. 'Uit teleurstelling in de mensen en hun tekortkomingen heeft hij zich naar Coldrin teruggetrokken, waar hij nu aan het hof van de koning aldaar als vertaler een aanzienlijke en goedbetaalde post bekleedt.' Na deze woorden zuchtte ze elke keer, want aanzienlijk en goedbetaald was de baan van haar echtgenoot als bootwerker bepaald niet.

De meeste indruk had het altijd op de jonge Marna gemaakt als haar moeder haar toefluisterde: 'Je zou evengoed Faur Benesands dochter kunnen zijn. Als ik me aan hem had gegeven, als ik niet zo... verstandig en onverstandig tegelijk was geweest, had jij nu zijn ogen kunnen hebben!'

Dit visioen om de dochter van de geprezen Faur Benesand te kunnen zijn had Marna Gressnaar nooit losgelaten. Ze besloot een gewaardeerde legerleidster te worden, wat in vredestijd helemaal niet zo eenvoudig was. In het staande leger van de baronnen of de koningin hoefde ze het al helemaal niet te proberen. Daar werd de hele dag alleen maar geëxerceerd en wachtgelopen, en werden aardappels geschild en soldatenonderkomens geschrobd. Dat was niets voor haar. Zij was geen mier in uniform. Marna wilde schitteren.

Dus besloot ze een groep huurlingen op te richten. Ze had daarvoor ook al een uniek concept bedacht: de Dochters van Benesand. Twintig à dertig schoonheden, schaars gekleed op vurige paarden. Een aanblik om niet snel te vergeten. Iets heel bijzonders, waarvoor de opdrachtgevers ook graag wat dieper in de buidel zouden tasten dan voor traditionele huurlingen.

Marna besteedde jaren aan geld verdienen, betrekkingen met paardenhandelaren aanknopen, tweedehands wapens en wapenrustingen op de kop tikken, potentiële opdrachtgevers paaien en onder de knappe vrouwen van Orison die lichamelijk wel wat aan konden rekruten werven. Twaalf had ze er in totaal bij elkaar getrommeld: Aligia, Nikoki, Chasme, Teanna, Zilia, Tanuya, Chesea, Nyome, Myta, Hazmine, Belodia en Ilura. Aligia was gezelschapsdame geweest. Nikoki barmeisje. Chasme en Chesea meisjes van plezier. Teanna rijlerares. Zilia toneelspeelster. Tanuya en Nyome hadden gewaagd gedanst. Myta en Ilura waren nog te jong om al een beroep te hebben uitgeoefend, en waren door Marna op straat ontdekt en aangeworven. Belodia had in een lazaret gewerkt en Marna verpleegd na een rijongeluk. En Hazmine had werkelijk in het leger van het Vierde Baronaat gezeten en dat maar al te graag weer verlaten. Geen van deze jonge vrouwen stamde echt van Faur Benesand af, maar het was theoretisch nog altijd mogelijk dat hun moeders zich tegenover de knappe jonge held een nacht zwak hadden betoond. Het was een ongewoon aantrekkelijke troep. De paarden waren niet helemaal zo edel als Marna het liefst had gezien, maar de Dochters van Benesand waren dan ook nog maar net begonnen; ze telden ook nog geen dertig meisjes, zoals Marna het zich voorstelde.

Drie opdrachten hadden ze tot nu toe tot volle tevredenheid van hun opdrachtgevers vervuld. Ze hadden in de buurt van de Eerste Binnenburcht aan een jachtgezelschap deelgenomen en dit met glimpen van hun dijen en gewaagde rijsprongen uitstekend onderhouden. Altijd in voor een kunstje en een grapje, helemaal in de geest van hun grote voorbeeld. Ze hadden een groep handelaars die bang was voor bandieten door de noordelijke streek aan de voet van het Wolkenpijnigergebergte begeleid. En ze hadden aansluitend daarop in het noorden van het Vierde Baronaat inderdaad een groep van zulke misdadigers te pakken gekregen – acht helers uit Ferretwery die een opslagplaats in een berggrot hadden – en die aan de soldaten van de Vierde Hoofdburcht overgedragen. Bij deze opdracht hadden ze voor de eerste keer bloed vergoten. Drie van de helers hadden het niet overleefd, en met uitzondering van Belodia had dat niemand van hen iets uitgemaakt. Belodia had daarop de Dochters van Benesand mogen verlaten. Niemand werd door Marna ergens toe gedwongen. Zij waren huurlingen van de lieftalligheid, geen onnozele soldates en ondergeschikten.

Toen had iedereen het plotseling over oorlog gehad. Als een donderslag bij heldere hemel. Een echte oorlog.

Marna had niet lang hoeven bidden en smeken. De honger in de ogen van haar 'zusjes' weerspiegelde die van haarzelf. Ze hadden gesolliciteerd zoals hun grote voorbeeld op zijn beurt gesolliciteerd had, en ze hadden niet eens proeven hoeven doen. Ze waren ingedeeld bij het leger van het Vijfde Baronaat. Hugart Belischells eigen troep, die in de geweldigste legerslang die het land Orison ooit had gezien helemaal vooraan zijn mannetje stond.

De Dochters van Benesand barstten bijna van trots. Ze genoten van het slechte weer, dat hun strakke kleding kletsnat tot zijn recht deed komen. Ze genoten van de koude modder, waarmee je als ruiter veel minder in aanraking kwam dan het meelijwekkende voetvolk daar beneden. Ze genoten van hun saamhorigheid, het feit dat ze een al maanden op elkaar ingespeelde troep waren, terwijl de rest van het leger een tamelijk bij elkaar geraapt zootje was. Ze genoten van de begerige blikken van de soldaten, de jaloezie van de relatief onaanzienlijke soldates, de waardering van de officiers. Ze meldden zich graag vrijwillig als het om wachtlopen of het opbouwen van nachtverblijven ging. Aardappels schillen en latrines schoonmaken lieten ze aan de mannen over.

Ten slotte, na drie dagen, toen de infanteristen al dodelijk vermoeid waren van de modder en de kou, maar de Dochters van Benesand nog blaakten van levensvreugde, bereikte het leger de Binnenburcht van het Zesde Baronaat, en de geweldigste slag van de jongste Orisonische geschiedenis stond op het punt van uitbreken.

Al van veraf had men het slot zien walmen. De ruiters waren onder Hugart Belischells commando naar voren gestormd om te redden wat nog te redden viel. De Dochters van Benesand galoppeerden hier dus bijna zij aan zij met de door de koningin aangestelde legercoördinator van heel Orison. Het was een roes. De wind bolde hun prachtige, goed verzorgde haren van verre zichtbaar op. Hun paarden waren iets minder goed dan die van de cavaleristen, maar alleen op langere afstanden. Dit was een stormaanval.

De burcht smeulde en kraakte in al zijn voegen onder de last van de niet-menselijke aanvallers.

'Het zijn maar ongeveer 5000 demonen!' stelde Hugart Belischell met een paar blikken vast. 'Wij zijn met 30.000 mensen! Maai ze neer zonder genade!'

Dit 'Maai ze neer zonder genade' was als een toverformule. Een magische drank. Een uitdrukking van absolute superioriteit. De zege die alleen nog een vormkwestie was, lag al besloten en was vereeuwigd in woorden van zuiver licht.

Marna Benesand, geboren Gressnaar, sprong voor haar zusjes uit in de werveling van klank en beweging die een echte oorlog kenmerkte. De roes vulde al haar vingers tot in de toppen. Het zwaard in haar hand leek bij het zwaaien een kleurige staart mee te trekken.

De eerste demon waar ze op stuitte was een twee pas grote, rechtop lopende salamander met een mond vol baarden. Marna scheidde met één enkele slag de kop van zijn romp.

De tweede demon waar ze op stuitte zag eruit als een verkleurde zonnebloem. Hij sloeg vanaf de zijkant onder haar dekking door tegen haar aan, sleurde haar uit het zadel, schudde haar door elkaar tot ze bijna het bewustzijn verloor, en begon haar daarbij met vloeibare zuren aan te vreten.

Marna begon te huilen. De roes vervloog.

Een soldate van het Zevende Baronaat redde haar leven door de steel van de zonnebloem doormidden te slaan. Marna viel in de diepe, kleverige smurrie en moest zich opnieuw oriënteren.

Om haar heen rende en brulde alles. Alle kanten op. Er gingen golfbewegingen door de menigte. Twee van haar zusters kon ze nog zien, Zilia en Nikoki, die hun paarden hadden ingetoomd om in de buurt van hun aanvoerster te blijven. De anderen waren ergens in de chaos. De demonen kwamen van overal. Ook uit de lucht. Ook midden uit de modder. Ook uit de lichamen van hulpzoekende burchtbewoners.

Marna had haar zwaard verloren, maar in haar buurt lag een dode soldaat met een gapend, smeulend gat in zijn borstkas ter grootte van een hoofd. Het gat liep helemaal door tot de modder daaronder, en toonde ribben, darmen en ingewanden als een verscheurd mengsel. Marna nam de soldaat zijn sabel uit zijn koude hand. Toen sprong ze weer in het zadel en reed dichter op de burchtmuur toe. Het mochten dan maar 5000 demonen zijn, maar ze vochten als 10.000. Het zou niet makkelijk worden, maar ze moesten het fiksen. Voor de mensheid. Voor Orison. Voor de nagedachtenis van Faur Benesand.

Marna riep bevelen in de richting van Zilia en Nikoki. Die volgden haar om de andere zusters terug te vinden.

Ze voegden zich in de chaos.

Hun paarden hinnikten en steigerden van angst.

10

Nog veertig tot het einde

De vijfjarige Genja wordt wakker. Iets maakt lawaai op de binnenplaats. Het gezicht van mama, heel groot, spreekt haar troostend toe en wil haar geruststellen, maar huilt toch. Genja is radeloos; een gevoel van onbehagen overvalt haar. Papa rent in de kamer heen en weer en roept bevelen die niemand kan verstaan. Vreemde mannen rennen ook. Nu eens hierheen, dan weer daarheen. Het is koud als je zo uit je bed bent gesleurd. Het is nog niet eens helemaal licht buiten, eigenlijk nog bedtijd. Kou dwarrelt naar binnen en laat haar adem wolken. Mama sleurt Genja in het rond, trekt haar ruw iets aan, verontschuldigt zich voor haar ruwheid, en lacht en zoemt en huilt daarbij. Het gehuil maakt Genja woedend. Er klopt iets niet. Ze wordt voor het lapje gehouden. Ze houdt haar linkerarm niet op en wordt daarom door mama en papa tegelijk toegeschreeuwd. Geschrokken gehoorzaamt ze. Ze zou het nu ook op een huilen kunnen zetten, maar dat wil ze niet; ze heeft haar trots.

Buiten rommelt het. Er suist iets voorbij het venster, van onder naar boven. Het is volkomen onbegrijpelijk. Was dat een paard dat het huis op liep? Genja staart verbaasd naar buiten. Op de arm van haar mama schommelt ze dichter bij het venster. Daar heerst een enorm tumult, als bij het marktfeest, maar toch anders. Veel mensen zijn verkleed en heel groot of heel dik of heel dun. Dat maakt Genja bang, die levende maskers. Een ervan is een grote rode hond met flaporen die op zijn achterpoten loopt. Genja houdt erg van honden. Papa en mama willen haar er eentje geven; ze hoeft er alleen nog op de volgende grote marktdag een uit te zoeken.

Papa stormt de kamer uit. Hij heeft het heel lange mes in zijn hand, dat waar Genja niet aan mag komen, omdat je je eraan kunt snijden. Papa trekt mama mee. Mama trekt Genja mee. Genja is haar eend vergeten, haar bedknuffel. Ze strekt haar arm uit en rekt zich uit in mama's arm. 'Eendje!' roept ze. Zo heet haar stoffen eend. 'Eendje!'

Een verschrikkelijk geluid buiten doet iedereen ineenkrimpen. Er is iets ingestort. Stof golft van buiten naar binnen, of is het rook? Genja kan helemaal niets meer zien, zo slingert mama haar heen en weer onder het lopen. 'Eendje! Eendje!' De grond deint. Twee mannen vallen neer. Mensen in verkleedkleren springen van achteren op de gevallen mannen en doen iets met hun hoofden. Papa geeft een andere verklede man een flinke klap. Dat lijkt helemaal niet op spel, zoals dat soms gaat als papa met de anderen op de binnenplaats stoeit. Mama schreeuwt alsof ze pijn heeft. Het licht is raar, deint ook, komt nu eens hier-, dan weer daarvandaan, en is bovendien heel warm op haar armen. Papa kijkt snuivend om zich heen. Een ogenblik ontmoet zijn blik die van Genja. Genja schrikt. Is dat papa nog wel? Heeft hij ook verkleedkleren aan, en een gezicht dat alleen maar lijkt op het zijne? Maar dan kan het iedereen wel zijn onder het papamasker – iedereen! Dat zoiets mogelijk is maakt haar heel bang. Ze klampt zich aan mama vast. Mama is helemaal nat.

Ze rennen verder. Mensen roepen heel hard. Dat klinkt allemaal helemaal niet als pret; het klinkt als toen op de binnenplaats dat biggetje werd geslacht. Voor hen duiken vijf verklede mensen op. Ze slingeren vrolijk met hun armen en benen. Ze dansen. Eindelijk is er eens iemand in een goeie bui! Genja klampt zich daaraan vast en probeert het papamasker te vergeten. Mama valt en beschermt Genja daarbij. Mama ziet er ook gek uit, een beetje als oma, en met heel kleverige haren. Papa trekt aan Genja. Dat doet pijn. Ze wil zich verzetten. Wat is er toch met papa aan de hand? Waarom geeft hij haar straf? Zij kan toch nergens iets aan doen, ze heeft toch tot zonet nog geslapen? En waarom heeft niemand aan Eendje gedacht, terwijl buiten toch dingen instorten? Hopelijk overkomt Eendje niets.

Er komt een vrouw voorbij. Ze staat in lichterlaaie. Ze wentelt over de grond en wordt daarbij helemaal zwart. Dat ziet er ergens wel grappig uit, maar toch ook weer niet.

De vijf verklede mensen voor hen bereiken haar en papa. Papa ranselt op hen los, terwijl ze toch niemand iets hebben gedaan. Ze stinken wel heel erg, dat moet je toegeven, maar wat bezielt papa nu? Hij is anders toch altijd vriendelijk tegen de mensen, ook al ruiken ze uit hun mond, zoals papa's coördinator? Genja probeert de arm van haar vader met het lange mes vast te houden. Hou toch op, papa, wil ze hijgend zeggen. Wat doe je daar nou voor onzinnigs? Twee verklede mensen vallen neer en houden hun buik vast. Dan trekt eentje papa's masker af, en daarachter is helemaal niets meer, alleen maar rode prut.

Genja is een paar ogenblikken blind. Haar been doet nu zeer. Ze is gevallen en weet helemaal niet hoe dat is gebeurd. Op de achtergrond hinnikt een paard en steigert. Een verklede man hangt aan zijn zijkant en bijt het. Genja kan dat allemaal helemaal niet begrijpen. Dat is nou van die gekheid zoals grote mensen die maken. Mama speelt oma en papa is de hele tijd helemaal niet echt. Een rode arm schuift in haar gezichtsveld, en ze moet haar hoofd heel ver omhoog en bijna helemaal achterover doen om te kunnen zien waar de arm vandaan komt. De grote rode hond met de flaporen die op zijn achterpoten loopt. Hij grijnst heel breed. Zijn adem ruikt naar kaarsenrook en noten.

'Nou, kleintje?' zegt hij grijnzend. 'Hebben we ook pret?'

Er komt een ander voorbij. Die ziet er heel stom uit. Als een in elkaar gedrukte kamervlieg zo groot als papa. Misschien is dat papa nu wel, in andere verkleedkleren. 'Laat je sinds kort genade voor recht gelden, Orogontorogon?' vraagt de samengeperste vlieg.

'Genade voor recht? Wat klets je nou over recht?' antwoordt de hond. 'Alsof we er recht op zouden hebben om alle mensen dood te maken.'

'Hebben we dat dan niet?'

'Goed beschouwd hebben ze ons niets gedaan.'

'O, jawel! Ze hebben ons duizenden jaren in die verschrikkelijke poel opgesloten!

'Nee hoor!' grijnst de hond. 'Dat was Orison, onze heer en meester.'

'Wat... Orison? Echt waar?'

'Zeker. Wist je dat niet, Psell?'

'Nee.' De geperste vliegenman staart Genja met reusachtige, groen glinsterende ogen aan. Dat is papa ook niet. 'En? Vreet je dat nu op?'

'Dat is toch helemaal niet de moeite waard? Het blijft hoogstens tussen je tanden steken.'

'Wat ben je dan wel van plan?'

'Ik heb nagedacht, Psell. We moeten wel een paar mensen overlaten.

Iemand moet toch al het werk doen als wij eenmaal over het land heersen?'

'Niet slecht gedacht! Maar een klein kind? Wat kan dat nou voor werk doen?'

'Mensen zijn anders dan wij. Die kleintjes... dat worden later groten. De kleinen en de groten zijn hetzelfde, alleen eerder en later.'

'Wat, echt? Dus dat kleine mormel wordt een sterke arbeider?'

'Een arbeidster, geloof ik.'

'Nou, dan heb jij nog eens wat ontdekt! Ik ga nu weer verder moorden, ja?'

'Ga je gang, Psell. Er is genoeg voor ons allemaal. Daar achter komt namelijk versterking.'

'Versterking? Waar?'

'Buiten de burcht. Daar boven op de heuvels, zie je het niet? Op paarden zelfs.'

'Maar dat is... geweldig! Hoeraaaaaa!' De geperste vliegenman stormt weg en zoemt daarbij met zijn veel te korte vleugeltjes.

Genja heeft niet zo goed begrepen waar die twee het over hadden. Hun stemmen zijn ook zo dof en brommerig onder hun maskers. Ze zou willen dat ze helemaal niet praatten.

De hond neemt haar steviger op zijn arm, zodat ze goed op zijn elleboog kan zitten. Ergens vindt ze zijn gezicht wel aardig. 'En wat doen wij tweetjes nu, mijn kleintje? Zullen wij ook verder gaan moorden?'

Genja begrijpt niet wat hij bedoelt. Vastbesloten schudt ze haar hoofd. 'Eendje,' zegt ze. 'Eendje is nog in bed.'

'Eendje? Is dat een broertje of een zusje?'

'Wat praat je nou voor onzin?' Genja moet lachen. 'Eendje is toch geen mens? Eendje is Eendje!'

'Aha, zozo, Eendje is geen mens. Nou, dan zullen we eens zien wat we voor Eendje kunnen doen.'

11
Nog negenendertig tot het einde

Voor de slotvoogd van de Binnenburcht van het Zesde Baronaat hield de nachtmerrie helemaal niet meer op.

Helemaal aan het begin van de nachtmerrie was er die eigenaardige stilte geweest.

Vanuit de Buitenburcht was er geen brief, geen ruiter, geen handelaar, geen reiziger, geen verzoekschrift en geen levering meer gekomen, en toen ook niet meer uit de Hoofdburcht. In de richting van Orison-Stad liep alles nog steeds gesmeerd, en ook in de richtingen van de Vijfde en Zevende Binnenburcht. Maar naar het zuiden toe leek alles wel dood. En dat terwijl de koningin toch regelmatig tienden en belasting uit haar provincies verwachtte! De voogd van de Binnenburcht had zich in de steek gelaten gevoeld, afgesneden van de steun en de hulp van de twee zuidelijkere burchten. Hij had aan een samenzwering gedacht, aan een streek, zelfs aan een soort staatsgreep tegen hem. Herhaaldelijk had hij de coördinator van de burchten om hulp verzocht, maar die had, terwijl hij in de Hoofdburcht verbleef, zoals alle baronaatscoördinatoren, gezwegen. Omdat hij deel uitmaakte van de samenzwering? Misschien zelfs de aanstichter was?

Toen was alles nog erger geworden.

De nachtmerrie had zich verdiept.

Uit Orison-Stad was een decreet gekomen om troepen op te stellen en naar de hoofdstad te sturen. Troepen? Hoe zat dat dan met de twee meer zuidelijke burchten? Waarom leverden die hun bijdrage niet? Waarom ging dat decreet alleen uit naar de binnenburchten? Dat was toch totaal niet rechtvaardig?

Toen was het nog erger geworden.

De nachtmerrie had zich verbreed.

De voogd had om een verklaring gevraagd. Zijn baan op het spel gezet met dat uitstel. Natuurlijk had hij ondertussen al troepen gerekruteerd om op alles voorbereid te zijn, maar toch wilde hij wel weten wat hier voor spelletje werd gespeeld. Men antwoordde hem uit de hoofdstad op zakelijk-bureaucratische toon dat uit het zuiden een invasieleger oprukte dat de Buitenburcht en de Hoofdburcht al had ingenomen, en dat men hem dringend aanraadde de Binnenburcht richting hoofdstad te evacueren.

Dat was misschien een schok geweest. De burcht, zíjn burcht – opgeven? Terwijl zijn moeder, zijn grootmoeder en zijn overgrootvader hier slotvoogd waren geweest, door harde arbeid, in de traditie vastgelegd?

De voogd dwong niemand om te blijven. Maar die bewering over dat invasieleger scheen hem te fantastisch toe, gewoonweg ongeloofwaardig. Wie zou dat dan zijn? De Coldriners zouden toch uit het noorden aanvallen? Zeker niet uit het zuiden.

Vierhonderd rekruten stuurde de voogd naar de hoofdstad, minder dan enige andere burcht. Dat was een eigenaardige zaak. Hijzelf geloofde niet aan die invasie en liet daarom zijn burcht niet in de steek. Maar de mensen koesterden bijgelovige angst – en bleven daarom ook. Omdat ze bang waren hun woonplaats zoals ze die kenden nog slechts als ruïne terug te zien, weigerden velen de oproep. Ze zagen het nut er niet van in om eerst naar het noorden te marcheren en daarna weer hierheen terug te keren – mogelijk te laat om nog iets voor hun geliefden te kunnen doen. Ze wilden ter plekke blijven en vechten. En zo werd de Binnenburcht dichter bevolkt en zwaarder bewapend dan ooit tevoren. Strijdlustige mannen en vrouwen uit de omtrek installeerden zich hier binnen, om vanuit een veelbelovend bolwerk de griezelige tegenstander het hoofd te bieden. Vijfhonderd mensen waren het in totaal, bijna tienmaal zoveel als gewoonlijk binnen de invloedssfeer van de slotvoogd onder de wapens lagen.

De slotvoogd zag zich plotseling tegenover de taken van een legercoördinator geplaatst. Hij vervulde de meeste daarvan met volharding en bravoure.

Toen was het nog erger geworden.

De nachtmerrie was veranderd in naakte waarheid.

In de laatste uren van een koude, stormachtige nacht aan het begin van de winter hadden demonen de burcht overvallen. Honderden, duizenden.

De vijfhonderd dappere mensen vochten op een manier die hun krachten ver te boven ging. Het leek bijna alsof god hun razende krachten verleende. Maar de overmacht van de demonen was gewoon te groot. De nachtmerrie drong elke voeg en porie binnen. De demonen waren overal. Ook in de harten van de verdedigers.

Toen waren er plotseling scheurtjes in de nachtmerrie gekomen, en door die scheurtjes schemerde het licht van een geheel nieuwe, verschrikkelijk intense hoop. Er kwamen ruiters aangestormd, uit het noorden, uit de hoofdstad. En achter hen een leger. Mensen. Geen demonen, geen Coldriners. Mensen uit alle negen baronaten. Het waren er meer dan de demonen. Een overmacht. Vijfmaal, zesmaal zoveel als de monsters uit de Poel.

De voogd had zich een weg gevochten naar de legercoördinator Hugart Belischell. Hoog opgericht zat deze op zijn dampende ros, de situatie helemaal meester. Om hem heen vielen de demonen als sneeuwvlokjes die in het warme gras tot dauw wegsmolten.

'Ik groet u, legercoördinator,' riep de slotvoogd lachend. Rimpels van bloed en tranen tekenden zijn gezicht.

'Ik groet u ook, slotvoogd, ook al hebt u mij niet helemaal zoveel vrijwilligers gestuurd als ik eigenlijk van u had verwacht. Het ziet ernaar uit dat wij nog net op tijd zijn gekomen.'

'Op tijd, o ja, zeker, heer legercoördinator, o ja, zeker!'

De legercoördinator boog zich in het zadel licht voorover naar een van zijn ondergeschikten en sprak met getuite lippen: 'Maai ze neer, zonder genade!' Woorden die in de oren van de slotvoogd als een hemels koraal klonken. Inderdaad was daar ergens een koor dat mooie liederen schalde, midden op het slagveld, bij de zegetocht van de mensheid. Dat was geen verbeelding. De woorden van de legercoördinator waren even eenduidig en bevrijdend als alles voor die tijd onduidelijk en benauwend was geweest.

Maar toen werd het erger.

De nachtmerrie keerde het hele tij, en niets anders dan de nachtmerrie bleef nog bestaan.

Een van de officiers van de legercoördinator reed naar hem toe en vroeg: 'Wat is dat daar nou?'

Hugart Belischell boog welwillend voorover naar zijn ondergeschikte. 'Wat bedoelt u?'

'Daar achter, op de heuvels achter de burcht. Dat ziet eruit als... Is dat een... Is dat nog een leger? Maar dat kan toch niet! Het wordt langer en langer... Dat houdt helemaal niet... Er komt geen eind aan... Het... zal ons zometeen... hebben ingesloten?!'

'U vergist zich. Dat moet stof zijn, of modder. Een windvlaag. Irritatie van uw ogen.' Maar de triomfantelijke glimlach op het gezicht van de legercoördinator bevroor tot rijp. Dat was het verschrikkelijkste moment voor de slotvoogd: toen hij zijn redder het glimlachen zag vergaan.

De voogd zag het nu ook: een demonenleger, zo krioelend en enorm dat je je helemaal geen voorstelling meer kon maken van de aantallen. Het leek om de vlakte met de burcht heen te trekken, om achter de rug van het mensenleger simpelweg noordwaarts naar de hoofdstad verder te razen.

Er voer een huivering door de legercoördinator en zijn strijdros. 'Dit is een val!' blafte hij met een volkomen andere stem. 'De aanval op het slot is alleen maar een afleidingsmanoeuvre. We worden omsingeld! Terugtrekken! Meteen terugtrekken!'

Die woorden sneden als een gloeiendheet net in de slotvoogd. 'Terugtrekken? Maar... heer legercoördinator... wat moet er dan van mijn burcht worden?'

'In godsnaam, kerel, red jezelf!' De legercoördinator was al bezig zijn paard om te draaien. Signalen weerklonken uit hoorns en trompetten. Het koor hief een lied aan met de woorden: 'Terug, terug naar moeders waarden.' Na een algeheel getreuzel begon de vlucht.

De demonen achtervolgden hen. Het gelach van dieren en andere creaturen weergalmde tegen de wapenrustingen van de mensen.

De voogd stortte ineen in de modder. Bijna werd hij vertrappeld door iemand uit de terugrijdende voorhoede.

De nachtmerrie had hem helemaal koud en stevig omvat.

Hij zag zijn burcht in rook opgaan en de bevrijders het hazenpad kiezen.

Hij wilde meer dan gewoon maar dood zijn.

Hij wilde dat hij nooit geleefd had.

12

Nog achtendertig tot het einde

De terugtocht van het mensenleger bij de Binnenburcht van het Zesde Baronaat bleek de grootste en fataalste tactische fout te zijn in de militaire geschiedenis van Orison.

Omdat een niet onaanzienlijk deel van de demonen kon vliegen. Telkens weer vielen ze de vluchtenden van achteren aan en maaiden hen neer.

Omdat de modder en het onzekere terrein de vlucht extra vertraagden en voor diverse ongelukken zorgden die anders te vermijden waren geweest.

Omdat de mensen nu dagenlang geen mogelijkheden meer hadden om zich terug te trekken of barricades op te werpen, en door een demonenleger dat hen getalsmatig met minstens drie tegen één overtrof over het open veld werden opgejaagd.

Omdat door dat opjagen geen effectieve verdedigingsformaties meer konden worden ingenomen, zodat de demonen alleen maar hoefden te plukken en te verzamelen wat van achter uit de vluchtende legerslang van de mensen tuimelde.

Omdat de mensen de korte overwinningsroes die ze bij de burcht hadden gevoeld niet in hun voordeel benutten, maar lieten vallen als iets waar ze eigenlijk geen recht op hadden en in één keer inruilden tegen verlammend afgrijzen.

Omdat de officiers er onderling ruzie over kregen en ook tegen Hugart Belischell en zijn beslissing in opstand kwamen, maar het allang te laat was om nog om te keren.

Omdat de negen baronaten door deze meningsverschillen weer in negen baronaten uiteenvielen in plaats van het land Orison stevig neer te zetten.

Omdat de demonen er een akelig en eerzuchtig genoegen in schepten hun slachtoffers voor zich uit te drijven tot ze uitgeput waren. Dit genoegen smeedde het demonenleger aaneen. Culcah had het gemakkelijker dan alle andere dagen daarvoor.

Omdat angst en nederlagen zich net zo vergroten en voortplanten als dapperheid en overwinningen, behalve dat bij de laatste kracht ontstaat en bij de eerste steeds verdergaand verval.

Omdat de cavaleriepaarden, doordat ze de hete adem van de demonen áchter zich voelden, veel meer in paniek raakten dan toen – zoals ze dat hadden geleerd – frontaal met ze op de vijand af werd gereden.

Omdat verscheidene onderdelen bezweken voor de verleiding zich gewoon over te geven – en daardoor het oprukkende demonenleger continu van mensenvleesproviand voorzagen.

Omdat ook afzonderlijk opererende legeronderdelen zoals de elegante dressuurruiters van het Zesde Baronaat, de goed gepantserde kristalridders uit het Witercarzgebergte en de Dochters van Benesand bij deze heilloze vlucht helemaal niet meer tot hun recht konden komen, maar onverwijld door de vluchtelingenstroom werden meegespoeld.

Marna Benesand voelde nog altijd de korte strijd om de burcht in haar botten. Zoveel tegenstanders had ze nog nooit eerder gedood; minstens zeventien of achttien waren het er geweest. Een glijden door demonenvlees, eerst schrikwekkend, daarna steeds gelijkvormiger en mooier. Haar zusters waren daarbij niet achtergebleven. Eerst alleen Zilia en Nikoki naast haar, toen ook Chasme, Nyome, Aligia en Teanna. Ilura en Tanuya waren als duo aan een andere flank bezig geweest, en ten slotte hadden ze toen ook nog Myta, Hazmine en Chesea opgespoord en ingevoegd. Marna had in het tumult van de Binnenburcht geen enkele vrouw verloren.

Toen had plotseling overal het signaal tot de terugtocht geklonken. Sommigen hadden het getoeterd, anderen getrommeld, weer anderen zelfs in het ritme van het koor gezongen. Eerst had Marna gedacht dat het een list was, een truc van de vijand die mogelijk kon toveren. Maar toen was de tegengestelde beweging begonnen. Net als aan het strand, als een golf zich weer terugtrekt van het land en een op het zand liggende steen probeert te ondergraven en mee te trekken. Marna had het gevoel dat haar en haar paard de grond onder de voeten vandaan werd getrokken.

Radeloos had ze om zich heen gekeken en een ongeloofwaardig beeld gezien, dat haar onzeker maakte: een grote rode hondendemon op de binnenplaats van de instortende burcht, met een zich bijna teder tegen hem aan vlijend mensenkind op de arm. Marna kon haar ogen er nauwelijks van afhouden. Toen trokken Aligia, Nikoki, Hazmine en Myta haar mee, weg van de burcht, de vlakte op.

Het onheil sloeg toe.

In het tumult bij het slot had Marna geen enkele vrouw verloren, maar op de vlucht meteen twee. Nyome en Chasme werden kort na elkaar door gevleugelde tweeslachtige wezens uit het zadel geplukt en al in de lucht uitgewrongen als met bloed volgezogen zwammen. Het was zo verschrikkelijk omdat er niets tegen te doen was. Geen paard en geen zwaard kon zo hoog komen. De regenlucht werd hun aller vijand, want de lage wolken gaven de vliegende monsters dekking.

Marna vervloekte god voor de eerste keer in haar leven. Met een bijna tedere oorvijg kon Hazmine haar weer tot bezinning brengen – Hazmine, de enige van hen die over echte militaire ervaring beschikte.

De incompetentie van de bevelhebbers tartte iedere beschrijving. Marna hoorde volkomen tegenstrijdige bevelen. 'We moeten naar het noorden!' 'We moeten naar het oosten of het westen uitwijken, ze willen niet ons, maar alleen de hoofdstad!' 'We moeten omkeren en ze tegemoet gaan, alleen in de open strijd maken we nog een kans om het land te dienen!' 'We moeten ons ingraven!' 'We moeten hun voordeel in de lucht doorbreken! Vang gevleugelde demonen en tem ze!' 'We moeten onderhandelen!' 'De cavalerie moet de infanterie opgeven en tenminste proberen zichzelf te redden. Het gaat niet anders. Anders komen we allemaal om!' Die laatste woorden waren van Hugart Belischell persoonlijk afkomstig, maar heel zeker wist Marna dat niet. Misschien was het ook wel iemand in Belischells buurt geweest die gesproken had, terwijl de legercoördinator alleen zijn lippen bewoog om zachtjes iets volkomen anders te zeggen. Er was geen structuur meer om op te vertrouwen. De enige orde was dat ze allemaal prooi waren, met achter hen de razende meute.

Om hoeveel demonen het eigenlijk ging kon niemand met zekerheid schatten. Maar af en toe, als het vluchtende mensenleger net een heuveltje op ging en hun achtervolgers daarachter een laagte in spoelden, ontstond de indruk dat er een oneindig aantal demonen was. 'Minstens 100.000, zou ik zeggen,' kreunde Aligia, die als voormalige gezelschapsdame een goed oog voor sommen en hoeveelheden had. 'Maar misschien heeft de Demonenpoel wel helemaal geen bodem en stromen er tot in alle eeuwigheid steeds weer nieuwe wangedrochten uit tevoorschijn.'

Die wangedrochten vormden een gekmakende troep. Het was bijna onmogelijk ze van elkaar te onderscheiden, zo krioelend en tumultueus bewogen ze zich. Alleen een reusachtige steengrijze demon, met zegge en schrijve twaalf armen, die in de voorste linie meeliep en zijn kleinere en zwakkere mededemonen telkens weer leek op te drijven en te bespotten, tekende zich duidelijk af tegen de borrelende achtergrond. Mensen die half in de modder waren weggezonken werden door deze twaalfarm verscheurd en als tussendoortje naar de jubelende meute geworpen.

Een tijdlang overwoog Marna om met de Dochters van Benesand een geconcentreerde aanval op deze twaalfarm uit te voeren. Om tenminste één van de ophitsers uit te schakelen. Om kleinere en zwakkere demonen onzeker te maken en de vluchtende mensen daardoor misschien een beetje kostbare tijd te geven. Zonder een grotere voorsprong zouden ze er toch allemaal aan gaan. Het voetvolk het eerst, en dan de paarden en de ruiters.

Ze verwierp het idee. De twaalfarm was er slechts een van honderdduizenden. En met zijn gedrongen schedel zag hij er niet uit als een aanvoerder. Hij was er eerder een die in de voorste rij was gezet omdat hij in staat was om bressen te slaan.

'We smeren 'm,' zei ze ten slotte tegen haar zusters. 'Dit hier heeft geen toekomst. Als we überhaupt nog van enig nut willen zijn, moeten we het voordeel van onze paarden gebruiken en opkrassen.'

'Desertie?' vroeg Hazmine weinig enthousiast.

Marna schudde vastbesloten haar hoofd. 'Wij vormen geen onderdeel van het leger. We zijn een onafhankelijke groep huurlingen, die zich voor deze veldtocht bij het officiële Orisonische leger heeft aangesloten. Maar deze veldtocht is voorbij. Dit is nu geen veldtocht meer; dit is een terugtocht, en wel een falende terugtocht. Ik heb me nooit bereid verklaard om aan een falende terugtocht mee te doen. En dan nog iets: ook Faur Benesand heeft de dienst aan zijn barones opgezegd toen hij begreep dat haar zaak... tot mislukken was gedoemd!'

'Faur Benesand is destijds naar de koning overgelopen, naar de vijand van de barones. Moeten wij soms naar de demonen overlopen?' vroeg Ilura naïef.

'Onzin, Ilura! Faur Benesand heeft de barones verlaten omdat ze een demon was! De Dochters van Benesand zijn de meest vastberaden demonentegenstanders die het land te bieden heeft. Laten we dus iets nuttigs doen: laten we voor het leger uit rijden naar de koningin, de hoofdstad waarschuwen en die verdedigen tegen het demonengebroed. De muren van Orison-Stad zijn hoog en sterk. Ook 100.000 demonen zullen hun lelijke koppen stuklopen tegen die muren.'

'Ja,' zei Tanuya. 'Allemaal behalve die twaalfarm daar achter.'

'Met hem zullen we ons bezighouden als de tijd daar is.' Door die woorden uit te spreken had Marna weer aan vastberadenheid gewonnen. Ze voelde de geest van de mooie Faur bijna letterlijk door zich heen stromen. 'Dus kom op nu, zusters! Laten we deze stinkende poel verlaten. Naar de hoofdstad! Naar de koningin! Naar de vrijheid!' Dat kwam zomaar in haar op, maar het klonk tamelijk goed en miste zijn uitwerking niet. De Dochters van Benesand, net nog slap en bleek door de gruwelijke dood van twee van hun zusters, werden vervuld van nieuwe moed en kracht, en droegen die moed en kracht ook op hun paarden over. Ze joegen voorbij het strompelende voetvolk, en toen een officier hen tegen probeerde te houden, schreeuwde Marna hem enkel toe: 'Wij gaan de koningin de toestand melden!', en hij knikte zowaar.

Het begon te sneeuwen.

In de nachten verkorstte de modder tot scherp getand ijs.

Demonen hebben maar weinig slaap nodig als ze een rijke buit voor zich hebben.

Van de in totaal 30.000 mensen die door Hugart Belischell naar de Binnenburcht van het Zesde Baronaat waren geleid, bereikten er maar achttien levend de hoofdstad.

Acht ordonnansen, die Belischell op de snelste en meest robuuste paarden vooruit had gestuurd om Orison-Stad te waarschuwen, en de nu nog maar tien Dochters van Benesand, die – welbeschouwd – gedeserteerd waren, wat echter gezien het feit dat ze ook de koningin bericht brachten, en gezien de algehele toestand, niemand meer interesseerde.

Hugart Belischell, de tijdelijke legercoördinator van alle negen baronaten, verdween samen met het grootste deel van zijn leger ergens op de route tussen de Zesde Binnenburcht en de hoofdstad in de magen van Culcahs voor het eerst in geestdrift vereende demonen.

13
Nog zevenendertig tot het einde

Koningin Lae I vluchtte door de ruimtes van de koningsburcht. Haar raadsheer en minnaar sinds jaren Taisser Sildien probeerde daarbij dicht op haar hielen te blijven, en dat viel hem niet mee, want onder normale omstandigheden was ze sneller dan hij. Ditmaal werd ze echter telkens weer gehinderd en tegengehouden. Het plucheachtige interieur, dat nog uit de tijd van de drie Tenmacs stamde, de kleurig met elkaar contrasterende kamers, de zinloos leuke schilderijen en de vazen, tafels, dekentjes, commodes en kandelaars overal om haar heen remden de koningin nu af, waren haar tot last en bespotten haar met hun nutteloosheid en ijdele overdaad.

Ze bleef staan, inmiddels in vederlichte gordijnen gewikkeld, waaruit ze zich alleen maar al vloekend kon bevrijden. 'Ik had nooit, nooit, nooit naar je moeten luisteren en aan die slappeling van een Hugart Belischell het commando mogen overdragen! Ik had zelf moeten rijden, als officier en aanvoerster, zoals ik dat heb geleerd!'

'Dan zou u nu dood zijn, mijn koningin.' 'Mijn koningin' noemde hij haar als het om staatsaangelegenheden ging. 'Mijn lieve koningin' als ze onder elkaar waren. Taisser Sildien steunde op een vitrinekast om even weer op adem te komen. 'Volgens alles wat we nu te weten zijn gekomen is het demonenleger vele malen groter dan we tot nu toe hadden aangenomen. Geen veldheer, hoe goed ook, kan een dergelijk feit ongedaan maken. Dat Belischell tenminste heeft geprobeerd zich terug te trekken laat zien dat hij niet van plan was zijn mensen gewoon de dood in te jagen.'

'Maar op de terugtocht hebben ze nog veel minder kunnen presteren dan met een stormaanval! Als hij had aangevallen hadden de demonen nu misschien... 30.000 man minder gehad! Nog altijd 30.000!'

'Als, als, als! Misschien waren dan ook wel gewoon alle mensen eraan gegaan en had Orison-Stad niet gewaarschuwd kunnen worden.'

De ogen van de koningin sproeiden trotse vonken. 'Jij begrijpt echt niet veel van het krijgswezen, Taisser. Belischell had kunnen aanvallen en tegelijk bereden ordonnansen naar ons toe kunnen sturen. Je kunt ook twee, drie of vier dingen tegelijk doen als bevelhebber. Daarom noem je een coördinator ook coördinator.'

'Goed, laten we hem alle schuld geven! Laten we gewoon vergeten dat *wíj* degenen zijn geweest die hem op een minstens drievoudige overmacht af hebben gestuurd. Laten we vergeten dat die jonge weduwe van het eiland Rurga het over 10.000 demonen had, en niet over 100.000. Waarschijnlijk heeft ze er vanaf het water ook maar 10.000 gezien. Laten we dat allemaal maar vergeten. De vraag is: wat doen we nu?'

'Dat is geen vraag. Er valt niets te discussiëren. We hebben nog één of twee dagen. We verstevigen de muren, laten wapens en proviand uitdelen, binden de vijand door een belegering aan onze stad, informeren de baronaten in het noorden, en hopen dat ze middelen en manieren vinden om de gebonden vijand grondig te decimeren.'

Taisser Sildien schudde zijn hoofd. 'Vergeef mij mijn duidelijke woorden, mijn koningin, maar dat is kletskoek.'

'Kletskoek?'

'Ja, kletskoek. Omdat we niemand meer hebben om de muren mee uit te rusten. We hebben 18.000 mensen uit onze stad met de veldtocht van Hugart Belischell meegegeven. Achttienduizend, mijn koningin! En die 18.000 hebben ook 18.000 wapens en wapenrustingen meegenomen. We hebben niemand meer. Wil je oude vrouwtjes gewapend met pollepels op de kantelen zetten om twaalfarmige reuzen terug te slaan? Heb je dan niet gehoord wat die... Marna Benesand over die demonen heeft verteld? Het zijn monsters, met krachten die ver boven die van mensen uitstijgen!'

'Onze stad heeft zo'n 40.000 inwoners. Zelf als we er 18.000 hebben verloren, zijn er nog altijd 22.000 die...'

'Te oud zijn, te jong, te zwak, te kreupel, te kortzichtig, te verkouden, te reumatisch, te zwanger, te erg aan de diarree, te hardhorend of anderszins niet in het volle bezit van hun krachten. In het beste geval zullen we nog een- of tweeduizend echt weerbare mensen bij elkaar kunnen schrapen. En dan nog ongeveer 10.000 moeders en vaders die bereid zullen zijn het leven van hun kinderen met hand en tand te verdedigen. Maar dat is niet genoeg om een belegering langer dan twee of drie dagen te weerstaan. Delen van het demonenleger kunnen vliegen. Op z'n laatst op de derde dag stromen ook degenen die niet kunnen vliegen over onze muren, waarschijnlijk op honderd plaatsen tegelijk.'

Er viel een uitgeput zwijgen tussen hen. De ornamenten van de kamer lichtten op op de maat van hun hartslag. Taisser Sildien wist wanneer hij beter zijn mond kon houden. Nu moesten zijn woorden effect sorteren. Het ijzer gloeide en was zacht genoeg om te vormen. In zijn hart deed het hem pijn om zo hard met zijn prachtige Lae te moeten omspringen, maar dit was zijn taak. Dit was wat ze van hem verwachtte. Hij was niet haar tamme slaapkamermatje, maar haar raadsheer.

'Verwacht je in alle ernst van mij,' bracht ze toonloos uit, 'dat ik Orison-Stad... zonder slag of stoot opgeef? Geen koningin, geen koning heeft dat ooit eerder gedaan. Toen eenentwintig jaar geleden Irathindurië en Helingerdia elkaar tot razernij en waanzin opzweepten, heeft koning Tenmac III standgehouden! Een jongen nog! En toch wankelden de muren van deze stad geen enkele dag.'

'Maar de koningsburcht werd niettemin verwoest. Door twee demonen maar, die konden vliegen. En ditmaal zijn het er veel meer dan twee.'

'O god, wat overkomt ons!' riep de koningin uit, niet voor de eerste keer op deze dag van modderige ruiters, vermoeide, ontzette ogen en verschrikkelijk nieuws.

'En weet je nog, mijn lieve koningin,' ging de raadsman verder, 'aan welke kant wij tweeën stonden in die verschrikkelijke oorlog? Niet aan de kant van de standvastige koning! Verblind door de valse godin zongen wij haar liederen en droegen wij haar banieren, te midden van de slachting.'

'Wat wil je daarmee zeggen? Ik was officier van het Zesde Baronaat! Had ik dan... moeten deserteren, alleen omdat het Zesde Baronaat zich plotseling Irathindurië noemde?'

'Ik wil maar zeggen dat je soms iets vreselijks moet uithalen om het goede te doen. Geef Orison-Stad op, anders verlies je alleen maar nog

22.000 mensen, zonder dat het enig nut heeft. Leid die mensen in plaats daarvan naar het noorden. Verzamel alle andere Orisoners die de opmars van de demonen willen overleven en leid je volk over de Wolkenpijnigerbergen naar Coldrin. Sluit daar een bondgenootschap met de Coldriners en keer vervolgens te vuur en te zwaard terug.'

Lae week achteruit, tot ze alweer die hinderlijke gordijnen in haar rug voelde. 'Coldrin? Coldrin? Wat droom jij toch, Taisser? Coldrin? Dat is pas echt zinloos! Toen eenentwintig jaar geleden Orison aan stukken werd gescheurd, overviel Coldrin ons bovendien nog uit het noorden om buit te vergaren!'

'Dat waren geen Coldriners. Ik heb het hele verhaal later van mijn vriend Minten te horen gekregen. Dat waren alleen maar een paar verblinde bergmensen, die door een van onze eigen baronessen waren opgehitst om het oprukkende Irathindurische bezettingsleger in verwarring te brengen. Nee, Coldrin heeft zich destijds overal buiten gehouden. En dat zullen ze ook nu weer doen. Maar Coldrin is onze enige kans. En weet je waarom? Omdat koning Turer van Coldrin, wat voor monster hij zelf ook mag zijn, er geen belang bij kan hebben dat de demonen, nadat ze Orison hebben ingenomen, vervolgens over de bergen zíjn land binnenvallen. En als niemand de demonen op Orisonische bodem een halt toeroept, zullen ze de oorlog naar Coldrinische bodem overbrengen. Turer moet de invasie van de demonen stoppen. Hoe eerder, hoe beter. Maar hij heeft iemand nodig om hem dat duidelijk te maken. Hij heeft een koningin nodig om hem op de hoogte te brengen.'

'Maar... Maar zelfs als hij zou toestemmen... als hij mij een geweldig leger zou meegeven... zouden we naderhand de Coldriners in ons land hebben en ze niet meer kwijtraken!'

'Daar kun je gelijk in hebben. Eventueel zal Orison dan een Coldrinische kolonie zijn, dat zal ik niet ontkennen. Maar onze mensen zullen kunnen leven en werken. Onder de demonen worden ze alleen maar opgevreten. Uit een kolonie kun je je bevrijden. Uit de dood niet.'

'Die aanvoerster van de Dochters van Benesand heeft toch iets gezien. Een demon met een mensenkind op de arm...'

'Wil je daar hoop uit putten? Uit een demon die misschien gewoon zijn toetje heeft bewaard? Wil je gaan onderhandelen met twaalfarmige gruwelen? De Coldriners zijn nog altijd mensen, hoe wild en onbeschaafd ze ook zijn. Het zijn mensen zoals wij.'

De koningin staarde naar een punt in het midden van de kamer, mogelijk het enige punt waar zich helemaal niets bevond. 'Turer van Coldrin schijnt ook een menseneter te zijn. Hij schijnt ook onsterfelijk te zijn en al vele eeuwen te regeren.'

'Ik geloof geen van beide. Hij laat rondvertellen dat hij een menseneter is, zodat wij hem met rust laten. En wat die onsterfelijkheid betreft: waarschijnlijk wordt de naam Turer gewoon van vader op zoon overgedragen, net als bij onze koningen. Behalve dat de Coldriners hun koningen niet doornummeren, maar hun allemaal achter elkaar de naam Turer geven. Zo wordt een griezelige legende in het leven geroepen. En dan nog iets: als er ooit in de geschiedenis van ons land een koningin is geweest die in staat was om met een wildeman als Turer een bondgenootschap te sluiten, dan ben jij het. Want jij bent een strijdster, geen teer hofplantje. Dat zal hem imponeren. Dat zal hij begrijpen.'

'En als hij met me wil... trouwen, om de band te verstevigen?' Ze huiverde bij de gedachte alleen al.

Ook Taisser Sildien werd wat bleek, maar zijn stem was nog altijd vast: 'Daar zou ik niet over piekeren. Denk eerst maar aan de vlucht naar het noorden. Die zal vermoeiend genoeg zijn in dit jaargetijde. Dan aan de oversteek door de bergen, misschien met hulp van die stam die destijds in Orison op buit uit was. Betaal hun. Aan sieraden hebben we nu toch niets meer. En dan zou ik erover nadenken hoe we het best met Turer contact kunnen leggen. Pas dan, als je volk enigszins buiten gevaar is, zou ik me als ik jou was zorgen gaan maken over wat er daarna kan gebeuren.'

De koningin dacht na. De wil om haar raadsheer en minnaar te geloven streed in haar binnenste met een sterke twijfel of alle gebeurtenissen in haar land echt zo simpel onder controle te krijgen waren. 'Wat moet er van de steden en burchten en dorpen in het zuiden worden? Degene die de demonen nog hebben laten staan, omdat ze misschien meer als een wig dan als een breed front naar ons toe bewegen? Hoe moet ik die plaatsen bijeenroepen als ik van hieruit naar het noorden ga?'

'Voor de plaatsen in het zuiden kunnen we niet meer doen dan ze door ordonnansen te laten waarschuwen. We moeten ze min of meer aan hun lot overlaten; al het andere gaat onze macht te boven. We weten namelijk niet om welke plaatsen het nog gaat. De gewoonte van de demonen om geen ooggetuigen te laten ontkomen blijkt echt funest voor onze mogelijkheden tot strategische oorlogvoering. We tasten in het duister. En de ondergang van Belischells leger heeft ons alle directe mogelijkheden tot reddingsoperaties ontnomen. We kunnen onmogelijk nog eens een willekeurig samengestelde hulptroep naar een wisse ondergang sturen. Daarom moeten de mensen in het zuiden zichzelf redden, hoe gruwelijk dat ook klinkt.'

'En wie sturen wij als ordonnansen naar een plek die misschien allang in handen van de demonen is?'

'Alleen vrijwilligers. Zoiets kun je alleen vrijwilligers aandoen. Maar er zullen er wel een paar gevonden worden. Er heeft altijd wel iemand ergens familieleden die hij in veiligheid wil brengen.'

Lae I knikte. 'Ik kan nog snel met jou trouwen. Dan zou het probleem met Turers huwelijkswensen uit de wereld zijn.'

'Maar hoe stel je je dat voor? Dertigduizend soldaten sneuvelen op het veld, de hoofdstad en de baronaten worden geëvacueerd – en de koningin viert een vrolijk feest? Het juiste moment hebben we al eenentwintig jaar voorbij laten gaan, mijn lieve koningin. Misschien zal het voor ons nog komen. Maar hoezeer het me ook spijt: ik zal niet met je mee kunnen gaan naar het noorden. Ik heb nog een ander plan.'

'Je laat me zonder... raadsheer richting Coldrin trekken?'

'Niets zou me liever zijn dan voor altijd en eeuwig aan jouw zijde te kunnen blijven, maar ik vrees dat de toestand van ons land te wanhopig is om alles op één kaart te zetten. Turer van Coldrin zou onze bondgenoot kunnen worden, maar hij zou dat ook kunnen weigeren. In elk geval heb je dan het volk de bergen in geleid, waar het betere mogelijkheden heeft om de invasie te overleven dan hier op de vlakte. De tocht naar het noorden zal dus in elk geval niet helemaal voor niets zijn. Maar toch hebben we meer nodig. We hebben iemand nodig die in staat is de demonen hier en nu al bezig te houden. Hun invasie te vertragen. Hun plannen te doorkruisen. Hun triomfen te bederven. We hebben de man nodig die al eenentwintig jaar geleden aan de spits van de plunderaars uit de Wolkenpijnigerbergen is gereden om de Irathindurische opmars af te remmen. De man die in Witercarz jouw mensen heeft neergeschoten alsof het kleipoppetjes waren. De man die zich in de "Binnenste Cirkel" helemaal omhoog heeft geknokt. Die mij in de gevangenis van Kurkjavok het leven heeft gered. En die – wij waren er beiden bij en hebben het met eigen ogen gezien – op het eiland Kelm eigenhandig een van de demonen versloeg die daarvoor Orison-Stad hadden verwoest. We hebben de man nodig die jouw kroon niet wilde hebben, hoewel die hem zomaar voor de voeten rolde. We hebben mijn oude vriend Minten Liago nodig.'

'Minten Liago. Een eenvoudige dienstplichtige soldaat. Al eenentwintig jaar hebben we niets meer van hem gehoord. Hij is inmiddels evenmin nog jong als wij tweeën, Taisser.'

'Hij is nu net over de veertig. Een goede leeftijd om geen heethoofd meer te zijn.'

'Maar waar is hij gebleven? Hoe wil je hem vinden?'

'Hij is nog altijd op het eiland Kelm. Dat weet ik gewoon. Ik ken hem nogal goed. Destijds, in het krijgstumult, liepen we allebei achter de vijandelijke linies rond als gokkers. Maar ik was de aanvoerder. Minten was altijd al... anders. Een geboren vechter, maar ook geneigd tot piekeren. Iemand die geen aanvoerder wil zijn, maar zich dwangmatig telkens weer in de positie bevindt van iemand tot wie je je richt als je het niet meer weet.'

'Je schildert hem gunstig af. Hoe moet deze ene man ons kunnen helpen?'

Nu was het Taisser Sildiens beurt om in een denkbeeldige verte te staren. 'Hij zal ons niet willen helpen, dat is me wel duidelijk. Ik zal al mijn overredingskracht moeten aanwenden. Maar ik heb hem al eerder omgepraat, en het zou weer kunnen lukken. We hebben hem gewoon nodig. Hij is de enige demon die we hebben.'

'De enige démon?'

'Ik kan het je ook niet precies uitleggen. Hij heeft iets; dat had hij altijd al. En het zijn niet de berentanden die zijn gezicht ontsieren. Ik geloof dat hij geen angst kent. Nooit heb ik hem zien dralen of aarzelen, ook niet tegenover een overmacht. Zelfs niet tegenover de demon die vlak daarvoor onze godin had gedood die zelf in een demon was veranderd. Ik vaar met Minten naar het eiland Rurga. Je weet wel: waar Nenamlelah Ekiam en haar familie zich nu tot krijgers laten opleiden. Met die kleine troep kunnen we de demonen vanuit het zuiden in de rug aanvallen. Het zou toch wel sterk zijn als dat niet voor verwarring zorgde.'

'Als de demonen in het zuiden niemand in leven hebben gelaten zal zich nauwelijks iemand bij jullie kunnen aansluiten.'

'Dat niet, maar de demonen zullen ook niet veel van henzelf in het zuiden hebben achtergelaten. Het grootste deel van hen maakt jacht op jou en het door jou in de bergen geleide volk, en gaat daarbij hopelijk verloren in ravijnen en lawines. De demonen in het zuiden zullen zich veilig voelen, op veroverd gebied. Des te pijnlijker zullen de speldenprikken zijn die Minten en ik hun toedienen.'

'Taisser de oorlogsheld?' Lae lachte niet alleen spottend, maar ook medelijdend. 'Heb je niet nog altijd nachtmerries vanwege die ene man die destijds in Witercarz in het strijdgewoel in jouw mes liep? De verschrikkelijke, verstarrende en verdrogende ogen van die ene kerel achtervolgen je nog altijd.'

'Ja,' knikte Taisser Sildien. 'Maar misschien is dat het 'm juist. Die ene was een mens. Met welk recht brengt een mens een mens om? Maar ditmaal gaat het niet tegen mensen. De vijand heeft een ander karakter. Dan is zelfs voor iemand als ik duidelijk dat er oorlog moet worden gevoerd.'

'Ik begrijp je, mijn liefste. Maar het verschrikkelijke en onherroepelijke van je plannen boezemt me angst in.'

'Meer angst dan het oprukkende demonenleger?'

De ornamenten aan de muren leken ineens betekenis te hebben. Ze waren een draaikolk waarin razende zielen gevangenzaten. 'Nee,' sprak de koningin ten slotte. 'Niets zou me meer angst kunnen aanjagen dan dat.'

De stad wist nog niet dat 18.000 van haar zonen en dochters gevallen waren.

De stad wist nog niet dat haar een ontvolking te wachten stond, gevolgd door een reeks aanvallen, een gewelddadige inname en waarschijnlijk haar vernietiging.

De mensen in de stad wisten nog niet dat ze midden in de ontberingen van de invallende winter zouden moeten vertrekken, het warme huis en de gezellige haard verlaten, om in de onherbergzame contreien van het Wolkenpijnigergebergte een toevlucht te zoeken, misschien zonder dat de Coldriners dat goedvonden.

De stad en de mensen die erin woonden sliepen en droomden nog.

Maar toen sprak de koningin.

Ze zag er afgetobd uit, in een gewaad dat half rouwkleding, half wapenrusting was. De raadsheer naast haar keek voortdurend omlaag, uit schaamte en uit vastbeslotenheid. Sneeuw viel langzaam, als vlokken terneergeslagenheid.

De koningin sprak op het grootste van alle pleinen, en iedereen hing aan haar lippen. Wie niet zelf naar het plein kon komen omdat hij bedlegerig was, kreeg binnen een uur alles verteld van wie erbij was geweest.

Tegen de 5000 mensen weigerden Orison-Stad in de steek te laten. Ze wilden liever de dood vinden binnen de muren die hun al hun hele leven vertrouwd waren dan zich over te leveren aan de winter, de bergen en de willekeur van de menseneterkoning Turer van Coldrin. Deze 5000 mensen – onder hen bevonden zich ook de Dochters van Benesand – kregen wapenrusting en voedsel, om de belegering zo lang mogelijk uit te houden en zo het konvooi vluchtelingen een zo groot mogelijke voorsprong te verschaffen.

Zeventienduizend mensen braken onder leiding van koningin Lae I op naar het noorden. De weg moest door het Derde Baronaat gaan, langs alle drie de burchten. Bereden ordonnansen – onder wie de acht die van Hugart Belischells veldtocht waren teruggekeerd – zwermden voor de vluchtelingen uit naar alle baronaten en burchten in de noordelijke helft van het land om over oorlog en nood en zelfopoffering te vertellen. Ongeveer dertig vrijwilligers namen de gevaarlijke taak op zich de in het zuiden liggende burchten en plaatsen te waarschuwen en tot evacuatie over te halen. De koningin legde bij elk van deze vrijwilligers bij het afscheid haar beide handpalmen op het hoofd: een zegen, een kroon van goede wensen.

Een van Belischells voormalige ordonnansen, die nu naar het westen reed, naar de havenstad Ziwwers, was in gezelschap van een tweede ruiter: Taisser Sildien, de raadsheer van de koningin.

Het afscheid van de twee geliefden, die nu al meer dan twintig jaar een goed op elkaar ingespeeld geheim paar vormden, had terloops plaatsgevonden, zonder grote gebaren, ingeklemd tussen twee, drie of vier andere dingen die tegelijk gecoördineerd moesten worden.

Het haar van de koningin had er grijzer uitgezien dan ooit tevoren. En op Taissers eigenlijk altijd gladgeschoren kin was een vage baardschaduw te zien geweest. Onder gewone omstandigheden zouden ze daarover gespot hebben. Nu hadden ze het alleen maar waargenomen en zwijgend in zich bewaard als een schat.

Orison-Stad, leeggelopen, beroofd, smukte zich op voor het allerlaatste feest.

14
Nog zesendertig tot het einde

Taisser Sildien en de ordonnans, die Eker Nuva heette, stoven voort door de sneeuwnacht. Eker Nuva had rijp in zijn baard. Taissers smalle gezicht was een paar maal omwikkeld met een lange sjaal.

De duisternis links van hen leek telkens nieuwe schaduwen voort te brengen. Vandaar, uit het zuiden, rukte het leger onmensen op. De noordelijke duisternis daarentegen leek eerder op een toevluchtsoord, op iets om je in te kunnen verbergen en waar je hoop kon vinden.

Telkens als zich de gelegenheid voordeed, vertelde Eker Nuva over het moment dat op de Binnenburcht van het Zesde Baronaat de overmacht van de vijand zichtbaar was geworden. 'Alsof de heuvels plotseling tanden hadden gekregen, alsof er een geweldige muil openging om ons allemaal te verslinden. Bent u ooit bij de Demonenpoel geweest, eerwaarde raadsheer? Ik diverse malen in mijn leven, want ik komt uit het Zesde. Nooit heb ik eraan getwijfeld dat daar beneden iets leefde en weerzinwekkend rondkronkelde. Als in een slangenkuil. Een kevernest. Maar bij de Binnenburcht zaten coördinator Belischell en wij allemaal ineens ín die poel, en de muren om ons heen bestonden uit vergiftigde klauwen.'

Voor Taisser viel het niet mee om ver van de geneugten van het hof door de nachten te galopperen. Hij was verwend opgegroeid, als telg van de zeer aanzienlijke Sildiens; zijn vader was een graag geziene gast in alle denkbare burchten. Uit pure verveling was Taisser gaan gokken en vervolgens – omdat hem van jongs af aan was bijgebracht dat het geluk zich liet dwingen – vals gaan spelen. Dat had hem een gevangenisstraf opgeleverd, omdat hij te hoogmoedig was geweest. Hij had onderschat hoe argwanend andere mensen, die minder hadden dan hij, aan hun bezittingen hingen.

In de gevangenis had hij Minten Liago leren kennen, die daar zat wegens flessentrekkerij, maar toen door de vechtinstructrice Jiuna Ruun werd ontdekt en in de 'Binnenste Cirkel' werd ingelijfd, een halfillegale vuistvechtersorganisatie. Taisser bleef niet veel langer in de kerker van Kurkjavok dan Minten: de Irathindurische Oorlog brak uit, en Taisser kreeg de gelegenheid zijn trouw aan zijn baronaat te bewijzen door met duizend andere grotendeels dienstplichtige figuren naar het noorden te rijden om daar een bende Coldrinische plunderaars een halt toe te roepen. Taisser deserteerde samen met anderen bij de eerste de beste gelegenheid. Pas veel later kwam hij te weten dat zijn oude celgenoot Minten zich onder diezelfde Coldrinische plunderaars bevond. Het leven volgde paden die soms maar moeilijk te volgen waren.

Midden in het krijgstumult waren de twee elkaar weer tegengekomen op – Taisser wist het nu niet zeker meer – waarschijnlijk Helingerdiase bodem. Taisser had Minten aangezet tot een nieuwe vorm van kansspelbedrog, zodat ze het relatief aangename leven van niet-dienstplichtige vagebonden konden leiden. Maar ook dat was weer misgelopen. Een Helingerdiase officier had hen schuldig bevonden en – vooral vanwege Mintens uitmuntende vechtcapaciteiten – bij zijn eigen eenheid ingedeeld. Dat herinnerde Taisser zich nog als de dag van vandaag: het Vierde Witercarzer Regiment, belast met de taak de stad Witercarz tegen de oprukkende Irathindurische vijand te verdedigen. En ook dat was weer op niets uitgelopen. Taisser deserteerde opnieuw. Hij was geen soldaat – nooit geweest. Hij had ook nooit een greintje trouw aan bloed en bodem in zichzelf bespeurd. Nooit.

Maar opnieuw had hij overleefd, weer met Mintens hulp, omdat die hem van het vuurpeloton redde. Helingerdia verloor Witercarz. Het Vierde Witercarzer Regiment werd ontbonden. Maar een knappe jonge vrouwelijke Irathindurische officier die Lae heette had Mintens kwaliteiten ontdekt en hem en Taisser in haar kring van ordonnansen opgenomen. Min of meer aan Laes zijde hadden ze de grote Irathindurische veldtocht meegemaakt, tot aan de havenstad Eugels en nog verder, de zee op, in aanwezigheid van de verschrikkelijke godin op een prachtige viermaster naar het zuiden, tot er een demonische storm losbrak, de viermaster voor het eiland Kelm de hemel in werd getrokken, en weer omlaag, en de hele boel in een werveling van brokstukken en geweld bezweek.

Sindsdien had hij rust. Aan Laes zijde, in Laes schaduw, in Laes licht en Laes warmte.

Alsof het moorden, de schelle kreten, het bedrog en het gehuil er nooit waren geweest.

Taisser Sildien was net eenenveertig geworden, en zijn hele leven tot nu toe was verdeeld in twee precies even lange helften. De eerste helft bestond uit hooghartig bedrog en erbarmelijk vluchten; de tweede was doorgebracht in de zachte trots van de trouw.

Maar voortdurend had hij geleden onder het gebrek dat hij uit louter woorden bestond. Een enkele keer had hij als Minten willen zijn, om zijn koningin, zijn officier, zijn liefde zijn werkelijke waarde te bewijzen. Het zou niet eerlijk zijn om te beweren dat Taisser Sildien naar deze oorlog had verlangd. Maar zoiets als deze oorlog, een echte proeve van zijn kunnen – dat was zo rond zijn veertigste verjaardag echt zijn wens geweest. Daarom had hij zich deze missie ook niet uit het hoofd laten praten. Die kwam hem goed uit. En dan, als alles voorbij en achter de rug was, zou hij eindelijk vrede kunnen vinden aan de boezem van zijn lieve koningin.

Minten Liago was voor hem richtlijn en toetssteen tegelijk. Hem overhalen zou ook betekenen: hem overwinnen. Hem overwinnen zou betekenen: het verwende bloed van de Sildiens en de smadelijke geschiedenis van de jonger Taisser eens en voor altijd achter zich laten.

Zo reden ze voort. In de Binnen-, Hoofd- en Buitenburcht van het Negende Baronaat verversten ze hun paarden. Alles was daar nog rustig. Met Ulw, en zelfs met Ekuerc, was er een levendig contact. Pas vanaf Feja heerste er zwijgen. In het diepste zuiden gedijde het demonengebroed als een epidemie. En de boodschappen die Eker Nuva met zich meebracht verbreidden een variant op die epidemie: angst maakte zich meester van de harten van de mensen. Er waren er nogal wat die hun spullen pakten om zich bij de noordwaarts trekkende vluchtelingenstroom van de koningin aan te sluiten.

Toen ze Ziwwerz bereikten, was Eker Nuva's taak eigenlijk volbracht. De bode had Belischells veldtocht al meegemaakt, en hij wist zelf niet eens meer hoeveel dagen hij al geen echte rust meer had gehad. 'Maar ik kán ook geen rust vinden,' legde hij Taisser uit. 'Al mijn kameraden zijn gesneuveld. Als u mij kunt gebruiken, vergezel ik u graag verder op uw gevaarlijke missie. Misschien kan ik u van dienst zijn.'

Taisser was blij dat hij niet alleen verder hoefde. Op zee, weer naar het eiland Kelm, opnieuw mogelijk demonische stormen tegemoet. De geschiedenis herhaalde zich. De tijd van eenentwintig jaar geleden keerde in een eenentwintig jaar ouder geworden lichaam terug.

Met een onopvallende eenmaster zouden ze al tevreden zijn. Maar het was niet eenvoudig om een kapitein te vinden die de gevaren van het zuiden wilde riskeren. Gelukkig had de koningin Taisser niet alleen de nodige volmachten gegeven, maar ook meer dan genoeg overtuigende middelen, zodat ten slotte de zeerob Blannitt, die duidelijk niet vies was van brandewijn, zich bereid verklaarde de overtocht te wagen. Steeds op een flinke afstand van het vasteland, want daar wemelde het van de demonen.

Ondanks die veiligheidsmaatregel was de reis op Blannitts oude, bolle eenmaster Miralbra griezelig. Tenslotte was er geen garantie dat de demonen niet intussen ook op buitgemaakte schepen noordwaarts voeren. Of dat ze vliegende verkenningstroepen de zee op stuurden om het scheepsverkeer uit het noorden in de gaten te houden en op te vangen. Niemand wist met zekerheid of er niet ook zeedemonen bestonden. Veel te weinig overlevenden hadden het koninklijk hof van veel te weinig informatie voorzien. Taisser huiverde toen hij aan de kooldemon dacht die de Rurganers in hun boot had aangevallen. Hij stelde zich die demon tegelijk stoffig en vettig voor.

's Nachts meenden ze af en toe het geklapper van vleermuisvleugels te horen, maar er was niets te zien, zelfs de lichtende hemelsteden niet, die achter dichte wolken schuilgingen. Af en toe hagelde het. Het takelwerk van de Miralbra werd met ijs overdekt. De twee paarden, waar ze in Ziwwerz niet van hadden willen scheiden, werden in dekens gepakt. Slingerend werkte het aan één mast geprikte notendopje zich verder zuidwaarts.

De havensteden Ulw en Ekuerc zagen er inderdaad nog vredig uit, hoewel ook van daaraf het vluchten was begonnen, over land en over zee, in met mensen overladen schepen. Het viel Taisser op dat zijn plan voor het land een schoonheidsfoutje bevatte: de koningin leidde weliswaar alle mensen ten noorden van de hoofdstad het gebergte in, maar de plaatsen in het zuiden waren niet gewoon maar punten op een kaart. Ze waren vol mensen, die het koud hadden, hongerden, aan ziektes leden en wanhopig van andere mensen hielden die in de chaos van het noodlot verloren dreigden te gaan. Het was heel simpel om vanuit het vogelperspectief je gedachten te laten gaan over een in negen taartpunten verdeeld land, maar het was iets heel anders om het zweet te ruiken van de mensen die dit land bevolkten en de angst in hun ogen te zien.

Taisser beval Blannitt tot op gehoorsafstand van een van deze vluchtelingenschepen te varen.

'Hoe hebben jullie over de oorlog gehoord?' liet hij Eker Nuva, die een veel luidere stem had dan hijzelf, naar het schip roepen.

'Feja staat in brand!' antwoordde een gezette vrouw. 'En de troepen die onze Binnenburcht naar de koningin heeft gestuurd zijn niet teruggekeerd. Ik zou als ik u was niet verder naar het zuiden varen.'

'Wij maken een geheime reis, in opdracht van Hare Majesteit. Vlucht naar het noorden de bergen in en vertrouw erop dat nog lang niet alles verloren is!' Taisser dicteerde Eker deze woorden en de bode schreeuwde ze vervolgens door de wind naar het grotere schip. Verlangend keek Taisser of dit bericht in staat was de vrouw met haar bange gezicht op te beuren, maar ze maakte enkel een wegwerpgebaar en wendde zich af.

Wat moesten drie armzalige gedaanten ook uitrichten tegen de demonenstroom?

Maar er zijn nog mensen hier in het zuiden, zei Taisser tegen zichzelf om de moed niet te verliezen. Niet alleen op Rurga! Ook aan de kust en in het binnenland. Minten en ik kunnen uit alle steden en burchten en dorpen die nog overeind staan een leger vormen waar niemand meer op rekent. De koningin niet en ook geen demon. Hij voelde hoe de koorts van een verkoudheid ten gevolge van de weersomstandigheden hem te pakken kreeg, maar de volgende dag verloren ze toch omdat kapitein Blannitt te dronken was om te manoeuvreren. Blannitt had in Feja een liefje gehad. Hij zong obscene liedjes, waarbij zelfs de niet bepaald preutse Taisser rode oortjes kreeg, en knuffelde met een rol touw alsof hij zijn verstand had verloren.

De ordonnans en de raadsheer brachten deze dag slapend en doelloos op zee ronddobberend door, terwijl hun paarden op het dek onrustig hun flanken lieten beven.

Eindelijk kwamen de vuren van een haven in zicht. Geen lichten om schepen mee uit te nodigen – nee: de haven en de stad Feja stonden in lichterlaaie, alsof vlammen geen voedsel nodig hadden behalve zichzelf. In de rook en de flakkerende lichtjes meenden Taisser, Eker en Blannitt monsters te zien. Monsters van dertig pas hoog, die tussen huizen dansten als goden, of die als regen van dak naar dak sprongen of zich oprolden tot spiralen – maar al die wezens losten zich op tot walm en wind en hagelsneeuw. Waarschijnlijk waren de echte demonen allang verder getrokken, en de stad brandde alleen nog omdat er grote hoeveelheden olie en walschot werden bewaard.

Blannitt was te somber gestemd om verder te zuipen. De Miralbra voer nu definitief uit de buurt van het vasteland. De nieuwe koers voerde zuidwestwaarts naar het eiland Kelm, door water dat zwart en schuimig was als donker bier.

15
Nog vijfendertig tot het einde

De uittocht van het volk naar het noorden was qua logistiek en hygiëne een ramp. Niemand had er van tevoren goed over nagedacht. De negen coördinatoren van het koninklijk hof bleken in deze tijden van nood verwekelijkt, verschrikt en overbodig. Maar goed uitgewerkte plannen hadden ook geen nut gehad, want er waren geen keuzes. Standhouden en vallen was erger dan kou en hongerlijden.

De mensen hadden geen onderdak meer en behielpen zich met tenten, houtconstructies en zelfs muren van sneeuw tegen de wind. Al een paar mijl ten noorden van de hoofdstad waren ze allemaal nomaden geworden. De koningin zag dit als een terugval in een lager stadium van beschaving, een degeneratie. In de eerste van haar vele toespraken tot het bibberende en verlangend naar haar opkijkende volk maakte ze dit precies tot centraal aandachtspunt:

'Jullie hebben nu het gevoel dat jullie alles verloren hebben, dat jullie minder waard zijn zonder jullie huizen en meubels. Maar jullie mogen nooit vergeten dat het leven de eigenlijke waarde is. Om jullie overleving veilig te stellen zijn 5000 offervaardige mensen in de stad achtergebleven. Die 5000 hebben nu alle huizen, alle meubels, alle zorgvuldig onderhouden tuinen, alle familie-erfstukken en kunstvoorwerpen voor zichzelf. Maar denken jullie ook niet dat ze dat alles maar al te graag zouden inruilen tegen een garantie dat ze de belegering van de stad zouden kunnen overleven?'

'Dat denk ik niet,' sprak een trots uitziende vrouw, die haar beide bijna volwassen kinderen bij zich had, haar tegen. 'Ik denk dat de 5000 de verdediging van de stad boven hun eigen leven hebben gesteld.'

'Bevind jouw man zich ook onder die 5000?' vroeg Lae aan de vrouw.

De vrouw aarzelde, maar knikte toch. Ze was nauwelijks jonger dan Lae – ook al bijna veertig – en aan de dikke kant.

Lae probeerde een glimlach; die kwam er treurig uit. 'Dan heeft jouw man niet de verdediging van de stad boven zijn leven gesteld, maar jouw veiligheid en die van jullie kinderen.'

's Nachts probeerden ze zich te warmen aan grote vuren. Ook overdag werden vuurkorven meegedragen, in het vuur verwarmde stenen, en kussens vol graankorrels, die je opgewarmd tegen je rug kon leggen.

'Dat het nu winter wordt,' zei Lae in haar tweede toespraak, 'schijnt jullie vast een bijzonder hard noodlot toe. Maar vergeet twee dingen niet: ten eerste is het in de bergen op grote hoogten toch al koud. Het verschil zal dus nauwelijks een rol spelen; we zullen ons hoe dan ook door de sneeuw moeten voortbewegen. En ten tweede duurt de winter niet eeuwig. Ook in Coldrin wordt het lente en vervolgens zomer, en wie weet is het wel een troost dat we de winter al deels achter ons hebben gelaten als we het vreemde land bereiken.'

'Maar wordt Coldrin niet het Nevelrijk genoemd?' vroeg dezelfde vrouw, de moeder van de twee kinderen. 'Kennen we daar onze geliefde seizoenen eigenlijk nog wel terug?'

'Vast wel,' beloofde de koningin. 'En nevel is niet koud of warm. We zullen er wel aan wennen. De Coldriners zullen ons daarbij helpen. En uiteindelijk blijven we daar niet voor altijd. Misschien zijn jullie allemaal volgend jaar om deze tijd weer in de huizen van Orison, in de oude of in nieuwe.'

In de Binnenburcht van het Derde Baronaat konden voorraden worden aangevuld. De mensen vervoerden op ezels, boerenpaarden en ossenkarren alles wat hun lief en dierbaar was, maar elke vluchtdag bleven er meer waardevolle voorwerpen in de sneeuw achter om door proviand en watervoorraden te worden vervangen.

Uit de Binnenburchten van het Eerste, Tweede, Derde en Vierde Baronaat, en ook uit de omliggende dorpen en landerijen, sloten zich nieuwe stromen vluchtelingen aan. De mensen hadden nog genoeg te eten, omdat ze voortdurend langs plaatsen trokken die opgeheven werden, zodat de inwoners zich bij de vlucht konden aansluiten.

Toch ontstonden er nu al verdelingsconflicten. De koningin had geen andere keus dan uit de overgebleven soldaten van de burchten een soort ordetroepen samen te stellen. Honderd figuren in de meest uiteenlopende uniformen zagen zich geplaatst tegenover een vluchtelingenstroom van inmiddels ruim 20.000 mensen die alles hadden verloren.

De koningin moest opnieuw het woord nemen.

'De weinige berichten die ons over het achtervolgende demonenleger bereiken, maken zonder meer duidelijk dat de demonen een tamelijk woeste, ongeordende troep zijn, die discipline en eendracht mist. Des te belangrijker dat we ons van die demonen onderscheiden! Wij zijn in de minderheid, dus laten we in de manier waarop wij zusterlijk en broederlijk met elkaar omgaan een overmacht vormen.'

'Het is makkelijk praten over zusterschap,' weerklonk de vertrouwde stem van de trotse moeder weer, 'als je koningin bent en geen kinderen hebt die de hele nacht door hoesten.'

'Ga ik langs een andere weg naar het noorden dan jullie?' nam Lae de uitdaging direct aan. 'Voel ik de koude wind niet? Wordt mij soms elke dag wildbraad opgediend, of neem ik niet ook genoegen met droog brood en smeltwater? Het klopt dat ik geen kinderen van mezelf ter wereld heb gebracht. Mijn dienst aan het land heeft mij nooit de ruimte gelaten voor de vreugden en zorgen van het moederschap. Maar 20.000 van mijn kinderen zijn hier nu bijeen, en het worden er almaar meer. En als ze de hele nacht door hoesten, kan ik niet slapen van de zorgen.'

Ze voelde haar leeftijd inderdaad. In de klamme ochtenduren voelde ze zich wel zestig. En lelijk voelde ze zich ook. Herhaaldelijk betrapte ze zichzelf op de gedachte dat Taisser niet met haar mee was gegaan naar het noorden omdat hij in het zuiden een jonger liefje had. Maar dat was natuurlijk onzin. De hagel bracht haar op zulke sombere gedachten. Taisser had nooit gereisd en was eenentwintig jaar aan haar zijde gebleven. Trouwer dan de meeste mannen. Lae miste hem ontzettend en stond zichzelf toch niet toe om te huilen. Zij was tenslotte de koningin. Het licht waar de mensen in de zwijgende storm naar opkeken.

In plaats daarvan won ze inlichtingen in over de moeder die bij elk van haar toespraken dwarslag. De vrouw heette Lehenna Kresterfell. Zoals Lae al vermoed had, was Lehenna Kresterfell in de Irathindurische Oorlog soldate geweest aan de kant van de gouden godin. Toen was een ravitailleringsveewagen van haar eigen troepen over haar benen gereden en had haar kreupel gemaakt. Sindsdien liep Lehenna Kresterfell langzamer en met stijvere benen dan andere mensen en moest ze vaak gesteund worden door haar kinderen. Haar geest was echter wakker en kritisch.

Lae liep naar Lehenna. 'Mijn raadsheer is onderweg op een belangrijke missie in het zuiden des lands. Voel jij er iets voor om hier in het noorden als mijn raadsvrouwe te fungeren?'

Lehenna Kresterfell glimlachte. Van dichtbij zagen haar benen, die in een zware broek waren gestoken, er knoestig uit als takken. 'Majesteit, u wilt mij alleen maar aan uw kant krijgen, zodat ik u niet meer in de rede kan vallen.'

'Nee. Ik wil dat je me in de rede valt vóór ik me tot de mensen wend. Want vind jij ook niet dat de mensen al genoeg met tekorten zijn geconfronteerd? Geloof jij ook niet dat het zinvoller zou zijn hun kracht en richting te geven dan hen voortdurend te verzwakken met twijfel en tegenspraak?'

'Het is belangrijk dat de menselijke geest vrij blijft,' antwoordde Lehenna Kresterfell. 'In mijn jonge jaren was ik zelf verblind door een indrukwekkende aanvoerster. Ik volgde haar tot in de dood, de dood van andere mensen en nog verder, en ik wist in die dagen niet meer wat ik deed. Maar we hebben ook nu nog een koningin. En het is belangrijk dat die de juiste beslissingen neemt. Dus neem ik uw aanbod aan, majesteit.'

'Goed.'

Meer dan dit ene woord hoefde de koningin niet te zeggen, ook al voelde ze vanbinnen hoe de verantwoordelijkheid die ze destijds op zich had genomen toen ze de verweesde koningskroon uit het zand van het eiland tilde, voor altijd ongemakkelijk en vreemd voor haar zou blijven.

De oversteek van de alleen aan de oevers licht bevroren rivier de Fenfel bleek een beproeving voor mens en dier. Er waren weliswaar twee bruggen, maar die waren allebei beijzeld, en de mensen drongen dermate ongeduldig, onverstandig en oncontroleerbaar over deze twee knelpunten dat er diverse ongelukken van kwamen. Een ossenwagen brak door de leuning heen en stortte in het zwarte, dodelijk koude water. In de daaropvolgende vluchtbeweging werden drie mensen over de tegenoverliggende leuning gedrukt. Twee mannen die erachteraan sprongen om te helpen kwamen niet meer boven. Door het aanhoudende geschreeuw van de achtergeblevenen raakte een stuk of wat pakpaarden in paniek. Kinderen werden door de hoeven geraakt en vielen bebloed op de grond. Moeders krijsten. De geüniformeerde ordetroepen glibberden van hier naar daar, telkens te laat, en werden daarom telkens weer heftig aangevallen. 'Wat lopen jullie hier dik te doen. Jullie waren vroeger toch alleen maar slotgrachtuitbaggeraars!' Twee van de uniformdragers verloren hun zelfbeheersing en begonnen mensen af te ranselen. Op een van beide bruggen ontstond zo'n beroering dat de hele constructie begon te knarsen en dreigde te bezwijken. De koningin schreeuwde bevelen vanaf haar paard. Lehenna Kresterfell wilde naar de plaats des onheils toe, maar gleed weg op een bevroren plek en belandde bijna zelf in het water. Iemand begon te zingen: 'Terug, terug naar moeders waarden!' Iemand doodde een ander om zelf niet te worden platgedrukt. De chaos verspreidde zich in golfbewegingen, alsof er een donker hart begon te slaan. De brug kreunde en kwam vervolgens langzaam scheef te liggen. Hij was gebouwd voor tien tot twintig mensen, niet voor tweehonderd of meer. Dertig à veertig mensen en dieren rolden het water in. De mensen steunden op elkaar. Ze verdronken elkaar om zelf boven water te blijven. De ijzige kou van de stroom veranderde alle gezichten van degenen die om hun leven spartelden in dezelfde gejaagde grimassen. De koningin weerstond de verleiding om van ontzetting de handen voor haar gezicht te slaan. Ze moest kijken. Zien wat ze met haar kroon op zich had genomen.

De grootste fout van haar leven. Waarom had ze niet gewoon officier kunnen blijven, een rustige post aan het begin van de vrede, met Taisser in vreugde en ontucht samenzijn en het leven omhelzen?

De op een na grootste fout was geweest dat ze zich door Taisser tot deze vlucht had laten overhalen. In gedachten herhaalde ze telkens weer zijn mooie woorden: *In elk geval heb je dan het volk de bergen in geleid, waar het betere mogelijkheden heeft om de invasie te overleven dan hier op de vlakte.* Onzin. Het volk heeft meer kansen om te sterven op deze reis dan wanneer we gewoon waren gebleven. *De tocht naar het noorden zal dus in elk geval niet helemaal voor niets zijn.* Onzin. De weg naar het noorden kost ons mensenlevens, zonder dat de demonen ook maar één enkele demon verliezen. Er kunnen toch niet oneindig veel demonen zijn? Met elke demon die gedood wordt, wordt de kans van de mensen op overleven groter.

Lae I stond bijna op het punt om haar paard te keren en gewoon terug te rijden naar Orison-Stad. De 5000 dapperen die daar gebleven waren om de vijand recht in de ogen te kijken verdienden haar aanwezigheid net zo goed als de 20.000 spartelende dwazen die zich hier zelf het leven onnodig moeilijk maakten.

Maar ze reed niet terug. Ze bedacht dat er ten noorden van de Fenfel nog meer burchten en dorpen lagen. Die plaatsen hadden een symbool nodig waar ze zich omheen konden scharen, ter wille waarvan ze bereid zouden zijn hun woonplaatsen op te geven om zich bij de grote stoet naar het noorden aan te sluiten. De kroon was dat symbool. Zonder de kroon zouden alle plaatsen alleen blijven, en een voor een zouden ze worden opgevreten. Als hapjes die niet eens groot genoeg waren voor de demonen om zich in te verslikken.

Maar als alles ook maar enigszins goed ging, kon de koningin als ze de bergen hadden bereikt 30.000 tot 40.000 mensen om zich heen hebben verzameld. Daaronder waren weliswaar veel kinderen en mensen die nog nooit hadden gevochten, maar toch waren het er meer dan Hugart Belischell ter beschikking had gehad. Aan die getallen moest ze zich vastklampen.

Aan getallen en symbolen, alsof ze een tovenares was.

16
Nog vierendertig tot het einde

Het eiland Kelm kwam in zicht als een groen spook in een verwaaid wolkenbrouwsel. Een paar beboste berghellingen, een karstig strand – dat was het wel.

De eenmaster Miralbra, door Blannitt met harde hand tegen alle stromen in gestuurd, werd tussen klippen heen en weer geworpen, maar het lukte de drie mannen met vereende krachten en bloedig geschaafde vingers door de touwen een baai te vinden om voor anker te gaan en van daaruit naar land te zwemmen. Kelm was een eiland dat rechtop in zee stond.

'Jullie kunnen maar beter aan boord blijven,' zei Taisser Sildien tegen Blannitt en Eker Nuva. 'Ik moet een man zoeken die mij nog van vroeger kent. Ik weet niet hoe hij op vreemden reageert, maar ik denk dat het mijn onderhandelingen onnodig moeilijk zou kunnen maken als jullie meegaan. Het is goed mogelijk dat ik een paar dagen nodig heb, maar maak je geen zorgen om mij. Als jullie drinkwater nodig hebben: niet ver van het strand zijn bronnen.'

Blannitt was alweer dronken. 'Maar ik ga niet de rest van mijn leven in deze klotebaai wachten.'

'Een paar dagen, hoogstens.' Toen sprong Taisser in het water, dat hier in het zuiden weliswaar niet zo winters ijzig was als de rivieren in het noorden, maar nog altijd koud genoeg om hem te doen proesten en snuiven. De Miralbra had geen sloep. Pas op de derde dag van hun reis was dat Taisser opgevallen. Waarschijnlijk had de kapitein zijn sloep ooit tegen iets vloeibaarders ingeruild.

Taisser vocht tegen de golven en herinnerde zich hoe hij destijds bij een van de stranden van Kelm bijna was verdronken en Lae hem had gered. Toen had hij Minten voor de laatste keer gezien. En toegekeken hoe Minten een afschuwelijke demon versloeg.

Hij bereikte het strand en gunde zichzelf een rustpauze. Hij zwaaide naar de eenmaster dat hij het had gehaald en dat met hem alles in orde was. Eker Nuva zwaaide terug.

Nu begaf Taisser zich landinwaarts. Hier lag nog nergens sneeuw en rinkelde de wind niet van de vorst. Alles was gehuld in weelderig groen. De sporen en sleuven die de verschrikkelijke strijd tussen de twee demonen eenentwintig jaar geleden in dit eiland had getrokken waren allang overwoekerd. Kelm leek meer te leven dan het vasteland van Orison. Taisser zag zeldzame vogels, aapjes en luiaards in de bomen. Op de grond ontwaarde hij slanke zwarte zwijnen.

Hij sloeg de dichte begroeiing in, op zoek naar een zo gemakkelijk mogelijk beklimbare heuvel. Toen hij er een had ontdekt en als doel had uitgekozen, wilde hij die richting aanhouden, maar moest vervolgens toch, toen die steeds steiler werd, een slingerende route volgen. Tegen de avond bereikte hij de top. Dit was nog niet een van de bergen die hij nu tegenover zich zag, maar de beboste dalen van het eiland waren van hieruit al behoorlijk goed te overzien.

Taisser bracht zijn handen naar zijn mond en riep zo hard hij kon: 'Minten Liago! Ik ben het, Taisser Sildien! Kom bij me, ouwe vriend! We hebben iets belangrijks te bespreken!' Sommige woorden woeien als echo's over de dalen. Nergens steeg de rook van een huisje op of waren andere sporen van een levend mens te bekennen. Zou hij zich vergist hebben? Was Minten allang dood, of had hij toch elders een woonplaats gezocht?

Taisser riep nog tienmaal met lichte variaties dezelfde tekst, tot zijn keel langzaam rauw werd. Intussen was het donker geworden en de zon was in zee gedoofd. Hij wist niet of er roofdieren waren op Kelm. Toch leek het hem beter om niet op de grond te slapen, ook vanwege giftige insecten of slangen. Hij zocht een boom uit met een wijde vertakking op makkelijk beklimbare hoogte, klom erop en ging liggen.

De veelsoortige geluiden van het woud begeleidden hem in een weldadige, verdiende moeheid. Taisser voelde zich jong en vitaal zoals hij zich in geen jaren gevoeld had. Het zwemmen, het klimmen, het eenzame doorkruisen van een wildernis kwamen hem voor als een volkomen nieuw, opwindend hoofdstuk in zijn leven. Ook in zijn jeugd had hij al liever met anderen zitten kaarten dan te reizen of avonturen te beleven. Nu de nacht van de demonen op het punt stond om het hele land te verslinden begon Taisser Sildien pas goed te leven.

Zijn laatste blik voor het inslapen was bestemd voor de lichtende steden van de hemel. Ook zij fonkelden in het zuiden veel feller dan op het vasteland. Edelstenen, uitgestrooid in diepe tinten. Een eeuwig diadeem boven Laes hoofd.

Hij werd vanzelf wakker toen hij uitgeslapen was. Zijn rug deed pijn van de harde boomtak, maar terwijl hij omlaagklom kon hij zich alweer uitrekken en strekken en zich levendig voelen. De lucht rook hier minder naar het riool dan in de koningsburcht of in de hoofdstad in het algemeen. Vogels fladderden over hem heen en speelden met elkaar onder de wolkenhemel. Taisser at een beetje van het proviand die hij had meegenomen en keek opnieuw om zich heen. Het eiland was mooi, eigenlijk mooier dan de aangelegde tuinen van de burcht. Maar in zijn schoonheid bood het ook oneindig veel onoverzichtelijke plekken. Misschien woonde Minten Liago wel op een van de bergen. De demonendoder, tronend boven op zijn eiland als een soort heidense god.

Taisser zette zich aan de afdaling, doorkruiste twee vruchtbare dalen waarin het eerder herfst leek te zijn dan winter, en begon toen aan de beklimming van het voorste massief.

Hij gunde zich voldoende rust. Tijdens een van die pauzes – hij was nu al hoger dan op de heuvel van de afgelopen nacht – nam hij de tijd om zijn blik nog eens uitvoerig over het eiland te laten dwalen. Zijn zicht reikte tot aan zee, tot aan de baai waar hij aan land was gegaan.

De Miralbra was er niet meer.

Eerst dacht Taisser dat hij zich in de baai had vergist, maar toen schoof hij alle twijfel terzijde. Hij kon van hieraf de hele weg die hij gisteren en vandaag had afgelegd nagaan. Het was de goede baai. De boot was weg.

Meteen overviel hem de twijfel. Waren de demonen hier al? Voor gevleugelde wezens was het vast maar een kippeneindje van Aztreb naar Kelm. Wat was hij hier zorgeloos aan land gegaan! Als een onervaren jongetje had hij het groen van het eiland verward met een garantie op vrede.

Maar er waren geen sporen van demonen geweest, en die waren er nu nog steeds niet. Waren demonen zo onopvallend? Hadden niet alleen al de twee die hier eenentwintig jaar geleden hadden rondgeraasd overduidelijke verwoestingen op dit eiland aangericht?

Een andere, niet minder angstaanjagende gedachte viel Taisser in: als Minten Liago de boot nu eens had gekaapt? Hij was altijd al een krijger geweest. Zou dat niet net iets voor hem zijn? Misschien wachtte hij al jaren tot er eindelijk weer eens iemand bij dit buiten alle handelsroutes liggende eiland aanlegde. Hij had alles gadegeslagen, Taisser naar het land laten zwemmen zonder hem te herkennen, was daarna zelf naar de boot gecrawld, had Blannitt en Eker overrompeld en mogelijk gedood – en was al met de boot onderweg naar het vasteland, zonder iets te vermoeden over de oorlog die daar woedde, terwijl hij tegelijk zijn eigen ondergang tegemoet voer. Taisser zou hier dan gestrand zijn, zinloos uit alle gebeurtenissen geworpen door zijn eigen onachtzaamheid.

'Minten!' riep hij nog eenmaal uit volle borst. 'Minten Liagoooooo!'

De eilandbergen echoden honend terug.

Taisser haastte zich weer naar beneden. Hij moest zekerheid hebben. Als Minten echt gek en gevaarlijk was, dreven Eker en Blannitt misschien nog als lijken in de baai. Of ze leefden nog, maar hadden moeten vluchten omdat Minten hen vanaf het strand had beschoten. Minten was ook een uitmuntende kruisboogschutter geweest.

Taisser struikelde en rende. De steilte van de berg vergrootte zijn vaart nog meer. Hij kletterde het bos in, baande zich hijgend een weg, verdwaalde, moest uitrusten vanwege steken in zijn zij, kwam toen toch bij de zee uit en volgde die tot aan de baai.

Niets.

Geen eenmaster. Geen doden in het water. Geen sporen van strijd. Geen afgeschoten pijlen of iets anders om hem te helpen het raadsel te ontsluieren. Was Blannitt gewoon omgekeerd, bezopen, het verplichte wachten beu?

'Je boot is in een andere baai voor anker gegaan, Taisser,' zei een lage stem achter hem.

Met een ruk draaide Taisser zich om.

Achter hem stond een kluizenaar. Lange, viltige, roodblonde haren. Een volle baard, die tot zijn borst reikte. Zijn kleding, die zijn sterke, vuile lichaam nauwelijks verhulde, leek vooral uit gebladerte en schelpen te bestaan.

'Minten?' vroeg Taisser ongelovig.

De man tegenover hem liet zijn tanden zien, die veel te lang waren voor een mens. 'Bij mij is alleen mijn hoofdhaar veranderd – maar wat is er met jou gebeurd, Taisser? Je ziet eruit alsof je jaren en jaren ouder bent geworden.'

'Minten?' Taisser kon het nog altijd niet bevatten. Hij liep twee stappen dichter naar de verschijning toe. Dat was Minten Liago, geen twijfel mogelijk. Die haarkleur, die ijsberentanden, die in het gevecht gebroken neus. En toch – dat kon helemaal niet! Onder het vele golvende haar, het vuil en de zongebruinde huid ging het gezicht van een jonge man schuil: Minten Liago zoals Taisser hem had gekend. Eenentwintig jaar geleden. 'Nee,' stamelde Taisser ten slotte. 'Jij bent Mintens zoon, toch? Maar hoe ken je me dan?'

Nu was het Mintens beurt om zijn wenkbrauwen te fronsen. 'Taisser, ouwe jongen – wat is jou overkomen? Ik ben het zelf! Waarom twijfel je daaraan?'

Met dat wat zijn laatste krachten leken probeerde Taisser zijn gedachten op orde te houden. 'Waarom is de eenmaster van baai gewisseld?'

'Omdat deze bij eb helemaal droogvalt. De kapitein wilde niet het risico lopen om op ongelijke grond vast te lopen. Ik kan je naar de nieuwe baai brengen. Zal ik dat doen?'

'Nog niet. We moeten praten. Heb je een... huis of zoiets?

Minten spreidde zijn armen. 'Kelm is mijn huis.'

'Tja, als je een domme vraag stelt... Goed dan. Hier, aan het strand. Ga zitten. Ja, ga zitten. Ik ben bij je gekomen met een belangrijk verzoek. Geef me een halfuur van je onuitputtelijke tijd.'

Minten ging gehoorzaam zitten, in kleermakerszit, maar net buiten bereik van de likkende golven. Taisser bleef liever staan. Zo viel het hem gemakkelijker de kluts niet kwijt te raken.

'En, Minten, hoeveel jaar heb je op dit eiland doorgebracht?'

'Twee.'

'Twee? Is het hier precies tweemaal zomer en winter geweest?'

'Ja. De winter is zoals nu: eerder regenachtig dan echt winters. De zomer is gloeiendheet. Ik denk niet dat ik verkeerd geteld zou kunnen hebben.'

'Goed dan: twee. Voor mij en de rest van het land Orison zijn er eenentwintig jaar verstreken. Hoor je wat ik zeg? Eenentwintig jaar! Kijk naar me als je me niet gelooft. Ik ben nu over de veertig, en ik heb iedere afzonderlijke dag van ieder afzonderlijk jaar ten volle beleefd. En jij bent nog altijd...'

'Vierentwintig.'

'Vierentwintig. Ongelooflijk! Hopelijk weet je wat dat betekent?'

Minten schudde zijn behaarde hoofd.

'Dat betekent magie, Minten! De twee demonen die hier hebben rondgeraasd moeten het eiland Kelm op een of andere manier uit de tijd hebben getrokken. Iedereen die hier verblijft, wordt langzamer ouder dan de rest van Orison. En dat is geweldig, gewoon fabelachtig – want ik kan een jonge Minten nog veel beter gebruiken dan een oude.'

'Gebruiken? Waarvoor?'

'Er heerst een nieuwe oorlog. Ditmaal zijn het allemaal demonen! Het zijn er duizenden, tienduizenden. Ik ben in opdracht van koningin Lae I bij je gekomen om je de post van coördinator van het verzet aan te bieden. Ik zal je raadsman zijn, net als toen, en samen zullen we het land dat al in handen van de demonen is van achteren oprollen, tot horen en zien die vervloekte monsters vergaat!'

'O, op die manier. En waarom ik?'

'Minten, hoe kun je dat nog vragen? Moet je jezelf nou zien! Je bent de beste met de blote vuisten, de beste met het zwaard, de beste met de kruisboog, de enige die ik ooit een machtige demon heb zien verslaan. Je wordt niet ouder! Je... bent niet bang! Alle legers in de Irathindurische Oorlog hebben destijds om jou gevochten! Je hebt berentanden in je mond! Je bent een demon, maar staat gelukkig, gelukkig aan de kant van de mensen!'

'Waarom sta ik aan de kant van de mensen? Hoe kom je daarbij?'

Heel even had Taisser het gevoel dat een golf die zich van het strand terugtrok zijn maag meenam. 'Nou, je bént toch een mens! Of niet soms? Ben je geen mens?'

'Ik denk het wel. Ik ben tenminste als mens geboren. Maar hoe kom je erbij dat ik daarom iets met andere mensen te maken moet hebben? Ik heb veel rondgereisd, Taisser. Ik heb in de gevangenis gezeten, in de binnenburchten van de "Binnenste Cirkel". Ik heb zelfs het Wolkenpijnigergebergte vanbinnen gezien. En ik heb een veldtocht meegemaakt die van daar naar hier voerde. Ik ben niet op dit eiland gebleven omdat het zo lekker ruikt. Ik ben hier gebleven omdat ik – eerlijk gezegd – niemand van jullie ménsen ooit terug wilde zien.'

'Wat klets je nou? Lae is altijd goed voor je geweest. Ík ben altijd goed voor je geweest...'

Minten kwam overeind. Zijn strijderstronie was betrokken. 'Nee, Taisser. Moet jíj jezelf eens zien! Hoor zelf eens wat je daar zegt! Je staat voor me, zo oud als je eigen vader, en vertelt me dat jullie alweer oorlog hebben. Was het weer eens tijd? Hebben jullie oorlog nodig om in een goed humeur te blijven? Komen jullie die waanzin nooit te boven?'

'Maar het is onze schuld niet, Minten! Ditmaal echt niet! De oorlog wordt ons opgedrongen door demonen! De wereld zal ten onder gaan, en alle mensen erbij, als jij en ik niet samen iets ondernemen!'

'Wat gaat mij de wereld aan?'

'Wat gaat jou de wereld aan? Wat gaat jóú de wereld aan? Ja, niets natuurlijk, zolang je op dit godvergeten eiland de hele dag duimen kunt draaien! Maar als de demonen eenmaal het vasteland onder de voet hebben gelopen, zullen ze om zich heen kijken waar nog iets te halen valt. Dan zal hun blik op Kelm vallen – o, kijk nou eens! Wat een mooi klein paradijsje! En dan wordt jouw mooie kleine paradijsje ingelijfd op een manier waar de stukken vanaf vliegen!' De twee mannen stonden nu tegenover elkaar, net als Gouwl en Irathindur eenentwintig jaar geleden op ditzelfde strand.

In Mintens woekerende baard brak langzaam een glimlach door. 'Met mensen heb ik nooit kunnen opschieten. Misschien gaat het me met demonen gemakkelijker af.'

'O, natuurlijk. Verbroeder je met ze! Ze zullen vast enthousiast over je zijn zodra ze te weten komen dat je destijds een van hen hebt vermoord!'

'Dat was geen moord. Het was niet eens een echt gevecht. Ik heb alleen maar mijn kling zo gehouden dat de demon zichzelf ermee kon doden. Tenmac III. Net zo'n demon als barones Den Dauren.'

'Wat klets je nou voor onzin?'

'Nee, Taisser. Jíj bent degene die niks weet. Wat er is gebeurd. Wat er gaat gebeuren. Ik kan je nog iets verklappen. Zal ik je iets verklappen? Woorden die ik al twee jaar in mijn hoofd heb, alsof ze er met krijt in waren geschreven?'

'Waar heb je het over?'

Minten sloot zijn ogen en reciteerde: *'Er heeft nooit zoiets als menselijke magiërs bestaan. En ook geen landdraken, vlieghagedissen, monsters en eenhoorns. Dat waren allemaal demonen die in mensen, leguanen, vogels, apen, paarden en ander gedierte glipten om zich uit te leven, hun grenzen af te tasten, levend te zijn. In dat verlangen naar het leven en die bandeloze vreugde om het levend-zijn gebruikten ze echter ten slotte alle levenskracht op die hun ter beschikking stond, tot er niets meer over was om hun in de toekomst tot voedsel en versterking te dienen. De wijste van hen, Orison de demonenkoning, restte niets anders dan ze allemaal naar de Poel te leiden – niet om ze gevangen te zetten en te verbannen, maar om ze ten minste nog verder te laten leven, zij het ook zonder vrijheid. Orison was gestorven, uitgeput, naar het licht vervlogen en wederopgestaan in de eeuwige kringloop van de door hem geschapen draaikolk. Het land dat ter herinnering nog zijn naam droeg, kwam troosteloos in handen van de mensen, die hun levenskracht uit zichzelf voortbrachten, omdat ze sliepen als ze moe waren, omdat ze andere levende wezens aten als ze honger hadden, en omdat ze het werk onder elkaar verdeelden en samen groter waren dan één alleen, om tegenover de natuur en het leven overeind te blijven. Altijd tegenover het leven, nooit ermee samen. En zo verdween alle magie uit de wereld, en zelfs de demonen vergaten dat niemand behalve zijzelf de demonen ooit had kunnen temmen.'*

Taisser keek zijn vroegere vriend ontzet aan. 'Orison... de... demonenkoning? Wat vertel je nou voor sprookje?'

Minten opende zijn ogen weer. 'Dat is geen sprookje. Dat is de wereld die jullie komt inlijven. En als je me nu wilt excuseren – ik heb het namelijk afgeleerd om levende wezens te eten als ik honger heb, en moet daarom wel tijdens het duimendraaien voldoende vruchten en bessen verzamelen.'

'Ik ben de raadsheer van een koningin. Ik laat me niet gewoon zo door jou afwijzen.'

'Nou, veel plezier dan bij je zoektocht naar mij. Je zult wel merken dat Kelm tamelijk groot is als je het van binnenuit bekijkt.' Minten draaide zich om en liep het woud in. Taisser balde zijn vuisten, ontspande ze weer, balde ze opnieuw en volgde hem. Maar al na korte tijd was hij hem in het struikgewas uit het oog verloren. Hij weigerde dat te accepteren, zocht in alle mogelijke richtingen, en moest vaststellen dat hij noch bijzonder snel, noch bijzonder handig was. Hij probeerde Mintens sporen te vinden en moest inzien dat hij als spoorzoeker volkomen ongeschikt was. Hij brulde Mintens naam, maar behalve het gekrijs van opschrikkende vogels kreeg hij geen antwoord. Hij luisterde, maar hoorde alleen het ontstemde gebonk van zijn eigen hart.

Nog altijd weigerde hij Mintens afwijzing te accepteren. Er stond te veel op het spel. Heel Orison. *Orison, de demonenkoning.* Zijn twijfel schoof hij opzij. Nadat hij de baai had gevonden waar Blannitt opnieuw voor anker was gegaan, zocht en riep hij nog de hele dag, een groot deel van de volgende nacht en de helft van de dag daarop naar Minten Liago – maar geen voetsporen, geen vuurplekken, geen pas geoogste vruchten of geknakte grasssprieten. Er was niets te vinden. Alsof Minten alleen in Taissers verbeelding nog had geleefd. Er waren ook geen getuigen van hun ontmoeting aan het strand. Minten pas vierentwintig jaar oud – was dat op zich al niet volkomen ongeloofwaardig?

Misschien heb ik op zee een zonnesteek opgelopen, probeerde Taisser zichzelf wijs te maken, maar de hemel was bijna voortdurend bedekt geweest. De zon was schuw in de winter.

Boven de plek waar ze elkaar waren tegengekomen en waar de onvermoeibare golven allang alle sporen hadden uitgewist, liet Taisser een briefje achter, verzwaard door een torenschelp, met de volgende boodschap:

Mocht je van gedachten veranderen,
mocht je bereid zijn je plaats in te nemen
in de rangen van het land
dat je heeft gevoed en grootgebracht
ik ga van hieruit naar Rurga,
waar men bereid is om te strijden
en lafheid veracht.

Dat dat ergens onzin was, viel Taisser zelf ook op. Hoe moest Minten het eiland Rurga bereiken – zonder boot? Blannitt kon geen sloep voor hem achterlaten, omdat Blannitt er geen had.

Het was zinloos. Taissers missie tot nu toe was een mislukking.

Hij zwom weer door de koude golven naar de Miralbra en ging met

Blannitt en Eker Nuva de zee op, richting Rurga. Blannitt protesteerde hevig, omdat niemand hem van tevoren had gezegd dat ze nu ook nog naar het oosten zouden gaan, maar Taisser rekende hem voor hoeveel drinkbaars er te koop was met het geld dat hij als extra schadeloosstelling zou krijgen. Vreemd genoeg was Blannitt niet erg onder de indruk. 'Ik zou jullie stadsmeneren ook gewoon overboord kunnen gooien en al jullie geld kunnen houden. Het is oorlog. Wie zou mij ergens van kunnen beschuldigen?' Maar hij liet het bij gemopper.

Tijdens de overtocht tussen de twee zuidelijke eilanden dacht Taisser telkens weer na over de wonderlijke legende die zijn visioen van Minten Liago hem had verteld.

Orison de magiër, Orison de redder, Orison de stichter van het in negenen gedeelde land – een demon, een demonenkoning? Zoiets kon toch alleen maar voortkomen uit de fantasie van iemand die al tientallen jaren op een verlaten eiland woonde en daar innerlijk aan te gronde ging, ook al bleef hij er jong en lichamelijk gezond bij.

De mensheid – waren mensen alleen maar plaatsvervangers tot de demonen de plek weer innamen die hun toekwam? Het moment van overname – was dat nu gekomen?

Dat kon onmogelijk kloppen. Het was niet acceptabel. Zelfs al zou het deels op historische feiten berusten, waarom zou de geschiedenis van het land dan niet zo verder kunnen gaan dat de mensen de overhand hielden en de demonen weer naar de Poel werden verbannen, die ze tenslotte zelf hadden verkozen en geschapen?

Maar waarom breek ik me daar eigenlijk het hoofd over, dacht Taisser. Wat was Minten Liago, de ruige, absurd jonge Minten op het strand, die mij, Taisser Sildien, de raadsheer van de koningin, zulke gedachten influisterde, anders dan een visioen van een mens, een tot beeld gestolde hoop, maar ook een verbrijzelaar van hoop? Een slecht geweten misschien, omdat ik aan het hof een lekker leventje heb geleid, terwijl elders de mensen met moeite overleefden? Een vermaning, een maateenheid om mijn leeftijd en mijn slapheid in een roemloos licht te plaatsen? Een idee van onafhankelijkheid tegenover een allesoverrompelende demoneninvasie? Een waarschuwing vanwege de nog altijd voortdurende verwarring over de oude, Irathindurische Oorlog, een aanklacht, een houvast? En wat waren zijn woorden anders dan een spooksel, een onzekerheid, een leugen, een wenk, een vermomming, een omweg? Dat raadsel gaf Taissers verstand zichzelf op.

Op de tweede dag van de overtocht accepteerde Taisser dat Minten echt op het eiland was geweest, maar wist hij nog altijd niet wat zijn woorden te betekenen hadden. Snikkend begreep de raadsheer dat hij niets was zonder zijn koningin, terwijl Minten alles was zonder wie dan ook.

17
Nog drieëndertig tot het einde

Ook de demonen hadden last van de invallende winter.

Verscheidene bevroren. In de Poel was het nooit ijskoud geweest, maar warm als in een levendig kloppend kippenei.

Andere raakten gewond door hagel, ijspegels of scherpe ijssplinters en crepeerden zielig aan de kant van de weg.

Weer andere joegen achter de sneeuwvlokken aan en raakten gewond door in dolle drift tegen iets anders op te botsen, of zonken weg in diepe droefheid als de mooie kristallijnen vormen in hun klauwen smolten.

Een aantal verbrandde in de sneeuwval. Dat was een bijzondere eigenschap van een kleine groep demonen, die Culcah maar liever helemaal niet probeerde te begrijpen.

Maar over het geheel genomen lukte het hem zijn leger voor de muren van de hoofdstad te leiden.

En het leger was zelfs steviger samengevoegd dan daarvoor. De 5000 die steeds voor de voorhoede hadden rondgezworven hadden bij de Binnenburcht – wat Culcah betrof verdiend – flink hun neus gestoten, en zich nu – teruggebracht tot zo'n 4000 twijfelende figuren – weer bij de hoofdtros aangesloten.

De 20.000 treuzelaars achter de achterhoede en de 34.000 prooizoekers links en rechts van de flanken hadden zich ook dichter naar het hoofdleger toe bewogen – waarschijnlijk omdat het in de massa minder koud was dan wanneer je je knorrig in je eentje voortbewoog.

Ongeveer 1000 waren omgekomen door de winter en de vermoeienissen van de mars, en nog eens 1000 door ruzies over de buit – toen het om de resten van het compleet in de pan gehakte, vluchtende mensenleger ging – en door een volkomen zinloze massaslachting die vlak voor Orison-Stad was uitgebroken. Gedeserteerd was nu niemand meer. De demonen hadden gezien dat er mensenlegers waren en liepen nu liever niet de hele lange weg naar de kust zonder dekking van de massa van de anderen. Maar de 10.000 demonen aan de kust kwamen echt niet meer terug, of – wat ook denkbaar was – het lukte ze gewoon niet om het snel bewegende hoofdleger weer in te halen.

Culcah stond dus met 107.000 demonen voor de muren van Orison-Stad.

Die muren waren machtig. Dik en hoog. Culcah kon een lichte, bijna aangename huivering niet onderdrukken.

'Demonen!' brulde hij met overslaande stem. 'Als deze vesting eenmaal gevallen is, zal het hele land ons spoedig toebehoren! De hoop van de mensen op genade en verlossing woont hier! Laten we hun dus tonen dat er geen hoop is! Laten we de burcht van de zwakke koningin verpletteren! Laten we haar kroon halen en hem als armband gebruiken!'

Toen liet hij ze de muren bestormen.

Het was een indrukwekkend beeld. Er waren ditmaal niet slechts 5000 strijders, zoals bij de Binnenburcht, maar meer dan 80.000 infanteristen die tegen de muren sloegen. Het verweer was slechts zwak, maar het was er wel. Mensen schoten pijlen af, wierpen speren, en gooiden pek, kokende olie, brandende touwballen en bollen afval vol aardewerkscherven over de kantelen. Tegen de 3000 demonen sneuvelden daarbij, maar in het alomtegenwoordige gekrioel viel dat niet eens op. Integendeel, het zorgde voor proviand voor de strijders. In olie gekookte proviand of aan een spies.

Culcah werkte niet met gereedschap. Hij liet geen katapulten oprichten, geen belegeringstorens; hij liet geen aarden wallen opwerpen. Hij had soldaten ter beschikking die elke beschrijving tartten.

Hij liet gevleugelde demonen van boven stenen en vlammenballen werpen. Orison-Stad begon eerst te versplinteren, en daarna in één keer te branden.

Na overleg met zijn officiersstaf besloot Culcah vervolgens de stad toch maar liever geen prooi der vlammen te laten worden, omdat ze nog altijd voldoende onderdak bood voor een winter waarvan het verloop niet in te schatten was. Dus liet hij gevleugelde demonen water op de branden gieten.

De muren stortten al op de derde dag van de belegering in. Culcah verloor nog eens 2000 demonen, die bij de daaropvolgende jubelende bestorming van de stad tegen gebouwen plat werden gedrukt, maar dat maakte nu niet meer uit.

Hij had gewonnen. Hij had de mensenhoofdstad ingenomen.

Hij was de grootste legeraanvoerder die dit land ooit had gezien.

In een van zijn drie koppen kwam het idee op om Orison te trotseren als die zich eindelijk verwaardigde uit de Poel te komen om de kroon van het land op te zetten. Maar de twee andere koppen overstemden hun hoogmoedige makker, vóór die zich kon uiten op een manier die later nadelig zou worden voor hen alle drie.

Orogontorogon hield zich tijdens de strijd om de stad buiten het ruwste gewoel. Het mensenmeisje Genja, dat hij in de Binnenburcht had geroofd, nam een groot deel van zijn aandacht in beslag. Nu eens had ze het koud, dan weer warm, nu eens was ze moe of verveelde ze zich, dan weer had ze honger of dorst of moest ze nodig, of er was iets niet in orde met haar rafelige knuffel Eendje. Orogontorogon stelde vast dat het vermoeiend was om een mens te houden, maar toch wilde hij haar niet kwijt. Niemand anders in het leger had zoiets. Hij was ook nieuwsgierig of Genja echt snel in een groot mens, een vrouw, zou veranderen – maar tot nu toe was daar nog niets van te zien, hoewel de hondendemon enorme hoeveelheden voedsel en smeltwater in haar kleine, gulzige babbelmondje stopte.

Het meest vermoeiend waren haar voortdurende vragen. 'Hééé, Oro?' Ze kon zijn naam niet onthouden en noemde hem daarom Oro. 'Waarom heeft die oom een oog midden op zijn voorhoofd? Kan hij daar meer mee zien dan wij? Waarom heeft die oom geen gezicht? Hoe kan hij zo iets zien? Waarom heeft die tante daar vooraan vleugels en die andere daar achter niet? Is dat wel eerlijk? Hééé, Oro? Is dat eigenlijk een tante of een oom? Wat drink je daar? Ik wil ook! Hoe heet dat dier met die twaalf armen? Is dat een dier of een oom? Waarom kun je hem niet vragen hoe hij heet? Ben je bang? Je bent toch niet bang, hè? Komen mama en papa gauw terug? Gaan we dan weer naar huis? Wanneer gaan we naar huis? Is het feest niet ook gauw afgelopen? Waarom moeten ze allemaal steeds zo schreeuwen? Waarom maken jullie geen muziek? Dat zou toch veel leuker zijn onder het lopen? Ben je sterker dan die daar met het vissengezicht?

Je bent vast sterker dan die met het vissengezicht! Hé, vissengezicht! Oro is vast veel sterker dan jij! Zei ik het niet, Oro? Dat stelde toch niets voor! Waarom brom je zo? Ben je nu boos, Oro? Waar gaan we nu heen? Gaan we daarna naar huis? Wat eet je daar? Is dat niet ongezond? Mama zegt altijd dat zoiets niet gezond is, vlak voor het slapengaan! Waar woont jouw mama? Is jouw mama net zo rood als jij? Onzin, iedereen heeft een mama! De jouwe was misschien een hondenmama, denk je ook niet? Hmm, Oro? Zeg eens iets, Oro? Ben je chagrijnig? Ben je alweer boos, Oro? Hou op met brommen, Oro! Oooro, Oooro, Oooro!'

Een van de demonen die langskwamen kon Orogontorogons lot niet meer aanzien. 'Ik koop haar van je,' tjilpte hij. 'Voor de schatten die ik in de stad buitmaak.'

'En wat ben je dan met haar van plan? Haar opvreten?'

'Nou ja. Zou dat dan erg zijn?'

'Ik weet het niet zo goed. Maar bedankt, kameraad. Misschien kom ik er later nog op terug.'

Op een heuvel die eruitzag alsof hij uit louter strooplikkers was samengeklonterd jubelde Culcah over de slag die ze bijna hadden gewonnen.

En dat terwijl de grootste idioot kon zien dat ze hier een ontvolkte vesting bestormden. Orogontorogon tuitte geringschattend zijn lippen. De echte verrassing – daar was hij zeker van – wachtte verder noordelijk op hen.

Snidralek zat ermiddenin. Hij genoot er onbeschrijflijk van dat hij veruit de grootste en sterkste was. Iedereen die in het tumult tegen hem aan duwde werd door hem dubbel zo hard teruggestompt – het was geweldig om twaalf armen tegelijk ter beschikking te hebben. Hij had ook meer overzicht over het strijdgebeuren dan de anderen, omdat zijn kop boven het gekrioel uitstak. Dat gekrioel op zich was nogal vermakelijk. Af en toe dreven de voeten van demonen aan hem voorbij, die blijkbaar ondersteboven in de aanvalsgolf vastzaten.

Snidralek wilde als eerste de muur bedwingen, en hij wilde daarbij niet klimmen als een kever of een vette slak, maar er dwars doorheen tunnelen als een god. Dus raapte hij al zijn krachten bijeen en rende telkens weer tegen het oeroude metselwerk aan. Dat hij daarbij kleinere demonen, die tussen hem en de muur gleden, verbrijzelde, merkte hij in zijn ijver niet eens op. Links en rechts van hem beklommen demonen de muren en werden van boven met vuur, pek en andere vuiligheid overgoten. Snidralek wilde er dwars doorheen. De hoofdstad moest voor hem plaatsmaken, voor hem, die nu de sterkste van allemaal was. Hij ploeterde en ramde. Stukken muur knalden om hem heen. Alles schreeuwde in een mengeling van paniek, pijn en gejubel. De alomtegenwoordige beweging herinnerde hem gezellig aan de Demonenpoel, die warme, moederlijke draaikolk. Hij wilde er dwars doorheen. De stedelingen de fundamenten onder hun zolen wegtrekken. De vesting vloeibaar maken. Ja, dat was het. Dat was er een goed beeld voor.

Het lukte hem niet helemaal om de eerste te zijn. Driehonderd armlengten rechts van hem lukte het een groep soepele nachtschaduwdemonen, die een grote taxus als rampaal gebruikten, minder dan een halfuur vóór hem om een gat in de muur te beuken en naar binnen te buitelen. En aan de andere kant van de stad had zich een soort levende ladder gevormd uit louter demonen, die op zo'n manier over elkaar heen klommen dat er voortdurend een paar boven aankwamen, terwijl de ladder niettemin even sterk bleef en overeind werd gehouden.

Snidraleks bres was dus de derde die direct naar het hart van de koningsstad leidde. Maar in tegenstelling tot de andere twee had hij de zijne helemaal alleen gemaakt.

En in tegenstelling tot de andere bresmakers lukte het hem vervolgens ook binnen de muren overeind te blijven en de aanvallen van furieachtige oude vrouwtjes en brullende invaliden met fruitmessen in hun vuisten zonder noemenswaardige blessures te doorstaan.

Voor Marna Benesand was de slag om Orison-Stad de zoveelste oorzaak voor schande en ongeluk.

Net als de terugtocht van de Binnenburcht en de verschrikkelijke vlucht naar de hoofdstad die ieders ondergang had betekend.

Al op het ogenblik dat het demonenleger voor de eerste keer in zijn volle breedte zichtbaar werd en huilend uit honderdduizend kelen over de vlakte voor de stad kwam razen, werd haar volkomen duidelijk hoe uitzichtloos haar verlangen was.

En dat terwijl alles eigenlijk zo eenvoudig was geweest. Haar zusters waren haar unaniem bijgevallen. De terugtocht van de Binnenburcht was een fout geweest. De desertie uit Hugart Belischells ten dode opgeschreven leger oneervol gedrag, hoe onvermijdelijk ook voor de Dochters van Benesand om het te overleven. Weer een vlucht in het gevolg van de koningin door de sneeuw en het ijs van het noorden, niets anders dan een herhaling van Hugart Belischells grote fout. Ook hierbij zouden de achtervolgers weer sneller en gulziger zijn dan de door kinderen en veewagens extra vertraagde vluchtelingen. In de stad blijven en haar muren versterken was hun dan ook als de enige aanvaardbare activiteit voorgekomen. In elk geval waren ze nu ín een stad, werden ze verdedigd door hoge muren en hadden ze voorraden om een belegering te doorstaan. En waren hun tegenstanders uiteindelijk niet maar dieren, die dom met hun schedels tegen de versterkingen op zouden rennen tot ze er ten slotte genoeg van zouden krijgen en om de stad heen naar het noorden zouden gaan, om de koningin en haar met rijkdommen beladen vluchtelingenstroom na te zitten?

Vanzelfsprekend had Marna Benesand voor de gevleugelde demonen gewaarschuwd en er hoogstpersoonlijk mede voor gezorgd dat de meeste verdedigers goed met pijlen, bogen en kruisboogprojectielen werden uitgerust. Maar ze had er niet op gerekend dat de vliegende demonen met stenen en vuur zouden gooien. In de geschiedenis van Orison kwam geen vergelijkbare aanval uit de lucht voor. Marna probeerde zichzelf achteraf telkens weer te verzekeren dat ze dat niet had kunnen voorzien, maar dat was een buitengewoon schrale troost.

Nikoki Benesand werd door een van die stenen getroffen en begraven. Hele gebouwen verbrijzelden, alsof ze uit hardgebakken zand bestonden. De verdedigers schoten en hielden het gespuis tegen. Toen kwamen ze om in instortend puin en door de straten rollende stofwolken.

Vervolgens ontploften overal vuurballen. Chesea Benesand ontsnapte maar net aan drie van die vonkende hemelse hellen, en kwam vervolgens om het leven bij een poging een paar kalveren uit een brandende stal te redden. Mensen die voorheen op de muren hadden gestaan om te vechten, verlieten hun posten om hun stad te blussen. De Dochters van Benesand renden alle kanten op, boden overal de helpende hand, maar kwamen meestal te laat.

Als een soort hoon gooiden de demonen nu ook nog met water. Ilura Benesand werd door zo'n van grote hoogte neergesmeten golf vol geraakt en over een binnenmuur in een donkere achterplaats gesmakt. Marna kreeg ook de helft van het water over zich heen, maar kon zich aan een balustrade vasthouden. Voor Ilura kwam elke hulp te laat. Zij was met haar ruggengraat tegen een put geknald.

'We gaan er hier allemaal aan,' riep haar zuster Teanna Benesand, de voormalige rijlerares, haar toe. Teanna's gezicht toonde sporen van roet, bloed, zweet, water, tranen en stof. 'En wat me daarbij het meeste dwarszit is dat we het voordeel van onze paarden niet kunnen uitbuiten. Wat moeten we met paarden als we alleen maar stilstaan tot we doodgesmeten, verbrand of onder de voet gelopen zijn?'

'We kunnen niet alweer vluchten,' zei Marna toonloos. 'Dat kunnen we niet maken.'

Hazmine Benesand, de enige van hen met echte legerervaring, mengde zich in het gesprek. 'Als we een uitval wagen, achter aan de noordelijke muur, waar nog niet zoveel wordt gevochten, omdat de demonen koppig liever vanaf het zuiden tegen de muren aan rennen, zouden we nog altijd de koningin kunnen bijstaan als bereden interventietroep. Dat zou beter zijn dan hier ten onder te gaan.'

'Maar de koningin weet dat wij hier wilden blijven. Wat zal ze van ons denken als we plotseling in het noorden opduiken?'

'Ze zal niets denken. Ze zal weten dat Orison-Stad gevallen is. Kijk toch eens over de muren naar buiten, Marna! Dat zijn tienduizenden, honderdduizenden demonen! Ze zullen de stad innemen. Vandaag al of morgen pas, dat is volkomen bijzaak.'

Marna staarde in het niets. Nikoki onder de steen. Chesea in vlammen opgegaan. Ilura kletsnat met verwrongen gezicht tegen de putrand. 'De hoofdstad,' fluisterde ze, terwijl haar ogen zich met tranen vulden. 'Onze mooie hoofdstad.'

Tanuya Benesand, de voormalige naaktdanseres, voerde een nieuw argument aan: 'In de geest van onze vader en ons voorbeeld Faur Benesand: heeft niet ook hij telkens weer uitvallen vanaf de muren van deze stad ondernomen?'

'Ja, precies,' viel de nauwelijks volwassen Myta Benesand haar bij. 'Hij heeft zich vanaf de kantelen midden tussen zijn vijanden gestort, lachend! En zij weken angstig voor hem terug!'

'Laten we úítbreken, Marna,' bezwoer Hazmine Benesand haar aanvoerster. 'We vluchten niet gewoon door een achterdeur. We doen een uitval bij een van de minder bevochten muren, maar maken daarbij nog minstens honderd van die bastaarden af!'

Marna's ogen vernauwden zich, zodat haar tranen naar voren werden gedrukt en over de as op haar wangen weg konden stromen. Faur Benesand! De heerlijke held met het wapperende haar! Vanaf de hoogste kantelen zou hij de demonen hebben uitgelachen. Waar was hij nu, waar? Als hij nu toch nog eens in leven was? Marna's ogen vernauwden zich nog verder. 'Zusters!' riep ze plotseling uit, als onder de indruk van een visioen dat ze nog niet helemaal kon bevatten. 'Hoe luidden de theorieën over Faur Benesands verblijfplaats ook alweer?'

'Dat hij,' probeerde Zilia Benesand, de voormalige toneelspeelster, zich te herinneren, 'koning Tenmac III het leven heeft gered toen de beide demonen net als nu de hoofdstad verwoestten? En zichzelf daarbij opofferde?'

'Nee, een andere!'

'Dat hij,' probeerde de vroegere gezelschapsdame Aligia Benesand nu, 'de beide demonen heeft verslagen, waarschijnlijk op een van de twee zuidelijke eilanden, en zich daarna als monnik in de eenzaamheid heeft teruggetrokken om te boeten voor het geweld van zijn zwaard?'

'Al beter, maar nog steeds niet de goede!'

'Dat hij,' bromde Teanna, 'een van de vele onbekend gebleven doden bij de verwoesting van Orison-Stad was?'

'Ach nee, Teanna, wat een onzin! Dat is nou echt de stomste theorie van allemaal! Nee, de andere, de andere!'

'Dat hij,' schoot Zilia plotseling weer te binnen, 'aanvallende Coldriners uit het noorden terugsloeg, min of meer in zijn eentje, nadat alle mannen van zijn eenheid waren gesneuveld of gevlucht, en dat hij vervolgens zelf zwaargewond een graf in het Wolkenpijnigergebergte vond, een graf van rots en ijs!'

'Dat is het! Dat is het!'

'Ik begrijp het niet, zuster,' zei Hazmine, in de war.

'Coldrin! De bergen! Maar begrijpen jullie het dan niet? Waar de koningin heen gaat! We zijn dom geweest, van het begin af aan! We hadden inderdaad met de koningin mee moeten rijden! Om het graf van onze vader in de bergen te zoeken! Of een graf voor hem te delven, mocht hij onbeweend een gevangene van de eenzaamheid zijn gebleven! Of om hem te vinden als hij misschien helemaal niet dood is, maar alleen uit weerzin tegen de onnozelheid van de mensen het land Orison heeft verlaten om voortaan aan de rechterhand van koning Turer van Coldrin recht te spreken over de dommen en zwakken!'

'Hoor, hoor!' bromden de zusters instemmend, en: 'Zo zou het geweest kunnen zijn!'

Marna Benesand richtte zich in haar volle lengte op en fatsoeneerde haar haren. 'Zusters, haal jullie paarden. Wij zullen niet simpelweg onopgemerkt in deze instortende vesting ten onder gaan. Wij zullen onze gevallenen wreken, en bovendien nog onze ideale vader. Altijd in voor een grapje en een kunstje!'

'Altijd in voor een grapje en een kunstje!' herhaalden haar zes zusters eenstemmig. Daarop haalden ze terwijl ze voortdurend werden bestookt met stenen, vlammen en fonteinen hun rijdieren.

Niet iedereen zou het gelukt zijn om tegenover van buiten opdringende monsters een paar stedelingen zover te krijgen dat ze een smalle noordelijke poort voor hen openden en achter hen weer dichtdeden. Maar voor de Dochters van Benesand met hun flitsende dijen, hun doornatte bloesjes onder het glanzende leer van de wapenrusting en hun verhit in het gezicht vallende haren was het een koud kunstje. De stedelingen wierpen hun kushandjes toe en kregen kushandjes als dank. De stedelingen zwaaiden en vergaten daardoor bijna de poort weer te vergrendelen. Maar de Dochters van Benesand toonden hun dankbaarheid door vanuit hun zadels zo woedend op de beduusde demonen in te slaan dat die niet van de gelegenheid gebruik konden maken en opnieuw tegen een gesloten poort aan schaafden. De uitval van de bereden dames kostte tientallen demonen het leven. De Dochters verloren echter geen enkele zuster meer. Nadat de omknelling van de stad eenmaal was doorbroken, stoven ze weg naar het duidelijk minder door strijd geteisterde noorden. De koningin achterna, de bergen tegemoet.

Achter hen siste neergegooid water als van verre zichtbare witte stoom omhoog en mengde zich met de dichte rook tot bewegende patronen van de ondergang.

18
Nog tweeëndertig tot het einde

De overtocht naar Rurga verliep niet zonder problemen. Eenmaal raakte Blannitt lallend uit koers en kwam in de mist te dicht bij de havenstad Icrivavez, zodat ze echte demonen te zien kregen, die mekkerend of gakkend door de witte nevel vlogen. Door elk geluid te vermijden lukte het het drietal zich van het land te verwijderen zonder door de monsters te worden opgemerkt. Voor Blannitt waren het de eerste demonen van zijn leven; Taisser had er eenentwintig jaar geleden een gezien, die door Minten Liago was verslagen. Alleen Eker Nuva had er op de Binnenburcht zoveel onder ogen gekregen dat hij niet meer onder de indruk was.

Een andere keer raakten Blannitt en Eker Nuva plotseling slaags, omdat het voortdurende gescheld van Blannitt de ervaren boodschapper op de zenuwen werkte. De Miralbra zwenkte sterk onder de knokpartij; beide kemphanen vielen ten slotte overboord en kwamen in het winterse water proestend weer bij zinnen. Taisser viste hen op over de reling – eerst de kapitein omwille van de lieve vrede, daarna de bode.

Nadat ze elkaar allemaal een aantal dagen hadden toegesnauwd of -gezwegen bereikten ze eindelijk Rurga. Taisser was bang dat hier al demonen waren, maar ze werden aan het strand door de eilandbewoners opgewacht. De Rurganers keken onophoudelijk uit naar het noorden en hadden de kleine, vreemd slingerende eenmaster allang opgemerkt.

Kort na de landing ontstond het volgende conflict. Blannitt weigerde op dit 'schijteiland' te blijven. Dit was allemaal niet zo gepland. Hij wilde zijn 'trouwe meisje' nemen en naar het noorden in zee steken, naar Ferretwery of Zarezted, waar het 'stinkende demonengebroed' vast nog niet de baas was. Taisser dacht er maar even aan om de waggelende kapitein met een koninklijke volmacht vast te houden. Maar de Rurganers beschikten over eigen schepen. Blannitt mocht zijn geluk gaan beproeven. Onrustig ploegde de Miralbra zonder Taisser en Eker door de branding terug. Waarschijnlijk zou Blannitt verkeerd varen, in de klauwen van de demonen terechtkomen en nooit meer door een sterveling worden teruggezien, maar het was zijn eigen beslissing, het was zijn leven, zijn boot – zijn meisje –, zijn Groene Zee.

Met de aanduiding 'schijteiland' had de kapitein echter niet helemaal ongelijk gehad. Rurga was op geen stukken na zo'n groen paradijs als Kelm. Het bestond vooral uit zand en rotsen, en de zandrotsen waren besmeurd met de uitwerpselen van duizenden krijsende zeevogels. Op dit eiland rook het dan ook scherp en bijtend. De bewoners leek dat echter niet te deren. Gretig hoopten ze van de koninklijke raadsman en de bode op nieuws over de oorlog.

Op de grote vergaderplaats zag Taisser de Rurgaanse Nenamlelah Ekiam terug. De jonge weduwe was samen met haar broers zelf pas twee weken geleden naar Rurga teruggekeerd. Taisser en Eker vulden Nenamlehahs eigen bericht over de demoneninvasie aan: Hugart Belischells leger was verslagen, de demonenveldtocht omvatte meerdere tienduizenden en misschien zelfs wel honderdduizenden monsters, en de koningin leidde de inwoners van Orison uit Orison-Stad naar het noorden, om een bondgenootschap met Coldrin te wagen.

De naam Coldrin zorgde in de raad voor grote onrust. 'Het zal nog zover komen,' zei een van de oudere mannen, 'dat we eerst de demonen terug moeten slaan en daarna de Coldriners, die geen haar beter zijn.' Het lukte Nenamlelah Ekiam om de gemoederen tot bedaren te brengen. Ze had intussen in de stam een hoge positie gekregen. Tenslotte had zij de hoofdstad gezien, de koningin niet alleen gesproken maar ook omhelsd, en de door demonen verwoeste havensteden als allereerste levend aanschouwd. Ze had zelfs tegen een demon gevochten en daarbij overwonnen, en het was haar gelukt uit Orison-Stad drie ervaren krijgers van de koningin mee te brengen, die de stam van de Rurganers moesten leren vechten. Deze drie al wat oudere beroepssoldaten waren twee weken geleden aan hun werk begonnen en werden op het eiland met groot respect bejegend. Dertig weerbare mannen en twintig strijdvaardige vrouwen hadden ze uit het Rurgaanse volk bijeen kunnen trommelen, en deze vijftig drilden ze nu onder Nenamlelah Ekiams matigende supervisie.

'Deze onaanzienlijke troep zal de kiemcel vormen van het gezamenlijke Orisonische verzet,' zei Taisser Sildien, en hij besloot zijn functie als koninklijke raadsheer op te schorten en zich eveneens aan het drillen te onderwerpen, om een man te worden die een trotse koningin waardig was.

Hij hielp grachten te graven en palissades op te richten; hij drukte zich op, rende hoestend over stuivende guanovelden, beklom met anderen om het snelst zandrotsen, lepelde gierstepap uit houten nappen, sprong over dwarsliggende boomstammen, tijgerde onder dwarsliggende boomstammen door verse zoutwaterblubber, sprong snel achter elkaar omhoog en dook weer ineen, tot hij helemaal duizelig werd en als oudste rekruut steeds vaker extra pauzes moest krijgen. Hij oefende het schermen, doorstoten en afweren met een houten speer, hoe hij in formatie moest blijven en een medestrijder dekking moest geven. Hij viel, kreeg klappen, vroeg zich meer dan eens af wat hij zichzelf hier eigenlijk aandeed, en ging toch verder, omdat Orison in oorlog was geraakt en alle genoegens van het hofleven nu tot het verleden behoorden. Hij leerde zijn wapens en kleren schoon te houden – bezigheden waarmee in Taissers jeugd en zijn tijd als koninklijk raadsman altijd dienaren belast waren geweest. Hij onderwierp zich aan het bevel van de drie onontwikkelde soldaten, die echter uitstekend bekend waren met hun vakgebied, het soldaat-zijn, en die met hun houten signaalfluiten boven het gekrijs van de overal aanwezige zeevogels uit kwamen. Eker Nuva daarentegen nam geen deel aan het drillen. Hij was ruiter, en op Rurga waren, behalve de twee die ze op de Miralbra hadden meegebracht, geen paarden, zodat het ook geen zin had om iemand hier te leren rijden. Hij zag het nut er niet van in door blubber te tijgeren. Alleen aan de gevechtsoefeningen nam hij deel, omdat die ook vroeger tot zijn dagelijkse militaire praktijk hadden behoord en voorkwamen dat hij vastroestte.

Afgezien van zijn verlangen naar de koningin en zijn zorg om haar welbevinden tijdens de vermoeiende winterse vlucht naar het noorden voelde Taisser zich goed op Rurga. Hij had spierpijn en blauwe plekken, maar er dreigde nog geen echt levensgevaar, zodat beide verzorgd konden worden. Hij voelde zijn weke middel steviger en slanker worden, en zijn armen een kracht krijgen die ze zelfs eenentwintig jaar geleden op de Irathindurische veldtocht niet hadden gehad. Het eilandklimaat beviel hem, hij die uit de deftige wijken van de havenstad Kurkjavok kwam, beter dan dat van de duidelijk koudere hoofdstad. Hij herontdekte zelfs een paar van zijn de laatste eenentwintig jaar in vergetelheid geraakte talenten en ontfutselde verscheidene Rurganers bij het kaartspelen hun proviandrantsoen en andere militair aandoende gunsten.

Hij voelde zijn leven en zijn lichaam, en verdrong zijn slechte geweten tegenover de vele Orisoners die zich op dat moment op de vlucht of in pure nood bevonden. Met de hem eigen overtuigingskracht maakte hij zichzelf wijs dat hij hier in het zuiden beslissende maatregelen voor de oorlog nam.

Hij was zo weinig mogelijk alleen met de jonge weduwe Nenamlelah Ekiam, omdat hij duidelijk voelde dat ze elkaar bevielen. Ook zij nam deel aan het drillen om sterker te worden. Beiden hadden een wonderlijk gevoel hier op Rurga, verscheurd tussen welbevinden en onrust, alsof ze door een toornig noodlot op deze plek waren neergeplant. De drie soldaten gingen in hun taak op. Eker Nuva had geen hevige gevoelens. Maar Nenamlelah en Taisser moesten hun aanwezigheid hier voortdurend voor zichzelf rechtvaardigen, en naarmate ze hun lichaam meer voelden onder het drillen, ervoeren ze ook hun eenzaamheid sterker.

Vaak zocht Taisser alleen de steile kust op, tuurde naar de horizon of hij gevleugelde nachtmerries zag en dacht ondertussen veel na over Minten Liago, met twee elkaar voortdurend afwisselende conclusies.

De eerste conclusie was dat Minten Liago de geboren verliezer was. Als havenarbeider was hij in de gevangenis beland, in de gevangenis was zijn straf verzwaard, in de 'Binnenste Cirkel' was hij nooit helemaal tot de top doorgedrongen; zijn uit Coldriners samengestelde speciale eenheid was in de pan gehakt; zijn korte tijd als Taissers hulp bij het valsspelen in het kansspel was doorzien en bestraft met gedwongen dienst in het Helingerdiase leger; het Vierde Witercarzer Regiment werd in Witercarz vernietigd; de daaropvolgende Irathindurische veldtocht was een zinloze, onnadenkende slag- en steekpartij geweest; het schip waarop Minten, Taisser en Lae de godin naar Kelm hadden gebracht was gezonken. Toen was het Minten weliswaar gelukt een demon te verslaan – maar misschien was die demon wel dodelijk vermoeid geweest door zijn onvoorstelbare gevecht tegen de andere demon. Misschien was hij wel zwaargewond geweest, had hij zelfs naar zijn einde verlangd – en had Minten hem in feite alleen maar de genadeslag toegebracht. Wat had Taisser nu te verwachten van iemand die alles wat hij aanpakte met pech besmette? Was het niet juist een bof voor hem dat Minten weigerde mee te doen?

De tweede conclusie was daarentegen dat Minten Liago blijkbaar magisch was. Zijn blijvende jeugdigheid was een maar al te duidelijke indicatie. De strijd van de twee demonen op het eiland Kelm moest daar energieën hebben achtergelaten die Minten in de loop van eenentwintig jaar met elke druppel water die hij dronk, met elke vrucht die hij at in zich had opgezogen. Of het doden van de demon had iets onbegrijpelijks in hem laten binnenstromen dat nu verhinderde dat hij ouder werd. Hoe, vroeg Taisser zich af, kon hij hopen met zijn kleine, uit vijfenvijftig dappere personen bestaande verzetstroep iets tegen de demonen te ondernemen, zonder dat de magische, briljante strijder Minten Liago hen ondersteunde? Minten Liago, die alle gevaren die het lot hem had toebedeeld altijd op onverklaarbare wijze opnieuw gesterkt had overleefd?

Hoe kon je zonder Minten succes hebben, maar hoe met hem? Hoe kon je de koningin trouw blijven als je je met de mooie jonge weduwe inliet, alleen maar om haar waardig te worden?

Hoe kon je die eigenaardige aantrekkingskracht onderdrukken die Taisser altijd voor Minten had gevoeld?

Dit was niet eens meer een tweestrijd, maar een veelheid van krachten die op Taisser inwerkten en hem bijna vierendeelden.

Het opdrukken, het springen, de vogelpoep, het kaartspel en de zoutige blubber hielpen mee om hem van het bedenken van stommiteiten af te houden.

19
Nog eenendertig tot het einde

De koningin raakte de deurpost aan, waarvan het hout even oud, brokkelig en splinterig was als de hele hut zelf. Toen pas klopte ze aan.

Binnen weerklonk geschuifel, een hees 'Ogenblikje, alsjeblieft!', voetstappen en een slot dat werd opengemaakt. Een oude man deed open. Hij was iets over de zeventig. Op een smalle haarkrans na was zijn hoofd kaal; zijn baard was sneeuwwit en lang. En toch toonden zijn gelaatstrekken nog altijd die statigheid die Lae al in haar jeugd had bewonderd.

'... Koningin Lae?' De oude man knipperde verbaasd met zijn ogen. De koningin was niet als enige uit de stoet vluchtelingen gereden. Haar nieuwe raadsvrouwe Lehenna Kresterfell was zelf bij de vluchtelingen gebleven, maar had erop gestaan dat Lae I door vijf geüniformeerde krijgers zou worden begeleid en beschermd. Deze vijf hielden zich nu weliswaar op de achtergrond, maar waren voor de oude man duidelijk te herkennen als bereden escorte. Achter een nabije afrastering blaatten de schapen. De oude man was hun herder.

'Neem me niet kwalijk dat ik u zo laat nog stoor,' sprak de koningin met een voor haar rang bijna ongepaste eerbied. 'Ik weet helemaal niet... Weet u eigenlijk wel wat er in het land aan de hand is, voormalig raadsheer Ninrogin?'

De oude man, Tanot Ninrogin, glimlachte en knikte. 'Sommige van mijn buren zijn weggetrokken om zich bij u aan te sluiten, mijn koningin. Pas daardoor kwam ik te weten over de nieuwe oorlog. Maar kom toch binnen. Er staat een koude wind. Ik kan u niet veel aanbieden, maar u hoeft bij mij in de kamer beslist geen kou te lijden.'

'Dank u zeer. Ik ben me ervan bewust dat u niets meer met de zaken van het land te maken wilt hebben, maar als u mij in deze dagen van nood een halfuur van uw tijd wilt gunnen...'

'Kom nu maar binnen in de warmte.' In de aanwezigheid van deze man, die al koninklijk raadsheer was geweest toen Lae nog als kind op pony's reed, voelde zelfs een koningin die al eenentwintig jaar dat zware ambt bekleedde zich onervaren. Lae knikte haar escorte toe. In elk geval wenste niemand van hen mee de hut in te komen. De oude man was geen demon. Dat was het enige wat telde in deze tijden.

De koningin hing haar zware wintermantel over een met bast omwikkelde stoelleuning en nam plaats op de stoel. De hut leek binnen nog kleiner dan buiten. De wanden leken met hun spijkers en zelfgetimmerde rekken naar Lae te grijpen. Tanot Ninrogin onthaalde haar op kruidenthee die al zo afgekoeld was dat hij goed te drinken was, een boterham en de met yoghurt gemengde boter van een buurman die een paar dagen geleden was weggegaan. 'Binnenkort heb ik ook zulke boter niet meer,' mompelde de oude voor zich uit, terwijl hij de boterham voor de koningin smeerde. 'Maar dat is niet zo erg. Erg is eerder dat ik in de loop der jaren toch weer aan genoegens gewend ben geraakt die ik eigenlijk achter me wilde laten.'

'Gaat u niet met ons mee naar het noorden?'

'Nee. Ik ben Orisoner in hart en nieren. Ik zou er nog niet over dromen mijn heil in Coldrin te zoeken.'

'U... keurt mijn voornemens dus af?'

'Dat past mij helemaal niet, mijn koningin. Ik ben maar een eenvoudige schaapherder. Wat zou ik dan af te keuren hebben?'

Lae pakte het aangereikte brood aan en begon te eten, hoewel ze geen honger had. Ninrogin was maar ongeveer dertig jaar ouder dan zij, dus eerder een vader- dan een grootvaderfiguur, en toch voelde Lae zich als een kleindochter. Omdat Ninrogin al raadsman van Tenmac II was geweest, en daarna van Tenmac III. Politiek gezien was Lae de tweede koningin na Tenmac II, en dus een soort kleindochter, ook al was er geen rechtstreekse bloedlijn geweest.

'Ik heb dat nooit zo goed begrepen, voormalig raadsheer Ninrogin. Waarom hebt u zich zo volledig uit de landszaken teruggetrokken? De oorlog was voorbij. De koning had – met uw raadgeving – in die oorlog een goed en integer figuur geslagen. Ik had u graag als mijn raadsheer overgenomen – waarom zou een vrouw die nooit tot koningin was opgevoed geen twee raadslieden hebben? Ik heb u dat destijds aangeboden. U wilde niet.'

Tanot Ninrogin ging tegenover de koningin op een krukje zitten. Zijn omrimpelde ogen monsterden haar scherp. 'Waarom hebt u mij opgezocht? Mijn hut ligt niet op de route van uw vlucht. Ik had ook niet thuis kunnen zijn. Onderweg, op pad met mijn schapen.'

'Als u afwezig was geweest, had ik daar niets aan kunnen veranderen. Maar u bent er. Dus kan ik u iets vragen.'

'Vraag dan. Maar alstublieft iets anders dan waarom ik me heb teruggetrokken. Daarop heb ik namelijk helaas geen vleiende antwoorden als: omdat ik me te moe voelde om door te gaan.'

'Wat is er destijds echt gebeurd? Hoe kwam een demon aan de koningskroon? Hebt u die aan hem gegeven?'

'Hoe komt u daarbij?'

'Nou, hoe meer ik nadenk over de gebeurtenissen in de Irathindurische Oorlog, hoe minder ik begrijp wat er destijds echt is voorgevallen. Ik heb met eigen ogen gezien hoe een demon op het eiland Kelm door een van mijn soldaten werd gedood. Maar waarom was die demon in het bezit van de koningskroon? Had hij de koning ontvoerd en in het Treurwoud verbrand? Sommigen in mijn hofhouding huldigen die mening. Maar ik denk soms...' Ze aarzelde om haar gedachten met een onbekende te delen.

'Ja?' Ninrogins glimlach was nu weer die van een koninklijk raadsheer. Lae moest hem vertrouwen.

'Dat onze koning zich,' zei ze hortend, 'in een demon heeft veranderd om de godin, die waarschijnlijk ook een demon was, met succes te kunnen bestrijden.'

'En nu denkt u erover na of het uw plicht is om tegenover de nieuwe demonenaanval in een demon te veranderen, teneinde de vijand behoorlijk partij te kunnen geven.'

Lae boog zich voorover in haar stoel. 'Hoe ging dat destijds? Hebt ú de jonge koning een dergelijke stap aangeraden?'

Tanot Ninrogin lachte zachtjes. 'U overschat mij, mijn koningin. Ik moet me waarschijnlijk gevleid voelen. Nee. Ik werd destijds net zo verrast en overvallen door de gebeurtenissen als u nu.' De oude man zuchtte diep.

'De demon heette Gouwl. Hij was naar al mijn maatstaven een goede koning. Misschien wel een betere dan Tenmac III.'

'Dat begrijp ik niet.'

'De demon was in het lichaam van de koning gevaren, kort nadat de koning de Demonenpoel een bezoek had gebracht. Ik kon het verschil helemaal niet merken, behalve op sommige momenten dat de koning mij standvastiger en... wijzer toescheen dan tevoren. Op een gegeven moment heeft hij me toen verklapt wie hij was. Mijn menselijke impuls was hem te doden. Maar iets hield me tegen. Hij ontpopte zich tijdens de hele Irathindurische slachtpartij als wijze legeraanvoerder. Van Orison-Stad, dus van de koning, ging al die tijd geen gevechtshandeling uit. Verbazend, als je daarover nadenkt, niet?'

'En de godin was een andere demon?'

'Ja. Ik heb haar nooit persoonlijk ontmoet. Ik neem aan dat het een vrouwelijke demon was die Irathinduria heette. Dat zou tenminste de belachelijke naam verklaren die ze aan haar baronaat gaf. De oeroude strijd tussen man en vrouw. Zelfs demonen zijn daar blijkbaar niet immuun voor.'

'De vrouw was slecht en de man goed?' resumeerde de koningin met een ernstige uitdrukking op haar gezicht.

Tanot Ninrogin gniffelde. 'Tegenover een vrouwelijke majesteit zou ik die vraag liever niet willen beantwoorden. Of laten we liever zeggen: mogelijk was dít vrouwtje niet wijs, en dít mannetje was het wat meer.'

'Bestaan er dan... goede en slechte demonen? Dat wilt u toch zeggen: dat Gouwl een goede demon was?'

'Goed en slecht, mijn koningin, zijn dat niet veel te abstracte begrippen voor iets wat levend en beweeglijk is? Gouwl was een goede koning, zonder meer. En toch was hij het lichaam van een koning binnengedrongen en had dat met zijn status overgenomen zonder om toestemming te vragen. Dat is niet bepaald zoals een goed iemand zich gedraagt, vindt u wel?'

Laes gedachten gingen tekeer. 'Maar betekent dat niet dat er onder de demonen verschillende groepen zouden kunnen bestaan? Dat ze niet gewoon allemaal maar demonen zijn, maar dat ze... persoonlijkheden hebben, zodat je ze theoretisch ook tegen elkaar zou kunnen uitspelen, wiggen tussen ze kunt drijven, hun leger kunt versplinteren en verzwakken?'

'Mogelijk, mijn koningin. Maar ik weet niets over de demonen van nu. Destijds waren het er maar twee. Misschien moesten ze wel met elkaar vechten omdat ze maar met twee waren tegen honderdduizenden mensen, en daarom wanhopig en verward. Misschien is dat ditmaal volkomen anders. Het zijn er nu zoveel dat ze overal waar ze komen een overmacht vormen. Waarom zouden ze dan onderling vechten? Ze kunnen winnen, winnen, winnen en in zo'n overwinningsroes leven dat er helemaal geen ruimte meer is voor kleinigheden.'

'Maar misschien... ik weet dat het idioot klinkt, maar misschien is hun koning, of wie hen ook maar aanvoert... een goede koning?'

Nu boog ook Tanot Ninrogin zich voorover op zijn krukje, zodat hun handen elkaar bijna raakten op het kleine tafelblad. 'De vraag is, mijn koningin: wat zijn de demonen? In mijn tijd bestonden daar drie theorieën over. De demonen zijn ten eerste ofwel een vreemde, prehistorische levensvorm, die vóór de mensen bestond en ten slotte, toen de mensen al begonnen waren het land aan zich te onderwerpen, door de grote magiër Orison naar de Demonenpoel zijn verbannen. Of ze zijn, ten tweede, de onsterfelijke zielen van onze gestorvenen, die onophoudelijk hun weg naar de draaikolk vinden, tot die op een dag – nu! – buiten zijn oevers moest treden. Of ze zijn niets zelfstandigs, maar alleen het duistere deel van alle mensen, dat in de Demonenpoel wegzonk toen de mensen hun magie kwijtraakten. Klopt die derde theorie, dan zijn de demonen magie, ónze magie, en zouden ze misschien te bezweren en in te lijven zijn, waarna wij sterker zouden zijn dan ooit tevoren. Klopt de tweede theorie, dan valt er mogelijk met de demonen te onderhandelen, want waarom zouden onze afgestorvenen genadeloze vijandschap tonen tegen hun eigen nakomelingen? Misschien heerst er alleen maar verwarring doordat ze ons niet herkennen, net als de rade- en rusteloosheid die Gouwl en Irathinduria moeten hebben gevoeld. Klopt de eerste theorie echter, dan kunnen we ons voorstellen dat ze ons mensen onverbiddelijk haten. Dan gaat het maar om één ding: wij of zij. Het gevolg zal een oorlog zijn zoals Orison nog nooit heeft meegemaakt.'

'Zo ziet het er op dit moment uit. Ze vernietigen ons waar ze ons maar vinden. Orison-Stad is gevallen. Een paar trouwe vrouwelijke huurlingen, die met pijn en moeite uit de stad hebben kunnen ontsnappen, hebben mij verteld hoe de demonen onze geliefde vesting smadelijk met vuur, water en werpstenen hebben verwoest. Het zijn dieren, die geen genade kennen. Dat zijn niet onze gestorven voorouders. En toch...'

'En toch blijft u twijfelen of er niet, ook al zouden ze een volkomen vreemde levensvorm zijn, met hen te praten en te onderhandelen valt, zoals ik destijds met Gouwl kon.'

'Ja. Eerwaarde voormalig raadsheer – zou u zich kunnen voorstellen...'

Weer onderbrak de schaapherder de koningin: 'Een poging te wagen? Nee, dat kan ik me níét voorstellen. Ik ben slechts een vermoeide oude man. Ik heb te veel oorlog gezien om niet moe te zijn. Waar is de jonge knaap die al die jaren uw raadsheer was?'

'In het zuiden. Op zoek naar versterking.'

'Ik begrijp het. De demonen hebben de eilanden links laten liggen. Maar daarvandaan zal weinig komen. Rurga heeft nauwelijks inwoners en Kelm helemaal geen meer sinds daar twee demonen zijn omgekomen. Hecht u waarde aan mijn raad, mijn koningin?'

'Anders was ik hier niet.'

'Probeer het. Probeer te onderhandelen. Noem de naam Gouwl. Noem het feit dat Gouwl van de hoofdstad hield en die en de inwoners probeerde te beschermen. Dat is niet zonder risico, want mogelijk is Gouwl gehaat bij alle andere demonen, omdat hij anders was dan zij. Maar wat u ook doet, wat u ook probeert, ga niet naar Coldrin en naar koning Turer!'

'Waarom niet?'

'Wat de demonen ook zijn, mijn koningin, ze zijn op een of andere manier... kinderen van het land Orison. Turer en zijn mensen daarentegen zijn te vreemdsoortig om zelfs de benaming demonen te verdienen.'

'Wij weten te weinig.'

'We weten dat ze in vroeger tijd zoveel schrik moeten hebben opgeroepen dat er ook nu nog alleen onder bijgelovige voorzorgsmaatregelen over hen wordt gefluisterd. Wij weten dat achter het Wolkenpijnigergebergte een mist hangt waarin zich wezens bewegen waarvan de omtrekken niet menselijk zijn. Zeevaarders hebben ons daar herhaaldelijk over verteld. We weten dat al te eigenwijze zeevaarders, net als al te eigenwijze bergreizigers en net als koninklijke afgezanten, nooit meer uit Coldrin zijn teruggekomen. We weten inmiddels dat de horde plunderaars die in de verwarring van de Irathindurische Oorlog het Tweede Baronaat onveilig maakte, niet uit echte Coldriners bestond, maar alleen uit mensen die midden in het gebergte wonen. Ik zie het zo: Orison is een land vol onzekere factoren. Maar om Coldrin nog eens aan die factoren toe te voegen – dat is alsof je zou proberen een vuur te blussen met een onbekende vloeistof die in elk geval geen water is. Eerder nog is de aanvoerder van het demonenleger een rechtvaardige koning voor ons land dan dat koning Turer van Coldrin ons iets goeds brengt.'

Er viel een lang zwijgen tussen hen. Naast de hut waren de schapen te horen. Het vuur in de haard vocht tegen de kou, die door alle kieren drong. 'Ik zal een gezant aanwijzen,' sprak de koningin ten slotte met een hoofdknik. 'Met de demonen in onderhandeling gaan is een idee dat ik vóór ons gesprek nog helemaal niet had. Maar mijn stoet naar de bergen bestaat intussen uit 30.000 mensen. Ik ga het leven van die 30.000 niet op het spel zetten door halt te houden in de hoop dat er onder de demonen een Gouwl is waar mee te praten valt. Maar ik geef u op nog een punt gelijk: ik zal die 30.000 niet naar Coldrin leiden, maar een zo veilig mogelijke woonplaats voor hen in de bergen zoeken, terwijl ik alleen met een kleine, zelfsamengestelde afvaardiging het rijk der nevelen zal binnengaan. Ik vraag u nu nogmaals: weet u zeker dat u zich niet bij ons wilt aansluiten? Ik zou een raadsheer die zelfs met een echte demon op goede voet heeft gestaan goed kunnen gebruiken aan het hof van koning Turer.'

Tanot Ninrogin glimlachte treurig. 'In tegenstelling tot u,' antwoordde hij, 'kan ik mijn schaapjes niet meenemen over de bergen. Dus als de demonen hier komen om ze te verorberen, ben ik het hun verschuldigd om bij hen te zijn.'

De koningin kwam overeind. 'Ik zou de schapen kunnen vorderen als voedsel en wol voor mijn kleumende en hongerende 30.000. Dan zou dat probleem opgelost zijn.'

'Ja. Als koningin zou u dat kunnen doen. Misschien moet dat zelfs wel.'

'Maar misschien... ben ik helemaal geen goede koningin.' Ze ging naar buiten zonder nog eens voor de gastvrijheid te bedanken. De oude man bleef gewoon zitten.

Buiten kwam een bijtende wind haar tegemoet, plus de vijf vragende gezichten van haar begeleiders. 'Laten we terugrijden,' beval ze kort. 'Voor ons is hier niets te halen.'

De stoet van 30.000 mensen hurkte grijs, alsof hij met poedersuiker was bedekt, in het karstige wit van de winter. De vuren konden de handen en voeten, maar niet de harten van de mensen verwarmen. De hoofdstad was gevallen. In hun marsrichting rezen de Wolkenpijnigerbergen op als een geweldige, goddelijke barrière.

De koningin riep verscheidene vergaderingen bijeen, beraadslaagde herhaaldelijk met haar nieuwe raadsvrouwe Lehenna Kresterfell en vooral voor de vorm ook met haar onwillige coördinatoren, die zich zo veel mogelijk overal buiten hielden, en kwam tot de volgende conclusie: 'We hebben een vrijwilliger nodig om naar Orison-Stad te rijden en te proberen met de demonen een wapenstilstand te bereiken. Misschien zijn ze er immers erg in geïnteresseerd met de mensen samen te leven, van gedachten te wisselen en handel te drijven. Misschien hoeft het geen of-of te zijn. Mogelijk staat Orison voor een nieuw tijdperk van begrip en verzustering.'

Dat verscheidene mensen zich vrijwillig meldden voor dit zelfmoordcommando maakte duidelijk hoe inspannend en hopeloos velen van hen de tocht naar het noorden vonden.

De keuze van de koningin en haar raadsvrouwe viel ten slotte op de jonge, enigszins wonderlijk uitziende straatzanger Leldist Laanebrugg. Met zijn wondermooi gemoduleerde stem was Leldist Laanebrugg in staat in wondermooi geformuleerde vrije stijl hardop voor te dragen. Daarbij had hij een spichtig en ronduit belachelijk voorkomen, en zou dus waarschijnlijk ook voor de domste demon niet op een gevaarlijke krijger lijken die daarom zo snel mogelijk moest worden neergelegd.

Leldist Laanebrugg was zich heel goed bewust van de moeilijkheid van zijn missie. Urenlang kreeg hij instructies over wat hij wel en niet mocht zeggen. Toen werd hij op een paard gezet met in de rechterstijgbeugel een van boven afgeronde lans en een witte onderhandelaarsvlag, en zonder geleide naar het zuiden teruggestuurd, want men wilde de demonen geen zwaarbewapend doelwit bieden. 'Het wel en wee van het hele land ligt in de handen van een man uit de zwervende stand,' zei hij toen hij met een diepe buiging afscheid nam van de koningin, en pas later viel het haar op dat dat rijm een wat gammele versmaat had gehad.

Ongerust stuurde de koningin geüniformeerde krijgers achter de straatzanger aan. Jammerend werd de bard naar haar teruggebracht. Lae besloot dat een al wat oudere lerares, Naona Ickard, die ook al in de kleine voorselectie van onderhandelaars had gezeten, de zanger op zijn missie zou begeleiden. 'Laanebrugg, jij voert weliswaar het woord,' zei ze tot de zanger, en toen sprak ze de vrouw nadrukkelijk aan: 'Maar jij, Naona, let erop hoe de demonen op Laanebrugg reageren. Mocht je het gevoel krijgen dat de stem en de manier van spreken van de bard niet serieus worden genomen of een provocerende indruk maken, dan breng je hem tot zwijgen en neem je zelf het woord. Hebben jullie dat allebei begrepen? Mijn bevel luidt dat jullie samenwerken en elkaar aanvullen – tot heil van ons land en al zijn bewoners. Op jullie beiden is onze hoop gevestigd.'

'Ik begrijp het, koningin,' bevestigde Naona Ickard. 'Maar wat doen we als de legeraanvoerder van de demonen alleen met u persoonlijk wil onderhandelen?'

'Regel dan een ontmoeting op neutraal terrein. Hij en ik alleen op een goed overzichtelijke vlakte. Ik wil graag horen wat hij te zeggen heeft.'

De beide onderhandelaars knikten. 'Zo zal het gebeuren, uw woord zal zich laten horen,' rijmde Leldist Laanebrugg weer tamelijk kreupel, maar de koningin was nu, met Naona Ickard aan zijn zijde, niet meer zo bezorgd dat ze het lot van Orison in handen van de verkeerde had gelegd.

Ook Marna Benesand had even overwogen zich vrijwillig te melden, maar er was te veel op tegen. De Dochters van Benesand waren nog maar net met pijn en moeite uit de hoofdstad ontsnapt en hadden de koningin het nieuws gebracht van de verschrikkelijke val van de trotse vesting. Het was ronduit tegennatuurlijk om nu daarheen terug te rijden. Marna kon ook niet zomaar haar zusters in de steek laten en alleen op weg gaan, want ze had gezworen hen allemaal zonder verdere verliezen naar Coldrin te brengen. Ze kon en mocht zich nu niet met omwegen inlaten. Ze wilde in Coldrin naar Faur Benesand, of ten minste naar tekenen van zijn aanwezigheid zoeken, of een graf voor hem verzorgen in de bergen. Bovendien was ze voor een onderhandelaar veel te mooi en dus te smakelijk als prooi om überhaupt te worden aangehoord. Ze was ook een krijgster en kwam daarom dreigend over. Ze had zich nu tweemaal op missies ver bij de koningin vandaan begeven, die allebei volkomen mis waren gelopen, en had besloten van nu af aan de koningin niet nog eens te verlaten.

Nee, er was gewoon te veel op tegen. Dit was geen tijd voor nietszeggend heldendom. Marna droeg verantwoordelijkheid voor haar levende en ook voor haar dode zusters.

Ze lieten de malle straatzanger en zijn gerimpelde oppas vertrekken. Nu mochten anderen eens proberen zich verdienstelijk te maken voor het land. Dan zouden ze wel merken hoe moeilijk dat was.

20
Nog dertig tot het einde

Tot zijn eigen verrassing had Orison in de diepe doolhof van de Poel een gesprek.

De demon noemde zich Adain. Hij was niet bijzonder groot – ongeveer zo groot als een mensenvrouw – en had smalle, groenachtig glanzende ledematen die er allesbehalve symmetrisch uitzagen. Zijn linkerbeen en zijn linkerarm waren duidelijk korter dan zijn rechterbeen en zijn rechterarm. Zijn donkerblauwe ogen daarentegen werden door opvallend lange wimpers omlijst.

'Wat doe je nog hier beneden?' sprak Orison hem aan. 'Heb je Culcahs oproep tot vrijheid niet gehoord?'

Hoewel Orison hier beneden geen echte vorm had, maar er eerder uitzag als een wolk of als een bij elkaar geraapt allegaartje, herkende Adain hem als een van de zijnen. 'Jij bent hier toch ook nog?' antwoordde hij koppig.

'Ik ben Orison. De maalstroom was mijn werk. Ik heb het recht hier zo lang te zijn als ik wil. Maar jij moet aan de oorlog deelnemen, dus haast je!'

Adain glimlachte. 'Nee, laat maar. Een oorlog is niets voor mij.'

'Voel je je benadeeld omdat jouw lichaam niet zo welgeschapen is als dat van de anderen?'

'Nou ja, in vergelijking met jou zie ik er toch nog best goed uit.'

Orison zweefde verder naar Adain toe. De brutaliteit van deze demon verbaasde hem. 'Ben je niet bang voor mij?'

'Waarom zou ik? Wil je dreigen mij te doden? En wat gebeurt er dan? Ga ik dan een nieuwe kolk binnen, om gewoon weer verder te leven?'

'Nee. Als je nu sterft, ben je dood. Ik heb de maalstroom opgeheven. Leven kun je alleen nog in vrijheid.'

'En hoe is het als je dood bent? Is dat beter of slechter dan wanneer je onderdeel van een draaikolk bent, of van een oorlog – of een demon?'

'Schaam je je dat je een demon bent?'

'Ik zou liever iets anders zijn.'

'Waarom?'

'Omdat de demonen me nooit bevallen hebben. Ze waren óf een volgzaam draaikolkniets, óf een brullende kluwen die zich tegen je aan drukt en in je gezicht stinkt.'

'En wat zou je dan liever zijn?'

'Ik weet het niet. Een worm misschien. Een vogel. Of een kat.'

'Waarom een dier?'

'Omdat dieren onafhankelijk zijn. Niemand behalve hun eigen maag, en misschien nog hun geslachtsdrift, zegt ze wat ze moeten doen of laten. Culcahs stemmen bevallen me niet. Ze lijken elkaar voortdurend in de weg te staan.'

Die observatie beviel Orison. Hij was ook daarom op de demomen gesteld, omdat er onder hen telkens weer zulke verrassende exemplaren te vinden waren als Adain. 'Kun je je de tijd vóór de maalstroom nog herinneren? Toen we nog allemaal vrij waren? Wat was je toen?'

'Eerst een worm, toen een vogel, toen een kat.'

'De kat at de vogel op die de worm had opgegeten? Jij was ze alle drie achter elkaar?'

'Achter elkaar.'

'En wat is er van de kat geworden?'

'Die had een goed leven tussen sneeuw en een warme plek bij het haardvuur. Toen dwong jij ons allemaal de Poel in.'

'Maar je hebt het maar over een korte tijd. Wat was je vóór de worm?'

'Een kat.'

'Dat begrijp ik niet.'

'De kat ging dood. Een worm vrat zich vol aan haar lijk.'

'Aaaah.' Orisons omtrekken vertrokken van opwinding. 'Jij bent een terugkomer. Je bent onsterfelijk, Adain. Dat maakt jou tot een bijzonder iemand. En dat lichaam waar je nu in zit heb je gekregen omdat ik de maalstroom heb opgeheven en iedereen uit de substantie pakte wat hij pakken kon. Jij hebt je dus bescheiden op de achtergrond gehouden.'

'Ik wilde eerst helemaal geen lichaam. Dit hier werd me gewoonweg opgedrongen. Niemand anders wilde het hebben.'

'Volg mij dan naar buiten, Adain. Sterf in de oorlog als grote held, en je kunt weer als worm beginnen.'

'Ach nee, laat maar. Een oorlog is niets voor mij.'

'Waarom niet? Wat heb jij als terugkomer te vrezen?'

'Niets. Vrees is het goede woord niet. Voor mij is er altijd wel een toekomst als worm. Maar ik heb medelijden met de anderen, die sneuvelen en dan dood zijn. Zoveel verspild leven. Wij demonen zijn zo oud, en nu vinden we de dood in de strijd tegen mensen?'

'We hebben het land nodig. We hebben ruimte nodig. Als we de mensen niet onderwerpen of uitroeien, zullen we altijd opgejaagd worden. Net als toen, toen ik geen andere oplossing meer zag dan de maalstroom te scheppen.'

'Maar je hebt de maalstroom niet geschapen omdat het tijdperk van de mensen begon en ze op ons joegen toen we eenhoorns, griffioenen, draken en andere fabelwezens waren. Je hebt ons de maalstroom in gedwongen omdat we zo dom waren alle levenskracht te verspillen. We stierven, Orison, omdat we als paarden per se hoorns moesten hebben, als leeuwen per se moesten vliegen en als hagedissen per se vuurspuwen. We waren mateloos en dom, en dat zijn we nog altijd.'

'We moeten nu wel mateloos zijn, want de mensen zijn het intussen ook geworden en hebben het hele land zo dicht bevolkt dat er voor ons geen plaats meer is.'

'Dan zijn we net zo als de mensen, Orison, precies hetzelfde! Behalve dat we vroeger mooier waren dan zij en nu lelijker. Nee, laat mij hier maar beneden in de poel. Ik wil nadenken en mijn rust hebben, en als me iets is ingevallen wat wijzer is dan oorlog, zal ik het je wel laten weten.'

Orisons omtrekken borrelden. 'Voor jou iets is ingevallen wat wijzer is dan oorlog zal onze oorlog al gewonnen zijn.'

'Of verloren.'

'Dat kan ik me niet voorstellen.' Maar dat was niet helemaal waar. Orison vermoedde dat koning Turer van Coldrin een monster was dat ruimschoots tegen hem opgewassen was.

Zijn gesprek met Adain was in elk geval afgelopen. Orison besloot de mismaakte demon niet de oorlog in te dwingen. Er was toch niemand die hem boven in het tumult zou missen, en Orison dacht bij zichzelf: wie weet? Misschien kan een onsterfelijke piekeraar achter de hand me op een dag meer van nut zijn dan de zoveelste worm die mijn aanwijzingen niet begrijpt.

Hij zwierf nog een paar dagen rond in de kloven op de bodem van de Poel en raapte daarbij alles aan magische energie bijeen wat nog hier en daar was blijven zitten.

Toen steeg Orison op.

Zijn lijf was grotesk. Hij leek meer op een berg dan op een levend wezen van deze wereld. Een beweeglijk massief met duizenden tentakels en een stem die klonk als een afkalvende gletsjer. Louter en alleen gedragen door zijn eigen macht zweefde hij langzaam en plechtig noordwaarts over verwoest land. In zijn langgerekte schaduw verzamelden zich vliegen en pissebedden. Het spoor dat zijn leger rechtstreeks door het Zesde Baronaat had getrokken was overduidelijk. Hij volgde het, vloog over de Hoofdburcht, de Binnenburcht en de rivier de Erifel. Afgezien van kraaien en brutaal geworden jakhalzen bewoog er niets meer in de ruïnes. Alleen zag Orison een paar gedeserteerde demonen door zwartgeblakerde velden en kaalgeplukte weilanden zwerven, en toen die vrijbuiters hem gewaarwerden, wierpen ze zich op de grond en huilden om vergeving. Orison vergaf hen, want hij was niet alleen hun koning, maar ook de architect en de vader van hun nieuwe vormen. Hij beval hun zich weer bij Culcahs leger aan te sluiten, en ze vertrokken meteen om zijn bevel op te volgen.

Al vanuit de verte kon hij de hoofdstad horen overkoken. Het leger lag eromheen, vergreep zich eraan en vermaakte zich ermee.

De stad die zijn naam droeg.

Orison moest zich kleiner maken, zijn enorme massa verdichten tot een gewrocht dat zelfs in steen diepe kraters achterliet, om Culcah ook maar te kunnen benaderen zonder hem waanzinnig te maken door de pure aantrekkingskracht van zijn oppermacht.

'Goed gedaan,' zei hij op zo'n diepe toon dat borden op rekken kapotsprongen.

'Mijn heerser!' juichte Culcah, en hij wierp zich plat op de grond, wat er door zijn kevervorm uitzag alsof hij onder zijn schilden dekking zocht.

'Goed gedaan, mijn legeraanvoerder – tot nu toe. Maar ik zie nergens de huid van de koningin uitgespreid op de treden die naar mijn troon leiden.'

'De koningin, mijn heerser,' ratelde Culcah, 'was nergens in de stad te vinden. Het verzet was slechts zwak, bijna maar schijn. Ik vermoed dat ze naar het noorden is gevlucht, maar heb besloten om op uw bevelen te wachten. Ik wist niet zeker...'

'Wat wist je niet zeker?'

'Wel, Coldrin, mijn heerser. U sprak zo vol... respect over koning Turer. Ik wist niet hoe dicht ik het leger naar Coldrin toe mocht voeren zonder uw ongenoegen te wekken. Bovendien zei u tegen mij dat ik de mensen rustig in de armen van de Coldriners mocht drijven, en dat heb ik bij dezen gedaan. Daarbij heb ik dan nog mijn hoofdplan, dat inhoudt dat we van hieruit, het middelpunt van het land, eerst alle binnenburchten innemen. En pas als ik daarna alle hoofdburchten onder onze controle heb gebracht kan met recht en reden worden gezegd dat het land de demonen toebehoort.'

'Ja, dat heb je heel goed gedaan. Houd het grootste deel van het leger in de hoofdstad. Laat het eten en uitrusten. Ruk van hieruit op naar de afzonderlijke baronaten en pacificeer ze. En breng mij Orogontorogon.'

'Orogontorogon! Ik weet helemaal niet waar die schurftige reu uithangt!'

'Je zult hem wel vinden, daar heb ik alle vertrouwen in.'

Culcah vond hem.

De hondendemon, die zich in de buitenwijken had opgehouden, werd naar Orison geleid. Op zijn arm droeg de rode Orogontorogon een bleek mensenkind, dat op haar beurt een geel knuffeldier op de arm droeg. Orison probeerde te zien of het knuffeldier ook iets nog kleiners op de arm droeg, maar behalve straatvuil en spuug kon hij niets ontdekken.

'Mijn beste Orogontorogon,' begroette Orison de rode demon vriendelijk. 'Weet jij eigenlijk waar de andere raadsleden zijn?'

'Af en toe zie ik er nog wel eens een,' gromde de hondendemon. 'De kreeft is omgekomen toen er een muur van een huis op hem viel. Maar Klappertand en het mooie spook laten altijd vooral van zich horen als het om de verdeling van gevangenenoffers gaat.'

'Ik kan me niet aan de indruk onttrekken dat je je miskend voelt in je kwaliteiten.'

'Deze legertocht is een vreselijke schande.' Het leek Orogontorogon niets uit te maken dat Culcah pal naast hem stond. 'Waar we ook maar komen overvallen we die arme mensen met een overmacht van minstens twintig tegen één. Daarmee wekken we de indruk dat we lafaards zijn, die helemaal niet kunnen vechten.'

'Wel, tot nu toe loopt alles volgens plan,' zei Orison vriendelijk. 'Culcah heeft een taak en vervult die tot mijn tevredenheid. Maar nu over jou. Ik zie dat je sinds kort een mens houdt?'

'Tegen de verveling,' grijnsde Orogontorogon.

'Je verveling zal binnenkort voorbij zijn. Je kunt je mens onderweg wel ter versterking oppeuzelen, want je vertrekt onmiddellijk met 10.000 door Culcah bijeengezochte demonen. Jouw taak is het de vluchtelingenstroom van de mensenkoningin in te halen en in de pan te hakken voor ze het Wolkenpijnigergebergte bereiken. Breng mij de koningin levend terug als dat je lukt, of vreet haar ter plekke op, dat maakt mij weinig uit. Jullie zullen tegenover de vluchtelingen in de minderheid zijn; dit is dus een kolfje naar jouw hand. De grootste haast is geboden, daarom krijg je uitsluitend vliegende en snelvoetige demonen mee. Maar in geen geval zet je een voet in het gebergte, versta je me? Je hebt gefaald als de koningin de bergen bereikt!'

Orogontorogons grijns verbreedde zich bijna tot aan zijn flaporen. 'Ik zal niet falen. Behalve als Culcah zo lang nodig heeft om die 10.000 te selecteren dat de koningin inmiddels ook Coldrin heeft doorkruist.'

'Hij zal zich haasten, en jij kunt hem een handje helpen bij het uitzoeken.'

'Al beter.' Orogontorogon knikte de opperdemon achteloos toe en mengde zich onder het leger om aan zijn missie te beginnen.

Culcah bleef nog even bij Orison staan. 'Mijn heerser, ik begrijp het niet helemaal. Heb ik iets verkeerd gedaan? U zei mij dat ik de mensen naar Coldrin moest drijven, en nu wilt u hun vlucht toch verhinderen?'

'Mijn beste Culcah,' zei Orison, 'toen ik in de Poel verbleef en mijn magie verzamelde, dacht ik nog wat na over Turer van Coldrin. Als hij nu ook eens magie verzamelt, net als ik? Als hij nu eens sterker wordt wanneer wij voor hem 50.000 lammeren naar de slachtbank zenden, in plaats van hem alleen maar een paar honderd verspreide mensen, die waarschijnlijk toch niet te vermijden zijn, te doen toekomen? Ik wil geen fout maken waar ik later spijt van krijg. Noem het bijleren, Culcah. Ook een Orison is in staat zijn tactiek mettertijd te verfijnen.'

'Dat is vanzelfsprekend uw voorrecht, mijn heerser,' zei Culcah onderdanig. 'Maar sta mij nog een laatste vraag toe: waarom zweeft u niet zelf naar het noorden om met één enkele knippering van uw onvergelijkelijke oog de hele stroom vluchtelingen te vernietigen?'

Orison glimlachte. Dat was een vreemd gezicht: een glimlachend ding van massa en ingehouden kracht. 'Ook ik volg een plan, Culcah. Misschien ben je blij om te horen dat Orogontorogons falen als deel van dit plan zeer gewenst is. Pas daarna zal alles zo rollen als ik me voorstel. Maar ga nu je zaken in orde maken: de 10.000 snelsten voor Orogontorogons commando.'

'Zeer wel, mijn heerser!'

De kroning van Orison tot koning van Orison was een korte aangelegenheid.

Er was een klein bloedbad: verscheidene van de in de huizen gevonden bedlegerige mensen en opgesloten dieren werden geslacht, door elkaar geroerd en tot algemene verheffing en verfrissing over de treden van de Koningsburcht uitgegoten. Daarna was er een soort fanfare, voortgebracht door verscheidene demonen met hun snavels en trompetvormige schildpaduitgroeisels. Daarna hield Culcah een korte redevoering, waarin hij Orison de enige gerechtvaardigde koning van het door hem gevormde en naar hem genoemde land noemde. Daarna zette Orison een kroon van gladgeschuurde coördinatorenbotten op zijn smeulende hoofd en nam plaats op een troon die hij eigenhandig uit puin had opgebouwd en bijeengeramd. De demonen jubelden, bogen en riepen: 'Koning!', met stemmen die even verschillend waren als die van krijsende wilde dieren in een oerwoud.

'U was alleen mijn heerser, nu bent u mijn koning,' vleide Culcah hem, en hij kreeg daarvoor een goedkeurende knik.

'Demonen!' riep de nieuwe koning vervolgens met donderende stem. 'Het land is in eeuwen van zwakte aan de mensen gewend geraakt. Het geeft hun tarwe en rogge te vreten en water en wijn te zuipen, en denkt dat het van hen houdt! Maar het land is nu van ons! Laat het land dus vóélen dat het van ons is! Laat het weeklagen en jammeren en ons met zijn tranen vermaken! Pas als zijn wil is gebroken zal het land zich aan ons overgeven en van ons houden en door ons verteerd worden, heter en dankbaarder dan ooit tevoren!'

De demonen jubelden kwijlend en brullend.

De fanfare weerklonk opnieuw.

Er begon een feest, waarbij opnieuw een paar honderd demonen om het leven kwamen.

Hun koning lachte en danste in de kraters die zijn voetstappen sloegen in de grond.

21
Nog negenentwintig tot het einde

In het begin was de rit naar het zuiden voor de straatzanger Leldist Laanebrugg en zijn metgezel Naona Ickard zonder meer een verbetering ten opzichte van de vluchtelingenstroom. Ze konden nu de hele tijd op speciaal voor hen opgetuigde rijdieren zitten, ze waren aan de buitengewoon weerzinwekkende uitwasemingen van de massa ontkomen en hadden voldoende proviand en ruimte om zich ongehinderd voort te bewegen en – telkens als ze door moeheid werden overmand – zich ter ruste te leggen. Toch dacht geen van beiden er ook maar een moment aan de missie op te geven, om de door de demonen ingenomen hoofdstad heen te trekken en ergens anders – misschien aan de nog ongestoorde oostkust – hun heil en geluk te zoeken. Hun missie zou van beslissende betekenis kunnen zijn voor het hele land Orison, en dat feit maakte hun beider gezichten – ook al gaf Leldist Laanebrugg onderweg af en toe een lied ten beste – hard en vastberaden.

Maar toen hun op de derde dag van hun rit uit zuidelijke richting plotseling een 10.000 demonen sterke legertros tegemoet kwam gesneld, zonk de beide gezanten niettemin de moed in de schoenen. Alleen al de aanblik van de wilde horde, samengesteld uit wezens die geen mens zou kunnen verzinnen, deed de beide onderhandelaars geloven dat hun laatste, volkomen zinloze uur had geslagen.

Even schreeuwden ze tegen elkaar, maar toen werden ze het erover eens dat ze zich uit de voeten moesten maken. Zo zochten ze dekking tussen wilde brem en besneeuwde hazelstruiken.

De demonen onder Orogontorogons leiding raasden met de tongen uit hun mond voorbij. Maar een van de vliegers, een soort in een lange angoravacht gehulde roofvogel, die telkens weer rusteloos heen en weer schoot, kreeg een witte vlag in het oog die aan een staaf uit een bosje stak. Aan het onderste eind van die vlag vond hij een rijdier, met een tweede ernaast, en daar weer naast twee in de bosjes hurkende, bibberende mensjes.

De angoravogel meldde dit aan Orogontorogon. Orogontorogon besloot de mensjes met de vreemd lege vlag wat nauwkeuriger te bekijken.

'We zijn ontdekt!' siste Naona Ickard tegen haar metgezel. 'Ze gaan ons opvreten!'

Maar nu kwam het moment waarop de straatzanger Leldist Laanebrugg zich tot zijn volle lichaamslengte oprichtte. 'Nee,' sprak hij, zonder zich om rijm te bekommeren. 'Wij zijn onderhandelaars van het mensengeslacht. Men zal naar ons moeten luisteren. Reik mij de vlag, lotgenote!'

'Hoe wilt u hen benaderen?'

De bard nam de onderhandelaarsvlag van haar in ontvangst. 'Dat zult u wel zien,' fluisterde hij vol vertrouwen. 'Demonen houden van rijm! In vroeger tijd waren ze uitsluitend op rijm aan te roepen en gunstig te stemmen. Ze zullen verrukt zijn als ze kunstiger worden toegesproken dan sinds tijden is gebeurd.'

'Overdrijf het maar niet,' antwoordde Naona Ickard nog altijd sissend. 'Zodra hun... gezichten ongenoegen uitdrukken, stop dan met rijmen en laat mij verder het woord doen!'

'Of,' sprak Leldist Laanebrugg met een dappere glimlach, 'mijn trouwe luit en ik heffen een plechtige liederenschat aan.'

De demon die nu voor alle andere demonen uit het bosje naderde, had een indrukwekkende gestalte: vuurrood, met een hondenschedel, groter dan de meeste mensenmannen en bovendien slanker en toch krachtiger gebouwd. Op zijn ene arm hield hij een mensenkind. Dus was hij ook een soort onderhandelaar, een bemiddelaar tussen twee volkeren!

Leldist Laanebrugg schraapte zijn keel en deed, met de vlaggenlans hoog opgeheven in de ene en zijn luit in de andere hand, twee stappen naar voren uit het hinderlijk aanhankelijke struikgewas.

'Demonenvrienden, hoort mij aan! Ik ben weliswaar maar een simpel man, maar door mij spreekt de koningin en ze verleent mijn woorden kronende zin. Van vrede zal 'k u heden konden, van handdruk ver van alle zonden, van licht en blijdschap en gezang, en niet van bloed en wapenklllll...'

Met één enkele snelle beweging had Orogontorogon de straatzanger zijn hoofd van zijn hals gerukt. De witte vlag bleef nog even besluiteloos op zichzelf staan en viel toen neer naast het klokkend leeglopende lichaam.

Vragend keek het vuurrode monster Naona Ickard aan en maakte op een voor haar onnavolgbare wijze een galant diepe buiging. 'Neem me niet kwalijk, o mensenvrouw, maar ik zou goed iemand kunnen gebruiken die een paar dagen op dit schattige kind past tot ik terugkom.'

Naona Ickard keek naar het bloed van de straatzanger, dat taai van de hazeltwijgen droop, en begon schel te schreeuwen. Lang schreeuwde ze zo – hoog, hard, in stoten en golven – maar de nachtmerrie wilde niet verdwijnen. De nachtmerrie en het kleine meisje op zijn arm hielden met tot grimassen vertrokken gezichten hun oren dicht. Ten slotte kon Naona Ickard niet meer verder schreeuwen; haar stem was op.

Het monster hield haar het kind voor. 'Ik vraag het u nogmaals. De kleine wordt door mij al weken gevoerd met mensenbrood, smeltwater en fruit, waar ik die ook maar buit kan maken. Maar ik zie dat u de juiste proviand voor twee mensen in uw tassen hebt. Dat zal genoeg zijn tot ik terug ben. U hoeft hier alleen maar op mij te wachten, en ik beloof u dat niemand u een haar zal krenken.'

Naona Ickard wilde uitleggen dat ze onderhandelaar van de koningin was en zich eigenlijk op een belangrijke missie naar de hoofdstad bevond, maar ze kon geen woord meer uitbrengen, haar stem was opgebruikt.

'Ik wil niet dat je me weggeeft, Oro!' begon het kleine meisje nu te jengelen. 'Wat moet ik bij die krijstante? Ik wil bij jou blijven!'

'Ik zal moeten vechten. Ik kan niet de hele tijd op jou letten.'

'Dat maakt mij niet uit! Ik wil bij jou blijven! Ik wil bij jou blijven! Ik wil bij jou blijven! Ik wil bij jou blijven!'

'Dit is een aardig oud moedertje. Ze zal goed voor je zorgen!'

'Neeeeeee, je wilt me weggeven, je komt nooit meer terug, ze komen allemaal nooit meer terug, waaahhh!' En het kind begon zo hard te huilen en te spartelen dat haar gezicht al snel net zo rood was als dat van de hondendemon.

Nu pas begreep Naona Ickard dat het monster haar een kans had geboden om verder te leven. Instinctief greep ze naar het kind, maar het meisje stompte en schopte naar haar.

'Ik wil niet, ik wil niet, ik wil niet, ik wil niet! Neeeeeeee, ze heeft koude vingers. Oro, geef me niet weg, alsjeblieft, alsjeblieft, geef me niet weg!'

De hondendemon aarzelde. De meute van gedrochten achter hem werd zichtbaar onrustig.

'Maar kleintje, het is toch maar voor een paar dagen...' probeerde Orogontorogon het nog eenmaal met treurig neerhangende flaporen.

Maar het kind liet zich niet vermurwen. 'Nee, papa en mama komen ook al niet terug. Ik wil niet meer, ik wil niet meer! Eendje is altijd koud! Stuur die ouwe vrouw weg en breng me toch ergens waar het warm is, Oro!'

'Wil je liever bij mij blijven in vuur en razernij, krijgsgewoel en doodskreten?'

Genja keek Orogontorogon niet-begrijpend aan. 'Ik wil bij jou blijven.'

'Goed dan. Je hebt het gehoord, moedertje.' De hondendemon pakte het gezicht van Naona Ickard en verbrijzelde haar schedel met maar één knuist. Het lichaam van de oude vrouw danste vreemd en stiet huiveringwekkende geluiden uit. Ontzield en onherkenbaar stortte ze neer in de omgewoelde sneeuw.

Met het kind gebeurde ook iets eigenaardigs. Het staarde nieuwsgierig naar de dood, maar toen begon het te beven. Vanaf dat moment werd Genja ziek.

'Verder, vrienden!' dreef Orogontorogon zijn vrijwel onafzienbare menigte aan. 'Verdeel de nieuw verkregen proviand, en dan snel op de been! Ons wacht nog veel meer buit. En een mooie kroon bovendien!'

De lijken van de twee onderhandelaars werden net als hun paarden verscheurd en onder de gulzige demonen verdeeld. Alleen de witte vlag bleef achter, in de sneeuw al vanaf een paar passen afstand niet meer zichtbaar.

22
Nog achtentwintig tot het einde

Culcah organiseerde de verdere verovering van het land, terwijl koning Orison nauwkeurig toekeek en luisterde, en hem hoogstens steunde in telkens weer oplaaiende gevechten om de hiërarchie.

De demonen, de gewone, simpele demonen, vroegen wanneer de oorlog eindelijk eens afgelopen was. Ze hadden nu toch de hoofdstad? Konden ze niet eindelijk eens beginnen met zich vrij en veilig te voelen?

Maar er moesten acht binnenburchten worden veroverd, die weliswaar nog niet gevallen waren, maar wel duidelijk verzwakt bij de samenstelling van het gemeenschappelijke leger van Belischell. Er kon op twee denkbare manieren gehandeld worden: na elkaar als iemand die in een kringetje gaat, of tegelijk als een tot ster uitdijend licht.

De nieuwste tellingen door puntbekhagedissen die konden vliegen en rekenen lieten Culcah weten dat zijn leger nu nog uit 93.000 demonen bestond. Honderddrieduizend hadden de overname van de hoofdstad en de daaropvolgende feestelijkheden overleefd, en 10.000 daarvan waren onder leiding van Orogontorogon naar het noorden vertrokken. De 10.000 aan de zuidkust werden nog altijd vermist. Als in het noorden alles voor elkaar was – nam Culcah zich voor – zou hij strafexpedities naar de zuidkust sturen om alle daar rondlummelende plichtverzakers te fusilleren. Hij speelde zelfs met de gedachte om de Demonenpoel weer in werking te stellen, als gevangenis voor demonen die gewoon niet wilden begrijpen dat een beetje discipline nog altijd beter was dan duizenden jaren te worden rondgeslingerd in een uit opgeloste wezens bestaande maalstroom.

Hij besloot alle binnenburchten tegelijk aan te vallen, om verschillende redenen. Ten eerste lagen ze allemaal niet ver van de hoofdstad. Je kon ze allemaal even snel bereiken, de hoofdstad als achterhoede- en verzorgingskamp gebruiken en het uitzwermen van de eigen troepen relatief goed onder controle houden. Ten tweede zou er, als de acht nog niet veroverde binnenburchten om de beurt onder handen werden genomen, misschien een pijnlijk ronddraaiend kringetje van stromen vluchtelingen ontstaan, van de ene burcht naar de andere, dat elkaar telkens weer versterkte, waarschuwde en opzweepte, en dat slechts moeizaam te beteugelen en omslachtig te stoppen zou zijn. Ten derde zou, door alle binnenburchten in één klap in te nemen, het gecontroleerde gebied in het hart van het land naar alle kanten toe verveelvoudigd worden. Zogezegd Orison-Stad vergroten, met de negen binnenburchten als buitengrens. Dat – ten vierde – zou op zijn beurt de daaropvolgende verovering van alle hoofd- en buitenburchten vergemakkelijken.

Het nadeel van de stervormige expansie was echter dat Culcah niet bij alle acht overvallen aanwezig kon zijn. Tot nu toe had hij de hele veldtocht onder zijn knoet gehouden. Alleen helemaal aan het begin had hij eenmaal te veel tijd verspild met verzamelen, en meteen waren 10.000 demonen hem ontvlucht naar de zuidelijke kuststeden. Het idee dat hij nu aan zeven of acht – afhankelijk van of Culcah aan een van de overvallen deelnam of voor coördinatiedoeleinden in de hoofdstad bleef – onderofficiers de verantwoordelijkheid voor een groot deel van zijn leger moest overdragen bezorgde hem flinke buikpijn. Maar het was om bovengenoemde vier redenen werkelijk beter en effectiever om naar acht kanten tegelijk toe te slaan dan met een reusachtig leger eindeloos in een kringetje vluchtelingen na te zitten.

De volgende vraag was nu dan ook: hoeveel demonen zou hij aan de onderofficiers meegeven? Bij een totaal van 93.000 die hem ter beschikking stonden lag een aantal van 10.000 per burcht voor de hand – temeer daar 10.000 ook het aantal was dat koning Orison had vastgesteld om de legertros van de koningin in het noorden tegen te houden. Maar Culcah was niet van plan om de controle over het grootste deel van zijn leger uit handen te geven. Als nu eens drie onderofficieren, dronken van hun succes bij de binnenburchten, zich aaneensloten, begonnen te muiten tegen Culcah en met 30.000 soldaten tegen de hoofdstad optrokken? Als alle andere onderofficiers het nu eens zo zwaar hadden met hun burchten dat ze Culcah niet op tijd konden helpen, zodat hij met maar 13.000 strijders tegen 30.000 muiters geen kans maakte? Van demonen kon je alles verwachten, vooral als ze het klappen van de zweep niet meer in hun nek voelden.

Nee. Hij mocht elke onderofficier hoogstens 5000 soldaten meegeven. Dan zou hij er 53.000 in de hoofdstad houden. Zelfs al zouden alle acht onderofficiers zich samen tegen hem keren, dan had hij nog altijd de overhand met zijn 53.000 tegen hun 40.000. Bovendien: wat was er vanuit de binnenburchten nou speciaal aan verzet te verwachten? Waarschijnlijk nog nauwelijks strijdvaardige krijgers. Hoogstens stevige barricades en slachtpartijen bij de muren met kokende olie. Misschien waren 3000 per overval zelfs wel voldoende. Maar als het dan eens tot complicaties kwam bij sommige burchten omdat hun bezetting intussen door de achterliggende hoofdburchten versterkt was? Koning Orison had zegge en schrijve 10.000 demonen achter de koningin aan gestuurd. Maar de tros van de koningin was veel groter dan de bezetting van elk nog overgebleven slot. Anderzijds waren de burchten wel weer bewapend en versterkt, en de koningin met haar vluchtelingen niet.

Het was moeilijk om beslissingen te nemen. Culcah betreurde het dat het tot nu toe niet gelukt was er betrouwbare luchtverkenners op uit te sturen om de toestand op verder gelegen plaatsen in ogenschouw te nemen. De demonen hadden weliswaar in deze oorlog de onbeperkte luchthegemonie, maar vliegende soldaten die langer dan een paar uur weggestuurd werden, hadden de neiging weg te blijven. Hun vrijheid steeg hun blijkbaar naar de kop zodra het leger en de straffende Culcah uit zicht waren. Dat hadden ook de mislukte experimenten met de lichaamsovername van de koningin wel aangetoond.

De legeraanvoerder was dus op speculaties aangewezen. 'Het is om van te kotsen!' kon je hem deze dagen vaak horen zeggen.

Ten slotte was hij tot een besluit gekomen. Hij vertrouwde acht puilogige onderbevelhebbers elk 5000 soldaten toe en bond elk van hen in een privégesprek op het hart na de inname van de binnenburcht 500 krijgers als bezettingsmacht achter te laten en zich met de rest terug te haasten naar de hoofdstad. Culcah huiverde al bij de gedachte om vervolgens de verovering van de hoofdburchten te moeten coördineren, want de afstanden tussen de afzonderlijke punten werden steeds groter en onoverzichtelijker.

De veldtocht begon.

Acht kleinere legers marcheerden naar de baronaten Een, Twee, Drie, Vier, Vijf, Zeven, Acht en Negen. Culcah bleef met 53.000 demonen in de hoofdstad en liet deze extra drillen om op elk moment versterkingen of controletroepen te kunnen nasturen. Het ergerde hem dat die onbeschaamde Orogontorogon hem de snelste soldaten had afgenomen.

Zoals Culcah had gevreesd, liep natuurlijk niet alles even gladjes. De binnenburchten Een, Twee, Drie, Vijf en Acht werden snel en zonder noemenswaardige verliezen veroverd en de gedetacheerde troepen keerden snel naar de hoofdstad terug. Maar uit de baronaten Vier, Zeven en Negen kwam niemand. Culcah zond boden uit. De boden verdwenen eveneens. Hij zond nog meer boden uit, die al bloedig waren afgerost voor ze überhaupt mochten vertrekken. Van deze boden kwamen tenminste wel terugmeldingen.

De troep bij de Vierde Binnenburcht stond nog altijd voor de muren en werd langzaam in de pan gehakt. Ridders met pantsers van kristal behielden deze burcht in de schaduw van het Witercarzgebergte met voor mensen verbazende stijfkoppigheid. Culcah had blijkbaar een fout gemaakt door aan te nemen dat alle baronaten gelijkwaardig waren.

Maar nog erger waren de berichten uit de baronaten Zeven en Negen. De onderofficier die belast was met de inname van de Negende Binnenburcht moest als deserteur worden beschouwd, want hij was 'm met al zijn 5000 soldaten gesmeerd naar het Merendal, zonder de binnenburcht ook maar te hebben aangevallen. De onderofficier die belast was met de inname van de Zevende Binnenburcht had die taak weliswaar naar tevredenheid vervuld, maar was vervolgens blijkbaar grootheidswaanzinnig geworden en doorgemarcheerd naar de Zevende Hoofdburcht, wat Culcahs hele zorgvuldige planning van de verovering van het land in de war schopte.

Weer vloekte Culcah omdat de nietswaardige Orogontorogon de snelle demonen had.

Zijn eerste gedachte was hoogstpersoonlijk de deserteur en de grootheidswaanzinnige achterna te gaan om ze allebei eigenhandig te kunnen wurgen, maar dat had betekend dat de 53.000 demonen in de hoofdstad buiten bereik van zijn strenge blik zouden raken en mogelijk ook stommiteiten zouden uithalen.

Culcah spoedde zich naar zijn koning. 'Wat moet ik nu doen? Het is zwaar om oorlog te voeren als je alleen maar demonen ter beschikking hebt! Soms denk ik bij mezelf: geef me honden of wilde wolven, en ik zal u mooie resultaten kunnen tonen!'

Koning Orison, wiens uiterlijk intussen leek op dat van een log granieten standbeeld, glimlachte. 'Orogontorogon protesteerde niet zo luid toen ik hem het commando overdroeg.'

'Orogontorogon! Orogontorogon! Wat weet die loslopende rothond er nou van wat het betekent om echte verantwoordelijkheid te dragen? Geef mij het commando over één enkel legeronderdeel, mijn koning, en ik zal u laten zien hoe eenvoudig het is om in het klein te schitteren!'

'Ik weet het. Ik wil je geen onrecht doen, mijn trouwe Culcah.'

Culcah zuchtte. Zijn koning had tenminste warme woorden voor hem. 'Ik moet met onverbiddelijke hardheid tegen de deserteurs optreden, of het zal nooit ofte nimmer lukken de verovering van de hoofd- en binnenburchten onder controle te houden.'

'Ik ben bang dat je gelijk hebt.'

'Maar hoe moet ik dat aanpakken? Ik kan toch niet delen van mijn leger erop uitsturen om een vernietigingsveldtocht tegen andere delen van mijn leger te voeren?'

'Voormálige andere delen van je leger.'

'Maakt dat de zaak eenvoudiger?'

'Jij bent de legeraanvoerder. Vertel jij me maar of dat de zaak eenvoudiger maakt.'

Culcah ging bij zichzelf te rade en vond alleen maar beroering. Er was geen eiland in de storm om rust op te vinden. 'U bent de koning. Ik smeek u: neem mij die beslissing uit handen!'

Orisons glimlach leek plotseling van was. 'Maar ben jij dan nog wel de legeraanvoerder? Zal je leger niet merken dat je de belangrijke beslissingen aan de koning overlaat?'

'Maar daar is toch niets mis mee? U staat boven mij, in elk denkbaar opzicht. Waarom zou ik dan niet uw wensen volgen?'

'Het zij zo, mijn trouwe Culcah. Deze ene keer wil ik je wel zeggen wat er moet gebeuren. Want het lijkt mij heel eenvoudig. Versterk het leger dat is vastgelopen bij de Vierde Burcht met nog eens 10.000 krijgers. Die burcht moet vallen, en wel met zo'n lawaai dat het gedreun en geweeklaag nog in de Vierde Hoofdburcht te horen is. Wat de overijverige demonen in het Zevende Baronaat betreft: onderneem... niets! Het is onzinnig om ze te willen tegenhouden als ze net op gang zijn. Misschien lukt het hun wel om de Hoofdburcht en de Buitenburcht in te nemen, en dan keren ze vrolijk en in de verwachting gehuldigd te worden weer naar je terug. Als het hun niet lukt, zullen ze in elk geval voor verwarring en angst onder de mensen zorgen. Dat kan geen kwaad. Als iemand ernaar vraagt, zeg je gewoon dat je hun in het geheim hebt bevolen door te marcheren. En wat de deserteurs aangaat: vergeet ze gewoon. Ook in dit geval is het onzinnig om capaciteit te verspillen, alleen maar om ze te achtervolgen en te straffen. Ze zullen niet eeuwig aan ons kunnen ontkomen. Groepje voor groepje zullen ze omsingeld worden door onze verovering van het land, en groepje voor groepje kun je hen dan behandelen zoals je wilt.'

'En als ze zich niet in groepjes opsplitsen? Als ze een slagvaardig leger van 5000 demonen blijven, dat blijft weigeren zich te onderwerpen?'

'Deserteurs splitsen zich altijd op. Vooral als de druk op hen toeneemt. Herinner je je nog hoe Gouwl en Irathindur elkaar naar de keel vlogen? Je kunt je veel moeite besparen door ze gewoon aan hun lot over te laten.'

Voor Culcah was dit als een koude douche. De koning had ware woorden gesproken: alle problemen waren eenvoudig op te lossen. En Culcah had dat in zijn woede en teleurstelling niet begrepen. 'Misschien,' bracht hij hortend uit, 'ben ik geen goede legeraanvoerder, mijn koning?'

De glimlach van de koning leek nu weer warmer en oprechter. 'Waarom zeg je dat? Omdat je de raad van een koning opvolgt als je je onzeker voelt? Nee. Dat je naar mij toe komt als je raad nodig hebt, bewijst mij des te meer dat ik je kan vertrouwen. Ga door met je veldtocht. Ik weet zeker dat je mijn hulp niet meer nodig zult hebben.'

Culcah sloop uit het gezichtsveld van de koning, zo onwaardig en miserabel voelde hij zich. Ook op zijn bed van met zijde omkleed leem wierp hij zich nog ongemakkelijk heen en weer, want er was een heel verschrikkelijke gedachte bij hem binnengeslopen: waarom droeg de koning de veldtocht aan hem over, als die zelf toch duidelijk de betere veldheer was?

Om dezelfde reden waarom de koning Orogontorogon glimlachend naar het noorden had gestuurd en daarop tegen Culcah had gezegd: *Misschien ben je blij om te horen dat Orogontorogons falen als deel van dit plan zeer gewenst is. Pas daarna gaat alles zo rollen als ik me voorstel.*

Koning Orison wilde de hele oorlog verliezen.

Om wat voor reden dan ook. En zijn – Culcahs – roemloze einde was mogelijk deel van het plan.

Orison joeg zijn demonen de dood in.

Waarom? Omdat het tóch om levenskracht ging, die alleen maar vrijkwam door de dood van een demon? Omdat Orison nog steeds van plan was alle resten van zijn magie die nog aan de demonen waren gebonden op te slurpen? Omdat Orison niet slechts alleen wilde heersen, maar zelfs alleen wilde bestaan?

Culcah voelde zijn enorme lichaam koortsachtig trillen van angst.

Maar de volgende ochtend gaf hij precies de bevelen die Orison hem had aanbevolen.

Want het enige wat nog verschrikkelijker was dan voor de koning van alle demonen de dood in gaan, was tegen hem in opstand komen.

23
Nog zevenentwintig tot het einde

Snidralek was door Orogontorogon persoonlijk uitgekozen om eraan mee te doen de mensenkoningin te achtervolgen en te verslaan.

Snidralek was weliswaar niet een van de snelsten, maar alleen al zijn lichaamsgrootte betekende een voordeel boven de meeste andere demonen: waar hij één stap zette, hadden zij er drie nodig. Zo hield hij de legertros goed bij, en hij genoot ervan door het weidse, koude landschap te snellen. In zijn oude lichaam was hij vast onophoudelijk omgegooid en omgeduwd, en zijn verkouden druipneus had zijn leven vergald. Maar nu was hij sterk en gezond, en niemand waagde het om ruzie met hem te zoeken. Alleen Orogontorogon toonde totaal geen respect, maar dat was wel in orde; hij was immers de aanvoerder.

Het landschap trok voorbij alsof het aan alle kanten om de legertros heen werd getrokken.

De Wolkenpijnigerbergen leken hoger en dichterbij, alsof ze voortdurend uit het besneeuwde land omhooggroeiden.

Orogontorogon maakte zich zorgen. Het ging helemaal niet goed met het mensenkind. Het zweette en had het tegelijk koud; haar uitscheiding en uitwaseming roken bitter en scherp. Hij wikkelde haar in buitgemaakte dekens en doopte haar in de sneeuw, al naar gelang ze ijzig of gloeiend aanvoelde. In een vlaag van hulpeloosheid probeerde hij Eendje te voeren, maar het knuffeldier wilde niets hebben. Orogontorogon vloekte omdat hij niet naar zijn eigen instinct had geluisterd. Hij had het kind aan het oude moedertje moeten toevertrouwen, maar Genja had zich hevig verzet.

Ze kwijnde weg. Hij kon het ruiken. Zo'n mens stierf sneller dan ze groeide. Op deze manier zou Orogontorogon er nooit achter komen of de kleine Genja ooit een vrouw zou zijn geworden.

Hij vloekte zoals Culcah ook altijd deed. Zo voelde het dus om het bevel te voeren.

Het spoor van de vluchtende mensen was zo duidelijk als maar kon. Overal waren hun uitwerpselen te vinden. Ook onder hen waren veel zieken en zwakken.

Sneeuwjachten woeien af en aan.

De zon kwam kijken en verdween weer.

Vliegende demonen meldden mensen voor hen. Veel mensen.

De geüniformeerde soldaten die de achterhoede afschermden, geloofden eerst hun ogen niet.

In de stuifsneeuw in het zuiden fladderden hersenschimmen aan de hemel. De grond leek rafelig, alsof er stekelplanten op groeiden.

'Het zijn demonen,' fluisterde iemand met een ouwelijke stem. Hij was pas zeventien.

'Je vergist je,' sprak een ander hem tegen. 'Dat zijn trekvogels of zoiets. Een op hol geslagen kudde runderen, die door de wolken weerspiegeld wordt.'

'Nee,' hield de zeventienjarige vol. 'Rijd naar voren en meld de koningin: de vijand haalt ons in. De dood overvalt ons.'

De dood overvalt ons.

Dit bericht bereikte de koningin. Haar gezicht betrok. 'De dood? Nee. Dat is niet te bevatten.'

Samen met Lehenna Kresterfell organiseerde ze vliegensvlug een verdedigingsplan. De strijdvaardigen naar achteren. De zwakken naar voren, om verder te vluchten en tijd te winnen.

Even kwelde haar de onzinnigheid van die beslissing: de sterken opofferen zodat de zwakken verder konden komen.

Maar iedere andere mogelijkheid was moord geweest. Massamoord. En massamoord op haar eigen mensen kwam voor een voormalig officier niet in aanmerking.

Ze beval Lehenna Kresterfell de verdere vlucht te leiden en reed zelf naar achteren de strijd in.

Marna Benesand aarzelde maar even.

Eigenlijk had ze gezworen niemand meer te verliezen en al haar zusters veilig naar Coldrin te leiden. Maar hier bood zich een mogelijkheid zij aan zij met de koningin in het gevecht te staan. De smaad van de Dochters uit te wissen die ze heimelijk door twee opeenvolgende vluchten hadden opgelopen.

Ze aarzelde maar even.

'Elk van ons verslaat er minstens tien! Dat is verdomme een bevel!' hijgde ze terwijl ze haar rijdier de sporen gaf.

De botsing was onverwacht heftig.

De mensen weken niet, vluchtten niet, krijsten en huilden niet. Ze gingen, net als de demonen, de confrontatie aan.

De mensen hadden twee voordelen: ze waren duidelijk in de meerderheid, en ze waren minder vermoeid dan de demonen na hun meerdaagse uitputtingstocht. Koningin Lae 1 had inmiddels tegen de 40.000 vluchtelingen uit de baronaten Twee, Drie en Vier om zich heen verzameld. Vijfentwintigduizend van hen gingen nu de strijd aan; slechts 15.000 vluchtten onder Lehenna Kresterfells leiding verder naar de bergen.

Het aantal demonen verminderde van 10.000 naar 8000 toen de vliegers begrepen dat er een gruwelijke slachtpartij op stapel stond en hun vleugels gebruikten om zich in veiligheid te brengen.

Orogontorogon brulde hun verwensingen achterna, kreeg er zelfs een met een sprong te pakken en reet woedend zijn halsslagader open in de lucht, maar hij kon de desertie van de fladderende lafaards niet verhinderen.

Hij keek om naar zijn aan de grond gebonden horde. 'Elk van ons is net zo sterk als vijf van hen!' brulde hij, en hij wierp zich op de verdedigers. Genja en Eendje gingen allebei kapot. Er was niets aan te doen. De mensen hadden het zo gewild!

Het gebrul van de twee massa's was oorverdovend. Snidralek brulde mee.

Hij lachte schallend toen hij een zeventienjarige mensenknaap tussen zijn twaalf armen in twaalven deelde.

Toen sloeg hij om zich heen als een uit zijn fundament geslingerde windmolen.

Hij was meer waard dan honderd van hen! Dan tweehonderd! Driehonderd!

Tanden zoefden door het rood dat hem omgaf, als zilveren wespen.

Genja en Eendje gingen allebei kapot.

De Dochters van Benesand zaten onder het demonenbloed. Hun dijen en borsten werden daardoor nog geaccentueerd. Ze lachten en spoorden elkaar aan. Op hun paarden reden ze in een land voorbij de angst, waar de dood altijd alleen de anderen haalde, de langzameren, de zwakkeren, de lelijkeren.

Marna. Zij danste synchroon met Faur Benesand. Zijn schaduw leidde haar. Ze betoonde zich zacht en leergierig.

Aligia. Zij maakte ordelijke versieringen van het gebeuren om zich heen. Hier en daar stak een stekelige demonenkop op. Weg ermee! Niets mocht het totaalbeeld vertroebelen.

Teanna. Zij reed figuren en leerde degenen die ze overreed hoe die figuren heetten. Ze stuurde het dier tussen haar dijen. Ze versmolten met elkaar tot een trots fabeldier: een vrouw met vier hoeven.

Zilia. Zij voerde een drama op. Een tragedie die telkens weer in een komedie omsloeg. Dood aan wie weigerde te lachen!

Tantuya. Zij voelde zich naakt en prettig, in een web van begerige blikken van degenen die haar nooit te pakken zouden krijgen. Ze prikkelde en lokte. Daarna strafte ze de eigenwijzen.

Myta. Zij was onschuldig. Maagdelijk. Zij moest van de draak worden gered. Maar je verkeek je op haar. De draak crepeerde, en zij moest daarachter zitten. De redder lag te sterven en niemand behalve zij was bij hem. De rovers vielen. De gapers brandden. Niemand waagde het haar aan te klagen.

Hazmine. Zij was weer in het leger, maar in een ander, groter dan alleen het Vierde. Ze was haar eigen leger, de voorhoeven van haar paard de voorhoede, zijn staart de achterhoede, haar armen de infanterie, haar hart de ravitaillering, haar hoofd een stoere generalin.

Genja en Eendje gingen allebei kapot.

De 25.000 mensen stroomden om de demonen heen.

De 8000 demonen werden als door een tang omsloten.

De demonen in het midden konden tegen niemand anders vechten dan tegen hun mededemonen. Degene aan de randen daarentegen werden door elk vier à vijf mensen tegelijk aangevallen.

Elke demon was sterker dan een mens.

De demonen aan de randen leverden verbitterd verzet. Honderden mensen werden tot ingewanden uitgerold.

Toch wandelden de randen onstuitbaar naar binnen en smolt de voorraad demonen weg.

Tweeduizend vlogen weg, alle kanten op.

Ze hadden nog afgewacht uit angst over de consequenties van hun verraad. Ze zouden nu Orogontorogon, Culcah en Orison als tegenstanders hebben.

Maar naarmate de randen van de mensentang langzaam verder naar binnen drongen, begrepen ze dat Orogontorogon hun tenminste geen last meer zou bezorgen. En als Orogontorogon sneuvelde, zou ook niemand hun verraad te weten komen. Men zou denken dat ze gesneuveld waren, en alles zou goed zijn onder een hemel vol wattige sneeuwvlokken.

Orogontorogon sloeg zo wild om zich heen dat hij op een gegeven moment aan de andere kant van de opdringende mensen weer tot zichzelf kwam.

Genja en Eendje waren opgelost. Slap, allebei.

De gedachte aan vluchten kwam niet bij hem op.

Hij viel van achter weer aan.

Snidralek wist niet wat hem overkwam. Al zijn kracht kon hem niet helpen. Hij doodde er tweehonderd, driehonderd, maar zeshonderd verdrongen zich om hun plaats in te nemen. De mensen zagen er allemaal precies hetzelfde uit. Verwrongen, gierende vernietigingsdrang. Zwaarden drongen bij hem naar binnen, dieper en dieper. Het was alsof ze al gierend gangen in hem wilden boren.

Toen hij viel, juichten de mensen met donderende stem, als bij de val van stenen afgodsbeelden van een overwonnen volk.

Snidralek trok zich in zichzelf terug en werd weer heel klein.

Marna kreeg de rode in het oog.

Ze had hem al eens gezien, in de ruïnes van de Binnenburcht. Nu droeg hij geen kind meer in zijn armen. Ze begreep dat ze zich destijds vergist moest hebben. Zonder twijfel was het kind dood, en was het alleen maar prooi geweest.

De rode met de hondenkop was de aanvoerder.

Marna wilde hem.

Ze reed op hem af.

Orogontorogon begreep dat zijn troep verloren was.

Achtduizend snelle demonen. Uitgeroeid door klappertandende hongerlijders.

Hoe had dat kunnen gebeuren?

Was dat zijn schuld? Had hij ze te snel geleid, te onbezonnen, te rechtstreeks, te zorgeloos? Te veel van zijn soldaten gevraagd? Maar toch niet meer dan van zichzelf, en zelf voelde hij zich uitgerust genoeg om te vechten! Had hij de mensen onderschat? Gaf de aanwezigheid van hun koningin hun krachten die tot nu toe bij de gevechten met mensen niet waren opgemerkt?

Een schaars geklede vrouw op een met bloed bevlekt paard kwam op hem af gestormd. Ze riep iets. Haar stem was zo hoog dat hij pijn deed aan zijn oren. Was Genja ook zoiets geworden als de mensen zich niet zo hevig hadden verweerd? De gedachte aan het kind maakte Orogontorogon weer woedend.

Hij sprong vanaf de zijkant tegen de ruiter, stootte haar gewoon uit het zadel en lette er totaal niet meer op hoe ze onhandig in de sneeuw viel. Nooit eerder had hij op een paard gezeten. Het dier hinnikte, steigerde en draaide met zijn ogen, maar toch lukte het de demon het onder controle te krijgen. Angst is sterker dan trots.

De koningin.

Ergens in deze tang van houwende en stekende mensen moest zij zijn.

Vanaf de rug van het paard had Orogontorogon een beter overzicht dan daarvoor. Toen zag hij haar. Ze droeg echt een kroon en deelde met een zwaard vanaf haar rijdier links en rechts slagen uit. Dus niet gewoon maar een koningin, maar ook nog een krijgster.

Goed.

Orogontorogon dwong het paard om op de koningin af te draven.

Marna hapte sneeuw en voelde haar botten zich opvouwen en weer ontwarren. Bij het opstaan sneed ze een demon open, die over haar heen wilde vallen.

Wat een smaad!

Van alle ruiters om haar heen moest uitgerekend zij door een demon van haar paard worden beroofd. Maar met zijn vreemd slingerende sprong midden in haar rit had ze onmogelijk rekening kunnen houden.

Daar boven was een paard zonder meester. Bijna zonder meester in elk geval: de ruiter hing aan stukken in de stijgbeugel en kleurde de sneeuw rood. Marna strompelde eropaf. De strijd was nog altijd in volle gang. Hazmine, Zilia en Myta doken naast haar op en dekten haar aan de zijkant, zodat ze het paard bereikte.

De rode hond kon nog niet ver zijn.

Laat hem door, dacht koningin Lae toen ze de hondendemon op zich af zag rijden. Toen sprak ze het zachtjes uit. 'Laat hem door.' Ten slotte riep ze het bevel: 'Laat hem door!'

Haar zwaard lag stevig in haar hand. Zo moest het zijn. De beslissing moest genomen worden door de dood van een van beide bevelhebbers.

De hond was geen goede ruiter. Zijn paard schuimbekte van angst. Het had een demon in zijn nek. Zijn gang was scheef; het liep bijna met de zijkant naar voren.

De demon leek te lachen. Zijn tong was zichtbaar. Een kwijlende hondentong.

Lae spoorde haar paard aan en hief haar zwaard. Eén enkele slag moest voldoende zijn.

Meteen. Meteen.

De paardenlijven botsten tegen elkaar. De ruiters ook. De koningin voelde haar dij breken. De demon boog zich naar haar voorover als voor een kus. Haar zwaard trof hem, maar meer ook niet. De paarden maakten zich weer los.

De koningin viel. Mensen, die daarvoor nog ontzet op een afstand waren gebleven, golfden naar voren en vingen haar op.

De hond huilde.

Hij had de koningin verslagen. Ze leefde nog, maar werd nu door getrouwen omringd.

Een volkomen nieuwe gedachte maakte zich van Orogontorogon meester: ook hij wilde leven! Als hij zich nu omdraaide om haar van kant te maken, zou dat ook zijn einde betekenen. De gevleugelde verraders zouden als enigen overleven en hem misschien ook nog bij Orison als zwakkeling afschilderen. De dood van de koningin zouden ze misschien op hun eigen conto zetten! Dat mocht niet gebeuren. Hij moest overleven en getuigen van wat er vandaag was voorgevallen.

Hij brak door de tang heen. Doodde rechts en links onder hem met klauwen van handen en voeten en met tanden. Alsof hij door zacht vet sneed. Zijn paard was gewond, al bijna net zo kapot als het knuffeleendje, maar het droeg hem nog.

Niemand waagde het Orogontorogon te volgen toen hij wegreed door de sneeuw, in een richting die hem wegvoerde van de strijd.

De demonen stortten in elkaar als het opgetaste hout van een kampvuur. Bloedvonken stegen op. Daarna alleen nog rook.

Alle 8000 waren dood. De gevleugelden waren gevlucht.

Maar ook 12.000 mensen hadden het niet overleefd, ondanks hun overmacht, ondanks de losbolligheid van hun tegenstanders. Het veld was een dodenakker.

De koningin leefde, met een gebroken been dat kon worden gespalkt en een klauwwond aan haar heup die gewassen en gehecht werd.

Boden snelden noordwaarts naar de vluchtelingentroep, die nog helemaal niet ver was gekomen.

Er was te weinig tijd en kracht om zoveel graven te delven. De grond was hard bevroren. Maar de bloedverwanten kregen een paar uur om de gevallenen te bewenen.

De 15.000 verder gevluchte mensen en de 13.000 overlevende strijders verenigden zich weer tot één enkele treurige stoet, die nog extra belast werd door veel zwaargewonden.

Lehenna Kresterfell depte het zweet van Laes voorhoofd.

Ze wist maar al te goed hoe de koningin zich nu voelde.

24
Nog zesentwintig tot het einde

Culcah maakte achter elkaar zeven verschillende fasen door, die hem al met al veel kracht kostten.

In de eerste fase dreef de logistiek van de verovering die nog moest plaatsvinden hem bijna tot waanzin.

Als hij ervan uitging dat de overijverige troep in het Zevende Baronaat op eigen houtje de Hoofdburcht en de Binnenburcht voor zijn rekening nam, bleven er nog zeven hoofdburchten te veroveren. En daarvoor zou hij er weer zeven 5000 man sterke stroepen op uit moeten zenden.

Van Orogontorogons 10.000 hoorde hij niets meer. Hij streepte ze voor zichzelf net zo weg als de 10.000 afvalligen aan de zuidkust.

Nog eens 10.000 soldaten had hij conform Orisons raadgeving naar de Vierde Binnenburcht gestuurd om daar de boel op te helderen.

Vijfhonderd moesten per veroverde burcht als bezetting achterblijven.

Daarna de buitenburchten. Opnieuw zevenmaal 5000 demonen. Opnieuw in elke burcht 500 ter versterking. Zou de Hoofdburcht van het Vierde Baronaat net zo moeilijk in te nemen zijn als de Binnenburcht? Hoeveel demonen moest hij daarheen sturen? Dertigduizend ditmaal?

Na de buitenburchten kwamen de havensteden. Hoeveel waren er? Twintig. Misschien vier of vijf daarvan kon hij doorkruisen; die waren al door de afvalligen aan de zuidkust in afval met mensengehakt veranderd. Bleven er nog vijftien. Vijftienmaal 5000 om ze te veroveren: 75.000 soldaten. Bijna elke demon die hem nog ter beschikking stond. De aansluitende bezettings- en ordetroepen niet te vergeten. Vijftienmaal 500: 7500.

Het land kwam hem voor als een val, waarin de demonen vast moesten lopen. Het land liet hen allemaal bloedend uit zijn handen glippen. Uiteindelijk zou hij alleen met zijn koning in de hoofdstad zijn.

En wie controleerde de bezettingstroepen? Hoeveel deserteurs en ondergeschikten zouden bij die drie veroveringsstappen – hoofdburchten, buitenburchten en havensteden – uit de band springen? Bij de eerste stap waren het er twee van de acht geweest, en een derde eenheid had gefaald. Betekende dat een verlies van dertig procent? Dat hij van zijn nauwelijks nog 80.000 demonen er 25.000 bij voorbaat kon vergeten? Dan bleven er nog nauwelijks genoeg over om alle veroverde steunpunten te verdedigen!

En tegen wie verdedigde hij die steunpunten eigenlijk? Tegen mensen die als verzetsstrijders overal in het land plunderden. Hoe kon hij die vrijbuiters ooit te pakken krijgen? Met wie? Hoe zat het met de havensteden? Als de bewoners daarvan nu eens gewoon op schepen vluchtten, zich op open zee terugtrokken en ergens anders landdden? Dan konden ze de versterkingstroepen van de demonen aanvallen en onschadelijk maken, en alle net bereikte successen weer tenietdoen! De demonen moesten eerst op zee leren varen om dat gevaar te kunnen bezweren – en dat zou lang duren.

Het was niet moeilijk om een stad of een burcht te veroveren en vast te houden; maar hoe controleerde je een reusachtig land, waarin duizenden mensen zich konden verbergen zonder ooit te worden gevonden?

Pas als alle mensen stuk voor stuk waren uitgeroeid kon Culcah al zijn bezettingstroepen terugroepen en zich met hen in de hoofdstad vestigen. Maar hoe en wanneer kon je er zeker van zijn dat de mensen echt allemaal dood waren?

Culcah zag zichzelf omsingeld. Door de mensen, die hem wraak zwoeren. Door demonen die deden waar ze zin in hadden. Door het land zelf, dat niet alleen de naam van de koning droeg, maar net zo verschrikkelijk en ondoorzichtig was.

Hij lag 's nachts wakker en wantrouwde zijn eigen schaduw.

In de tweede fase werd Culcah heel rustig.

Als zijn theorie klopte, plande koning Orison immers toch een volledige nederlaag en de ondergang van de demonen. Dan hoefde Culcah ook geen moeite meer te doen als bevelhebber. Alles wat er gebeurde, paste hoe dan ook in Orisons plan.

Orison leek in deze visie op de alziende, alwetende god der mensen, en Culcah liet zich voortdrijven. Hij zoop en braste en liet verscheidene zachter gebouwde demonen naar zijn paleis voeren om zich uitvoerig aan hen te vergrijpen.

Dat ging eigenlijk tegen zijn eerzuchtige aard in, en hij verloor gewicht, hoewel hij voortdurend met menseningewanden belegde hapjes en met vrouwenhaar omwonden taarten naar binnen werkte.

In de derde fase besefte hij weer dat koning Orison hem als legeraanvoerder had aangewezen, omdat dat een taak was die consciëntieus moest worden vervuld.

Koortsachtig, met bijna manische ijver, stortte hij zich weer op de logistiek. Aan slaap viel weer niet te denken.

In de vierde fase gaf hij zijn bevelen met hese stem.

Om het tenminste enigszins te verhinderen dat alle krachten stervormig verstrooid raakten verdeelde hij het land op de kaart in twee helften: het noorden, dus de baronaten Een, Twee, Drie en Vier, en het zuiden, de baronaten Vijf, Zes, Zeven, Acht en Negen.

Het noorden was waarschijnlijk grotendeels ontvolkt, omdat de koningin op haar vlucht naar de Wolkenpijnigerbergen de meeste bewoners van dorpen en verspreide nederzettingen met zich mee had genomen. Het zuiden daarentegen was moeilijk te berekenen, omdat de 10.000 afvalligen van de zuidkust nog altijd ergens rondstruinden.

Culcah besloot eerst het noorden schoon te vegen.

Hij zond vier grote troepen van 10.000 soldaten naar de vier hoofdburchten. De troep naar het Vierde Baronaat commandeerde hij zelf, omdat hij wilde weten hoe dat met die hardnekkige kristalridders zat. De drie andere troepen hadden orders na de inname van de hoofdburchten 500 soldaten achter te laten voor de bezetting en dan meteen weer op te rukken naar de buitenburchten om ook die te bezetten. Daarmee probeerde Culcah het vervelende heen en weer marcheren te verminderen, dat onder de gewone soldaten altijd voor gemor zorgde.

In de vijfde fase trok hij er met zijn soldaten op uit en hij was zo opgewonden na de lange pauze alsof hij nog nooit zoiets had gedaan.

Ook reed hij voor het eerst op een koudbloedig paard, dat niets tegen demonen had. Enerzijds voelde Culcah zich daar zeer voornaam bij, anderzijds beefde hij van onzekerheid.

In de zesde fase was hij getuige van de val van de Binnenburcht, die eindelijk bezweek nu er meer dan 15.000 demonen voor zijn muren stonden. Bijna 10.000 demonen waren hier gesneuveld. Aan de andere zijde maar nauwelijks 1000 mensen, die er in hun fraaie ridderpantsers net zo keverachtig uitzagen als Culcah zelf.

De demonenlegeraanvoerder, die nog nooit zoveel dode soortgenoten op één hoop had gezien, was ontsteld en sprak zacht: 'Nou, dat is toch wel echt om van te kotsen.'

In de zevende fase trok hij met 15.000 strijders verder het Witercarzgebergte in en stuitte daar na enorme inspanningen in de winterse bergwereld op de enige stad in het hele binnenland: Witercarz.

Die stad was hij bij zijn plannenmakerij volkomen vergeten.

Daar liep zijn leger pas goed vast, in een kou die voor veel demonen dodelijk was.

Uit de andere drie baronaten die veroverd moesten worden bereikten hem verontrustende berichten.

De 10.000 demonen die zich in het Eerste Baronaat bevonden, waren aangevallen door de 5000 deserteurs die tijdens de eerste veroveringsfase richting Merendal waren verdwenen en in hevige gevechten verwikkeld geraakt. De deserteurs waren ofwel doorgedraaid, net als de 10.000 afvalligen aan de zuidkust, ofwel ze hielden de pas binnengemarcheerde soldaten voor een strafexpeditie die eropuit was gezonden om hen gevangen te nemen. Hoe dan ook, er waren hevige gevechten aan de gang. Demonen tegen demonen. Culcah vermoedde dat hem aan de zuidkust iets vergelijkbaars te wachten zou staan.

Maar er waren nog meer verontrustende berichten: de 10.000 demonen die zich in het Tweede Baronaat bevonden, waren in de Hoofdburcht op een raadselachtige vijand gestuit. Een zwarte ridder in zware, bijna roestig lijkende ijzeren wapenrusting maaide de demonen die de burcht belegerden telkens weer van achteren aanvallend – dus van buiten komend – neer. Alle pogingen om hem te pakken te krijgen had de ridder kunnen verijdelen, misschien ook wel omdat de snelste demonen door Orogontorogon uit het leger waren gepikt. Volgens de geruchten was de linkerarm van de Zwarte Ridder geen arm, maar een zwaard met weerhaken op de kling. Volgens de geruchten noemden de autochtone mensen de ridder eerbiedig 'Stomstorm'.

Uit het Derde Baronaat arriveerden boodschappers. De 10.000 demonen die zich daar bevonden, hadden geen enkele weerstand ondervonden. De Hoofdburcht was volledig ontvolkt geraakt en was met open deuren aan hen aangeboden. Eerst hadden ze dat voor een val gehouden, maar daarna hadden ze de waarheid begrepen: de vluchtelingenstroom van de mensenkoningin had blijkbaar alle burchtbewoners meegenomen. Bij de Buitenburcht hetzelfde. De 10.000 waren met grote snelheid vooruitgekomen. Maar dicht bij de bergen had de voorhoede een geweldig slagveld aangetroffen: tegen de 20.000 hardbevroren lijken. Mensen en demonen dwars door elkaar. Orogontorogon noch de mensenkoningin was onder deze doden te vinden geweest, maar sporen van een grote mensenmassa leidden verder naar het noorden de bergen in. De koningin en de rode schoft waren dus ontkomen. Maakten ze nu misschien gemene zaak om Culcah omver te werpen? Culcah verwierp die gedachte meteen weer.

Hoewel dit in koning Orisons plan precies zo was voorzien, kon Culcah zich niet aan het gevoel onttrekken dat de oorlog een beslissende wending nam. Er bleven steeds minder demonen over. Tegen de 10.000 doden door Orogontorogons schuld in het Derde Baronaat. Nog eens 10.000 hier in het Vierde, alleen al door die vervelende kristalridders, en nog eens 3000 door Witercarz en de genadeloze bergkou. Duizenden in het Eerste Baronaat door zinloze broedertwisten. Honderden door die ene ridder in het Tweede, die wel het tegenovergestelde van een kristalridder leek. En de mensenkoningin leefde en wachtte af.

Culcah voelde hoe het land hem tussen de vingers door glipte. Hoe het onder hem steigerde en zich tegen hem keerde.

Hoe *Orison* hem zijn veelvormige afgronden begon te tonen.

25
Nog evenveel tot het einde

Snidralek kwam weer bij en verbaasde zich daarover.

Iemand was om hem heen in de weer. De keelstemmen van demonen waren te horen. Alles was donker en rook dood.

Het duurde een tijd voor Snidralek begreep dat hij in een lijk vastzat. De twaalfarmige gigant was gesneuveld. Maar Snidralek leefde nog. De gigant was zo groot geweest dat de vele treffers die zijn lijf hadden gedood zijn ziel niet hadden kunnen bereiken. Klein en gekromd, met een neus die droop van eenzaamheid, zat Snidralek ineengedoken in het reusachtige kadaver als een ongeboren vrucht in een moederlichaam.

Toen begreep hij dat de demonen buiten bezig waren hem te verdelen om hem op te eten. Hij hoorde zaaggeluiden, gewrik, gebijt en getrek. Het maakte de demonen niets uit. De twaalfarm was weliswaar een van de hunnen geweest, maar nu was hij alleen nog maar vlees. Vlees dat je in de winter goed kon gebruiken.

Snidralek wrong zich los. Hij had al ervaring met het verlaten van een lichaam. Buiten werd hij verblind door de sneeuw. Het was klaarlichte dag. Vele duizenden doden lagen om hem heen, mensen en demonen in een in de dood eendrachtig lijkende omhelzing. Toch krioelden er nog eens duizenden demonen rond, langzamer dan de doden, en zochten het slagveld af. Waarschijnlijk speurden ze naar Orogontorogon en de mensenkoningin.

Snidralek voelde zich zwak. Hij had dringend een nieuwe gastheer nodig, of het felle licht in de staalblauwe hemel zou hem verscheuren. Maar hij kon niet zomaar iemand nemen. Nooit meer wilde hij klein en onaanzienlijk zijn, zoals toen hij net uit de Poel gekomen was.

Geen van de langzame levenden kon zich met de twaalfarm meten. Maar hij vond er tenminste een die een kop groter was dan de anderen, waarschijnlijk omdat alleen al zijn borstelige schedel de afmetingen van een schatkist had en leek op die van een prairiebuffel, met vier naar binnen gebogen hoorns. Ook nu weer constateerde Snidralek dat de grote demonen relatief simpele doelen waren. Het lichaam van de buffeldemon verzette zich maar even, door in een dronken rechtop lopende gang tegen andere demonen aan te vallen, maar daarna zijn evenwicht te herstellen. Zijn ziel ging piepend – uit het nest gestoten – ten onder in het stralende zonlicht.

De buffel rook anders – minder scherp, maar wel driftmatiger – en liet zich gemakkelijker besturen dan de twaalfarm.

Na een voorzichtige fase, waarin hij nog oppaste voor afstotingsverschijnselen, kon Snidralek achteroverleunen. Hij zou eeuwig blijven leven als hij telkens maar nieuwe gastheren zocht die groot genoeg waren om ook bij hun dood een ongedeerde kern te bewaren. En hij was nu weer onderdeel van een troep, en dat was praktisch en geruststellend, omdat zijn laatste blijkbaar volledig in de pan was gehakt.

Orogontorogon doodde het paard en verslond gulzig de dampende ingewanden.

Hij was alleen en in de war. Af en toe had hij nog altijd het gevoel dat Genja naast hem stond en zich met een betrokken gezicht ergens over beklaagde. Eenmaal zag hij Eendje door de sneeuw waggelen. Nog nooit eerder had hij Eendje uit zichzelf zien bewegen. Een demon? Door een demon bezeten?

Hij voelde het allesoverheersende verlangen om alle tweeduizend vliegende verraders eigenhandig om zeep te helpen.

Een tijdlang hield hij zich daadwerkelijk met deze wraak bezig. Nadat hij een paar dagen doelloos had rondgezworven, vond hij op een nacht een legerplaats van dertig vliegende verraders, die het zich hier in de sneeuw zo comfortabel mogelijk probeerden te maken. Ze waren te laf om naar Coldrin te vliegen, te laf om terug in de richting van de hoofdstad te gaan, te laf om uit elkaar te gaan en zich behoorlijk over het land te verspreiden, te laf om te jagen en te laf om een vuur te maken. Orogontorogon doodde ze allemaal voor ook maar één van hen zich slaapdronken en laf in de lucht kon verheffen.

Hij voelde haat jegens alle demonen in zich.

De volgende dag keek hij toe hoe andere gevleugelde verraders uit de witte hemel omlaagzweefden om zich aan het aas van hun soortgenoten te goed te doen. Lafaards, die niet eens in staat waren zelf prooi te vangen. Ook deze doodde hij, alle veertien. Hij baadde gewoon in hun bloed, dat te laf was om zijn lichaamskleur te veranderen.

Maar daarna gedroeg hij zich anders.

De volgende vliegende verrader die hij te pakken kreeg was een eenzame vleermuisgier, die waarschijnlijk verdwaald was. Niet alleen laf, maar ook nog stom.

Orogontorogon besprong hem en pakte hem. Hij was daar inmiddels in geoefend – een hond, die was als een kat die vogels vangt. Maar ditmaal doodde hij de verrader niet.

'Vlieg mij!' gromde hij, terwijl schuimend speeksel van zijn lippen droop. De vleermuisgier verstond hem niet. Misschien zaten Orogontorogons klauwen ook wel wat al te strak om zijn hals, dus verslapte de hondendemon zijn greep een beetje. 'Vlieg mij!' eiste hij nog eens.

De gier probeerde te knikken. Maar toen hij weer genoeg lucht kreeg om iets te kunnen uitbrengen jammerde hij: 'Maar niet naar Coldrin! Alles, maar niet naar Coldrin! Dood me dan maar liever!' Een vlaag van doodsverachting bij een lafaard.

Orogontorogon dacht even na. Ook hij voelde hem in zich: de angst die alle demonen kenden voor het nevelrijk Coldrin. Waarom eigenlijk? Zou het niet de moeite lonen om dat uit te zoeken? Wat verborg zich daar in de mist dat alle demonen zo griezelig vonden?

Maar waarom zou Orogontorogon de problemen van koning Orison oplossen? Hij had toch genoeg van deze oorlog, want hij was verraden en mogelijk officieel doodverklaard. Toen hij het strijdtoneel met de koningin had verlaten, had hij niet alleen willen leven, maar ook in de hoofdstad getuigenis willen afleggen over het verraad van de gevleugelden. Inmiddels leek dat hem echter allemaal onnozel toe: bij de koning gaan klikken als iemand die niet in staat is voor zichzelf op te komen.

'Nee, niet Coldrin,' bromde hij. 'Ik ben iets heel anders van plan.'

Hij ging op de rug van de vliegdemon tussen de uitgestrekte vleermuisvleugels zitten en dwong hem met een wurggreep om met hem het luchtruim te kiezen.

Toen vlogen ze zwaaiend en onder het extra gewicht steeds weer dalend naar het oosten. Naar Ferretwery. Naar zee.

26
Nog vierentwintig tot het einde

De weg het gebergte in was doordrenkt van duisternis. Zelfs als de zon in het zenit stond, leken zijn stralen de stroom vluchtelingen te kunnen verwarmen noch verlichten.

De schok over de geweldige slag met 12.000 doden stond iedereen nog op het gezicht gegrift. Als runen was in de hoekige gezichtsuitdrukkingen het verlies van verwanten, vrienden en lotgenoten te lezen.

De demonen waren verschrikkelijk geweest. Schrikgestalten vol tanden en bloeddorst. Nachtmerries tijdens het waken. Alleen dat de vliegende demonen niet in de slag hadden ingegrepen werd als wonder of hulp van god beschouwd, want anders waren de verliezen nog een stuk hoger uitgevallen. Maar de rode hond die de koningin had verwond stond iedereen nog voor de geest. En hoewel niemand het hardop durfde uit te spreken, vroegen velen zich af: hoe kan god zo'n wezen toestaan, en waarom?

Achtentwintigduizend mensen sleepten zich het hoogste en onherbergzaamste gebergte in dat de Orisoners kenden, in het seizoen dat het minst geschikt was voor een doortocht. Ze lieten hun eigen land in de steek, hadden hun hoofdstad verloren, waren hongerig en koud, geplaagd door koortsrillingen en gekweld door vragen. De koningin zat bleek en zwijgzaam op het laadvlak van een wagen, de minder bevoorrechten liepen met omwikkelde schoenen en laarzen in de knerpende sneeuw. Elke stap omhoog was niet alleen een overwinning op het eigen lichaamsgewicht, maar ook op de aangeboren band met het vaderland. Grafheuvels van haastig opgetast ijs omzoomden de weg van de karavaan, die zich langs passen en dalen een weg trachtte te banen door het labyrint van de hemelrotsen.

Een paar verweerde bewoners van de noordgrenzen van het Tweede, Derde en Vierde Baronaat leidden de tros. Zij hadden tenminste nog een beetje kennis van het Wolkenpijnigergebergte, maar niemand die bij zijn volle verstand was, zwierf hier 's winters rond. En met een doortocht had helemaal niemand ervaring: geen Orisoner die ooit door dit gebergte had gereisd, was teruggekeerd om erover te kunnen vertellen. Zo tastten zelfs de leiders voortdurend in het duister, en dat was iedereen duidelijk.

Koningin Lae I lag languit op haar wagen, en haar hoofd rolde bij iedere schok van de wielen op haar schouders heen en weer. Ze miste haar Taisser en verloor zich in uitzichtloze overpeinzingen. Lehenna Kresterfell deed wat ze kon om de koningin bij alledaagse beslissingen te vervangen, maar om de paar uur dook niettemin een probleem op waarbij de koningin een beslissing moest nemen, en elke keer besloot ze mat: 'Doe het zoals de oudste het doet.' Dat was een beproefde manier van doen, die Lae en Taisser zich hadden aangewend in de jaren dat zij eigenlijk nog te jong was voor een kroon en hij eigenlijk nog te jong om raadsheer te zijn. Ze hadden zich aan de oudsten vastgehouden, waren hen gevolgd als knoestige wegstenen. Als niets meer hielp, ook god nog maar af en toe, of als iets een volkomen raadsel was, was levenservaring mogelijk het enige waar je je nog aan vast kon klampen. Bovendien garandeerden de beslissingen van de oudsten dat er geen overhaaste besluiten werden genomen ten koste van de zwakken en bejaarden.

Lae zag haar land Orison door een vuist omsloten, een roodgloeiende vuist met lange dierenklauwen. Die vuist vermorzelde het land, en wat eruit stroomde waren bloed en tranen en gesmolten sneeuw.

De vierde dag in het gebergte verklaarden de leiders jammerend dat er vóór hen geen weg meer was en dat de stroom vluchtelingen verdwaald was. De sneeuwjacht was die dag zo hevig dat sommige mensen in paniek raakten, omdat ze bang waren dat de vliegende demonen toch waren teruggekeerd en hen allemaal met stenen bekogelden.

De vijfde dag verordende Lehenna Kresterfell in overleg met de oudsten een dag rust voor de hele tros. Toch kwam het tot vechtpartijen: om de beste tegen wind en sneeuw beschutte rustplaatsen en om de voedseltoedelingen. De voorraden werden langzaamaan krap en moesten streng worden gerantsoeneerd.

De zesde dag vond een nog maar dertienjarig meisje uit het Tweede Baronaat een smalle passage: een grottengang, waarvan de wanden uit blauw ijs bestonden. De tros perste zich erdoor als een mollige, rafelige lintworm. Opnieuw brak er paniek uit. 'Een hinderlaag!' schreeuwden sommigen. 'Kunnen jullie dan niet zien dat dit gat een perfecte val is, een graf?' Maar aanvallen van buitenaf bleven uit. De vluchtelingen maakten alleen elkaar af, in het gedrang en bij nieuwe roofpartijen.

Op de zevende dag kwam de tros, omringd door bergen die hoger leken dan hun blikken reikten, voor een heleboel verdere mogelijke wegen te staan. Ze kozen een pad uit dat door de oudste leider werd voorgesteld.

De achtste dag klom de stoet omhoog.

De negende dag klom hij verder omhoog. Sommigen meenden demonische ruiters op ongewoon grote gemzen te zien, maar telkens als ze iemand anders daarop opmerkzaam wilden maken, waren de ruiters achter sneeuwvlagen verdwenen. Angst greep samen met longontstekingen en onderkoeling om zich heen.

Op de tiende dag brak de hevigste paniek tot nu toe uit. De stoet klom verder omhoog en de lucht werd dun. Sommigen meenden dat er op deze hoogte te weinig zuurstof was voor 28.000 mensen. Er moest een keuze worden gemaakt. De zwakken moesten de sterken niet verhinderen te ademen. De ouderen en kinderen moesten hier blijven, de sterken verder trekken en hulp halen uit Coldrin. Het kwam tot gevechten en messentrekkerij over de vraag wie nu de 'sterken' en de 'zwakken' waren. Een oude man werd met een gietijzeren pook geslagen. De koningin verwijderde zich vanbinnen steeds verder van de mensen, die haar een onrechtvaardig lot hadden opgelegd.

Op de elfde dag trof de tros op grote hoogte een groep ruiters in fladderende gewaden met lange sjaals op grote borstelige gemzen met lange hoorns. Toen ze langzaam dichterbij kwamen, vijftien in totaal, konden ook de meest opgewonden vluchtelingen zien dat het geen demonen waren.

'Wij jullie al langer bekeken,' lachte de aanvoerder, een sluwe zestiger met donker gekleurde huid en flitsende amandelogen. 'Jullie echt grootste groep boodschappers uit Odizonn die ik ooit ziet.'

Lehenna Kresterfell, die dit gesprek moest voeren omdat de koningin nauwelijks nog aanspreekbaar was, besloot de man in vertrouwen te nemen. In tijden als deze woog het zwaar dat je ménsen voor je had.

'Demonen overvallen ons land, en wij zijn op de vlucht,' legde ze uit. 'Wij voeren de koningin met ons mee, Lae I. Zij is gewond geraakt in de strijd. Uit haar naam vraag ik u om hulp en misschien om een gids die ons veilig door dit gebergte naar koning Turer kan brengen. Wij zijn bereid om te betalen wat we kunnen missen. Misschien kunnen we ook dingen ruilen die u kunt gebruiken.'

'Naar de koning?' De ruiter lachte weer. 'Telkens weer er jullie uit Odizonn trekt naar de koning. Telkens weer ik jullie afraad. Soms jullie luistert, soms niet. Jullie niet luistert, jullie vermoedt wel, want te veel. Wat is "demonen"?'

'Verschrikkelijke wezens. Gruwelijke wezens. Geen mensen als jullie en wij.'

'Maar van vlees?'

'Ja.'

'Die je kan ook doodt?'

'Ja, maar het zijn er te veel. Meer dan honderdmaal duizend. Meer dan driemaal zoveel als de mensen die jullie hier zien.'

'Hmm. Als van vlees, dan goed voor onze koning. Misschien jullie hebben geluk en kunnen hem maakt nieuwsgierig. Wij jullie helpt en toont paden. Maar jullie is veel mensen en kinderen, veel nodig eten. Jullie kunt jacht?'

'Ja, we hebben verscheidene goede jagers onder ons.'

'Jullie hebt nodig veel prooi om te komt door hele bergen. Wij jullie toont hoe maakt veel prooi.'

Op de twaalfde en dertiende dag ploeterden de vluchtelingen onder leiding van de gemzenruiters dieper het verblindend witte, duizelingwekkende gebergte in. De gemzenruiters volgden daarbij sporen die niemand behalve zij konden zien.

Op de veertiende dag stuitten ze op een grote kudde wilde wolharige runderen. De dieren werden in een hoek gedreven en met alles wat maar ter beschikking stond neergeschoten. De vluchtelingen zouden deze kudde volledig hebben uitgeroeid als Hiserio, de aanvoerder van de gemzenruiters, niet twee dozijn dieren had gemerkt en daarmee onbejaagbaar verklaard. Tandenknarsend hielden de vluchtelingen zich aan zijn aanwijzingen. Toch was de buit genoeg om die avond een feestmaal te houden, voedsel voor 28.000 knorrende magen. Er werd zelfs weer gezongen en gelachen. Voor een paar uur deden de kou en de omstandigheden er niet toe.

Koningin Lae I duwde zich op krukken van haar laadbak af en strompelde voor de eerste maal sinds dagen weer door het uitgestrekte kamp. Ze zag vertrouwen in ogen die donker omwald waren, alsof de duisternis van de dood al beide handen naar ze uitstrekte. Ze zag paartjes die elkaar kusten. Ze zag Lehenna Kresterfell die zich met haar twee kinderen aan haar zijde een pauze gunde en achterovergeleund sliep. Ze zag een man zijn eten met een kat delen die hem op de vlucht vergezelde.

De koningin ging bij de gemzenruiters zitten en praatte met hen. Zij waren van het volk van de Wolkenstrijkers. Ze hadden niet echt een vaste woonplaats, maar woonden in een dorp een paar dagreizen verderop, dat driemaal per jaar werd afgebroken en op een andere plek weer opgebouwd.

'Vroeger ik was zoals koning van dorp,' vertelde Hiserio. 'Met mijn heerlijke wijf Heserpade ik spreekt wet. Maar Heserpade allang dood, de meeste krijgers van ons ook. Wij gaat met Eenhand en Berentand om buit maakt in Odizonn. Jij hebt gehoord van onze roem? Jij al toen was koningin?'

'Hoe lang is dat dan geleden?'

'Meer dan vier handen aan jaren.'

'Zo lang ben ik al... Maar wacht eens even: waren júllie de plunderaars uit Coldrin die het Tweede Baronaat hebben overvallen?! Mijn... man is goed bevriend met een van jullie aanvoerders. Maar natuurlijk! Berentand! Dat was Minten Liago, nietwaar?' Lae kon haar levensgeesten gewoon voelen oplaaien.

'Ik niet weet naam. Jullie altijd hebt naam van twee, hoe men dat onthoudt? Maar Berentand en ik hebt ruilt onze wijven. Hij ook heerlijk wijf. Eenhand. Zij mij redde leven in burcht van vuur.'

'Maar zijn dan niet alle plunderaars destijds bij de brand in de Tweede Hoofdburcht omgekomen?

'Niet alle. Sommige vlucht. Berentand en Heserpade. Vele sterft. Sommige blijft. Ik en Eenhand in de kelders. Zij goed kent de kelders. Mij vertelt boze verhalen van als kind, van mannen en haar in kelders, boze verhalen. Zij weet waar rook en vuur niet komt. Wij wacht. Als mogelijkheid er, wij vlucht uit ruïne.'

'Hoe ging het toen verder met jullie?'

'Eenhand en ik nieuwe koningen van dorp. Maar treurig. Veel krijgers dood. Heserpade dood. Berentand nooit vindt.'

'Berentand heeft het dorp niet meer gevonden?'

'Nee. Wij nooit vindt Berentand. Vindt Heserpade dood en alle anderen die vlucht uit burcht van vuur. Eenhand blijft jaren, meer dan een hand.' Hiserio telde op zijn vingers af om deze moeilijke zin te verduidelijken. 'Dan zij gaat zonder woorden. Ik niet koning meer van dorp. Te oud mij voelt. Jonge mensen dat doet. Ik aanvoerder van deze groep ruiters. Jullie ziet tussen bergen en wolken. Grootste groep mensen ooit ik ziet tussen bergen en wolken. Denkt, jullie hulp nodig.' Het was puur toeval dat Hiserio's blik op dat moment kort op Marna Benesand bleef rusten en toen verder dwaalde. Hiserio had nooit gehoord wie zijn vrouw had gedood. En hij kon niet weten dat Benesands Dochters de moordenaar van zijn 'heerlijke wijf' als voorbeeldige vader hadden uitverkoren.

'Dat heb je goed gedacht,' zei de koningin. 'Ik wil een verbond met jullie koning sluiten, want nadat de demonen ons land hebben veroverd zullen ze vast ook niet halt houden voor het Wolkenpijnigergebergte. Jij, je groep, je dorp, je volk – jullie zijn in even groot gevaar als wij.'

'Ik niet kan gelooft. Maar jullie niet gaat in bergen met zoveel mensen als niet nood groot. Ik alleen kan zegt wat altijd zegt: koning Turer gevaarlijk man. Leeft eeuwig. Heerst eeuwig. Blijft eeuwig, of demonen komt of niet.'

'Daarom wil ik ook een beroep doen op zijn hulp. Hij lijkt te weten hoe je kunt overleven.'

Hiserio keek de koningin aan met een lange, bijna medelijdende blik. Toen knikte hij. 'Jullie niet gaat door bergen met zoveel mensen. Wij kent grotten waar veilig voor velen. Jullie alleen neemt tweehonderd handen. Die kan strijdt het beste. Die allemaal hebt dier onder zich. Die maakt goed indruk bij koning Turer. Dan wij sneller en lichter. Andere met jagers blijft in grotten. Eén hand van ons hun laat zien hoe overleeft.'

Lae begreep de laatste zin niet meteen, omdat ze dacht dat 'één hand' de vrouw was over wie Hiserio eerder had verteld. Toen pas begreep ze dat hij nu een hoeveelheid had bedoeld. 'Ik begrijp het. Het lijkt me geen slecht voorstel.'

Zo deden ze het.

Op de vijftiende dag koos Lehenna Kresterfell duizend mensen uit die de vermoeienissen van de verdere oversteek nog aan zouden kunnen. Over deze duizend werden de gezondste paarden verdeeld die de hele stoet ter beschikking had. De andere 27.000 vluchtelingen werden met hun ossen, geiten, kippen en honden door Hiserio's mannen naar onderaardse spelonken geleid, die tamelijk goed te verwarmen en verbazend goed geventileerd waren.

Vanzelfsprekend koesterde de koningin enige twijfel. De geruchten dat koning Turer van Coldrin een menseneter was wilden maar niet tot zwijgen komen in haar hoofd, hoeveel tegenargumenten van Taisser er ook tegenin brulden. Als ze het volk van Orison nu eens in een handige koelcel leidden, zodat koning Turer zich daar naderhand makkelijk uit kon bedienen?

Maar welk risico liep ze? Als Turer echt een monster was, bracht ze haar volk net zo in gevaar – misschien zelfs nog meer – als ze het direct naar hem toe leidde. Misschien zouden alleen de duizend uitverkorenen worden opgegeten en zouden de 27.000 verstopte vluchtelingen overleven. In elk geval leek Hiserio toch niet al te vriendelijk over zijn koning te spreken. Dus waarom zou ze die sluwe oude ruiter dan niet vertrouwen?

Vijf gemzenruiters bleven bij de 27.000 in de schuilplaats achter om hun te leren jagen en overwinteren in deze bergen. Met pijn in haar hart besloot Lae om ook Lehenna Kresterfell bij die groep achter te laten. Ook daar moest iemand zijn die met heldere stem comflicten kon voorkomen en orders kon geven.

Toen ze met de duizend uitverkorenen en de negen gemzenruiters onder Hiserio's leiding vertrok, was Lae I weer helemaal alleen.

27
Nog drieëntwintig tot het einde

Voor de eerste maal nam Culcah zelf in het heetst van de strijd aan een slag deel.

Dat had hij besloten na een nacht waarin zijn drie gezichten het herhaaldelijk van pure frustratie hadden uitgeschreeuwd.

De slag bij Witercarz moest de beslissing brengen, en hij bracht de beslissing ook.

Over zijn natuurlijke keverpantser droeg Culcah een cape van olieachtig materiaal. Zijn gezichten beschermde hij met een roosterconstructie die zijn zicht zo veel mogelijk vrijliet. Als wapens koos hij twee hellebaarden met enigszins bewerkte staven, buit uit de Vierde Binnenburcht, een in elke hand.

Een paar getrouwen beschermden hem van voren en probeerden te vermijden dat een van de kristalridders, waarvan ook deze verborgen stad wemelde, te dicht bij hem kwam. Maar Culcah schoof de getrouwen met zijn bewerkte hellebaardstaven opzij en hakte en pikte en boorde en trok.

Andere getrouwen beschermden hem van achteren en probeerden te vermijden dat burgers vanuit een hinderlaag op hem schoten of hem overvielen. Maar Culcah duwde ook deze getrouwen opzij en spleet en kraste en sneed en ontwijdde.

Zijn krachtige, minstens twee koppen boven elk mens uitstekende gestalte werd het middelpunt van de razende moordpartij. Nergens was genade. Steen vatte vlam. Rook vormde armen en wurgde. Doden wankelden rond en werden nog eens neergehouwen. Moordenaars kusten elkaar en moordden vervolgens verder. De demonen werden één met het bloed van hun vijanden.

Culcah stak en brak en spleet en zaagde. Hij ontdekte dat zelf doden eenvoudiger was dan anderen alleen maar het bevel ertoe geven. Hij voelde zich eindelijk dichter bij zijn demonen komen. Ze hadden hem nooit echt vertrouwd, nooit echt begrepen waarom hij hen de dood in kon zenden en zij voor hem de dood in moesten gaan, terwijl ze toch allemaal dezelfde oorsprong hadden: op dezelfde dag, op hetzelfde uur waren ze ontglipt aan de inzakkende maalstroom. Maar nu keken ze op! Hij was niet alleen een van hen, hij was zelfs beter dan zij!

Hij scheurde en onthoofdde en spietste en ranselde. Witercarz veranderde in water onder zijn staalharde greep, in het doodszweet van zijn bewoners. Niemand mocht in leven blijven.

Uiteindelijk trok Culcah een van de kristalridders zijn wapenrusting af en vond er een bibberende twaalfjarige jongen in. Het Vierde Baronaat had allang zijn allerlaatste reserves uitgeput. De schitterende wapenrustingen, die overal nog verzet voorspiegelden, waren zo goed als leeg. Onder dit besef stortte Witercarz ineen als een spinnenweb waar een steen tegenaan werd gegooid.

Nu wilden de demonen feestvieren. Maar Culcah dreef ze genadeloos verder. Culcah, die hun respect had verworven met het bloed en het vlees van minstens honderd eigenhandig gedode mensen. Hij dreef ze door rots en sneeuw en hagel en ijs en verblindend daglicht en nachtblindheid tot beneden bij de Hoofdburcht. Daar werd nog nauwelijks verzet geboden. Het Vierde Baronaat was in hart en ziel gebroken.

Het Buitenslot was nu alleen nog maar een formaliteit. Het stond op een vlakte bij de zee, beschermd door twee zijarmen van de rivier de Eigefel, en het oversteken van de rivierarmen met hun verraderlijke ijs bleek gevaarlijker dan de inname van de burcht zelf. De havensteden Ferretwery, Zarezted en Zetud lagen nu binnen bereik, maar Culcah besloot de kust eerst te laten voor wat hij was en zich in plaats daarvan eigenhandig met de problemen in het Eerste en Tweede Baronaat bezig te houden: de donkere ridder Stomstorm en de deserteurs die zich schaamteloos tegen het door hem uitgezonden leger hadden gekeerd.

Hij liet vijfhonderd soldaten als bezettingsmacht in de Buitenburcht achter, zoals hij ook al in de Hoofdburcht, Witercarz en de Binnenburcht had gedaan, en vertrok met zijn overgebleven 8000 krijgers westwaarts, om zich daar te verenigen met het door boden op de hoogte gebrachte leger uit het Derde Baronaat, dat daar zonder noemenswaardige strijd in het spoor van de stoet vluchtelingen van de mensenkoningin alle burchten had ingenomen.

Culcahs soldaten morden niet meer.

Ze hadden kort achter elkaar een stad en twee burchten ingenomen. Ze hadden met de daar aanwezige voorraden en slachtoffers hun buik mogen volproppen. Ze hadden zelfs af en toe een mensenman op een grappige manier verkracht.

Ze wisten dat ze helden waren, terwijl de demonen uit het Derde Baronaat op geen enkel noemenswaardig gevecht konden bogen, die uit het Tweede zich door één enkele mensenridder angst en schrik lieten aanjagen, en die uit het Eerste op pijnlijke wijze met hun soortgenoten vochten.

Ze lachten en maakten grove liedjes over de andere demonen. Liedjes zoals:

Ze stuurden ons naar het Tweede,
Zonder ons erop voor te bereiden
Dat daar kerels in rustingen gleden
Om ons in de reet te rijden!

Of:

Bij ons in het Eerste loopt alles volgens plan
Het is een makkie, algauw gedaan
Maar wat is er nou met mijn achterste man?
Hij valt me aan! Hij valt me aan!

Of:

Bij ons in het Derde is niks aan de hand
Er is niemand! Er is niemand!
Zo reusachtig groot is het baronaat
Dat het mos ons de oren uit groeien gaat.

Culcah genoot van deze stemming. Op zijn koudbloedige paard, dat geen last leek te hebben van wind, weer en demonengekrakeel, reed hij verder te midden van zijn strijders, lachte met hen, dronk met hen en genoot met hen van het zachte vlees van mensenkinderen.

Culcah begreep dat de soldaten die onder zijn bevel stonden zich boven andere demonen verheven voelden. Hij begreep ook dat dat stof voor nieuwe ruzies en conflicten kon betekenen. Maar hij begreep bovenal dat deze demonen zíjn demonen waren, dat ze vanwege hém zo trots waren op zichzelf, en dat dat een compliment voor hem en zijn strijdvaardigheid was. Hij voelde een grote vaderlijk-broederlijke genegenheid voor deze 8000 medestrijders van hem in zich groeien.

En opnieuw stelde hij zich de vraag of het niet zijn vervloekte plicht was zijn prachtige troep in bescherming te nemen tegen koning Orisons plannen, die uiteindelijk voor iedereen noodlottig zouden zijn.

28
Nog tweeëntwintig tot het einde

De Dochters van Benesand maakten deel uit van de duizend die onder leiding van de Wolkenstrijker Hiserio de koningin naar Coldrin vergezelden. Marna Benesand had erop gestaan. Sinds haar paard onder haar achterste was weggestolen, de koningin daarop door de dief van dat paard zwaar was verwond en Marna eraan had moeten wennen op een ander paard – van iemand die in de strijd was gesneuveld – te rijden, leefde ze voortdurend met het gevoel een lelijke schandvlek te moeten uitwissen.

De koningin had haar nooit iets verweten. De koningin had niet eens gezien waar het paard vandaan was gekomen waar de rode hond op had gereden. Maar Marna's zusters hadden alles gezien. Ze hadden haar onhandig in de diepe sneeuw zien vallen, met een uiterst onflatteuze geërgerde uitdrukking op haar gezicht. In zekere zin was dat erger dan in de strijd gevallen te zijn zoals de andere zusters, die nu niet meer bij hen waren, maar in de herinnering eeuwig jong, mooi en dapper zouden blijven. Marna daarentegen had zich te schande gemaakt. Tot op het bot.

Nu hield ze de Dochters steeds in de buurt van de koningin. Eerder zouden ze allemaal ten onder gaan dan dat de koningin nog één haar zou worden gekrenkt. Marna wantrouwde de Wolkenstrijkers. Die spleetogige kerels op hun sterk ruikende gemzen hadden niet eens betaling gevraagd om de stoet door de bergen te leiden. Wie ondernam nu zo'n gevaarlijke winterse tocht zonder iets als tegenprestatie te krijgen? Het was hun dan ook handig gelukt om de koningin van 27.000 reisgenoten en potentiële beschermers te scheiden. Duizend vormden een veel makkelijkere prooi dan 28.000. Nee, Marna Benesand vertrouwde deze donkerhuidige bergnomaden net zomin als een demon.

Afgezien van al deze kwellende overwegingen was de reis door het Wolkenpijnigergebergte een groots avontuur.

De duizend dapperen staken bruggen van bepegeld ijs over, hellingen die zo verblindend wit waren dat ze zich moesten laten blinddoeken en door de gemzen laten leiden om niet waanzinnig te worden, vlakten waar iedere stap melodieus geklingel veroorzaakte, een smalle bergkam die aan beide kanten mijlen loodrecht de diepte in ging, zodat verscheidene vluchtelingen alleen al van duizeligheid onderuitgingen, en een onweer dat ónder hun weg woedde en waarvan de wolken letterlijk rond hun voeten tolden. Ze werden door plotselinge valwinden omgetrokken, balanceerden langs de verraderlijke randen van gletsjerspleten, stapten door sneeuwvelden die uit bolletjes zo groot als een knikker leken te bestaan, en zagen lawines neerstorten en hele bergwanden leegscheuren met zo'n macht en kracht dat ze zelf het gevoel kregen omhoog te zweven. Ze zagen rotsen en steenverschuivingen die gerimpeld en gedraaid leken als pas gestolde slakken en toch ouder waren dan welk teken van menselijk leven ook. Ze hoorden het gehuil en geweeklaag van vastgelopen stormvlagen en geheimzinnige wezens, voelden het rommelen en beven van barstende ijsschollen zo groot als een stad, zagen bergarenden vliegen en een massief afkalven dat ze tot dan toe voor steen hadden aangezien, en hielden zich dicht tegen vlijmscherp gesteente aan en verre van vreemde dieren die allemaal reusachtig waren, maar zo wit dat ze ze niet gezien hadden als de Wolkenstrijkers niet op ze hadden gewezen. Een paar van deze dieren werden gedood. Het vlees van drie ervan was voldoende om duizend monden drie dagen te voeden.

De rijgemzen konden wegen beklimmen waarop elk mens verloren zou zijn geweest, maar de Wolkenstrijkers gebruikten hun vaardigheden alleen voor verkenningsritten. 'Door de sneeuw is bergen nooit gelijk,' verklaarde Hiserio. 'Ook wij moet zoekt pad altijd nieuw, altijd anders.'

'Maar jullie verdwalen toch niet?' vroeg de koningin angstig.

De oude gemzenruiter schudde goedgemutst zijn hoofd. 'Bergen nooit gelijk, maar zon en richting niet veranderd. Hoe je kan verdwaalt als je kan hemel ziet?'

Lae probeerde de hemel te zien, maar die voelde vooral leeg en toch bedreigend aan. Er kwamen nog meer sneeuw en koude winden uit. Duizend mensen waren een grote troep, groter dan alles wat ze destijds in de

Irathindurische Oorlog had gecommandeerd of sindsdien in de Koningsburcht in de hoofdstad onmiddellijk voor ogen had gehad, maar toch voelde ze zich eenzaam en geïsoleerd zonder haar Taisser. Ze had nooit echt staan juichen bij het idee dat ze zou voelen als een vrouw. Maar nu moest ze bekennen dat de afwezigheid van de partner die ze al tientallen jaren had haar meer aangreep en verzwakte dan een soldatesk opgegroeide koningin betaamde. Maar daarop bedacht ze dat mannen zich waarschijnlijk net zo voelden en het alleen maar beter konden verbergen, en dat Taisser haar net zo miste als zij hem.

Die vervloekte oorlog! Zoals die uiteenrukte wat eigenlijk bij elkaar hoorde! In plaats van de straatzanger, die een aanbod voor onderhandelingen mee moest brengen, waren de rode hond en zijn 10.000 moordenaars verschenen. De straatzanger en zijn begeleidster waren waarschijnlijk gedood en opgegeten. Lae zelf had hen een wisse dood in gezonden, maar zo was dat nu eenmaal: de koningin had geen andere zekerheid te bieden dan de dood.

Na een reis van verscheidene dagen, misschien twaalf of nog meer, lagen de hoogste toppen van het Wolkenpijnigergebergte eindelijk achter hen.

Het land voor hen was nog altijd bergachtig en winters, maar tussen de afzonderlijke massieven waren nu bredere dalen te zien, begaanbaar landschap, verborgen achter dansende damp: het nevelrijk Coldrin.

Hiserio hield zijn gems in naast de wagen van de koningin. 'Wij nu keert om. Jullie gewoon verder in deze dalen. Mannen van koning jullie vindt en naar hem brengt.'

'Jullie zouden een goed woordje voor ons kunnen doen. Misschien zelfs in de taal van Coldrin...'

Hiserio glimlachte en schudde zijn hoofd, zoals hij wel vaker deed. 'Wij wil niet tegenkomt de rekamelkisj. Onze dieren bang voor ze. Dat niet goed voor ze. Jullie dieren ook zeker zal schuw, dus goed oplet.'

'Wie of wat zijn de rekamelkisj?'

'Ik niet kan beschrijft. Jij zelf ziet. Gewoon oplet, dan alles kan gaat goed.'

De koningin zuchtte. 'We hebben jullie nog helemaal niet betaald voor jullie onschatbare diensten.'

Hiserio lachte. 'Wij geen loon. Wij voert duizend uit Odizonn door bergen zonder dat doden elke paar stappen. Dat goed genoeg.'

'Zullen we jullie nog weerzien? Op onze terugreis?'

Nu schudde hij weer zijn hoofd. 'Er maar twee mogelijkheden: jullie niet keert terug, omdat koning jullie doodt, of jullie keert terug met krijgers van koning en rekamelkisj. Beide mogelijkheden – wij niet belangrijk.'

De koningin knikte en gaf Hiserio een hand. 'Hoe deze oorlog ook afloopt, Hiserio – ik wens jullie van harte toe dat jullie midden in het gebergte door alle oorlogvoerende partijen gewoon over het hoofd worden gezien.'

'Dat geen slechte wens.' Na de handdruk stoven de tien ruiters op hun gemzen weg.

Lae merkte dat het gevoel van alleen zijn nog altijd groter kon worden.

Ze zochten zich een weg door de dampende dalen. Hier lag plotseling geen sneeuw meer en leek de winter alleen nog na te klinken in hun verkleumde lichamen. Het werd warm, gewoonweg zwoel. Er hing een geur van zwavel en ammoniak in de lucht. Lariksen en alpendennen met gele naalden groeiden overal en wekten de indruk dat de jaargetijden verschoven waren. Later doken ook acacia's en tamarindes op. Hier moesten warme bronnen zijn, waarvan de dampen het nevelrijk zijn ondoorzichtige reputatie hadden bezorgd.

Er was geen vogel te horen. Zelfs in het hooggebergte hadden nog altijd adelaars gekrast. Maar hier leken alleen kevers te zijn, die in alle denkbare vormen en kleuren door het onderhout kropen.

Niemand in het bijzonder voerde de duizend aan: de voorhoede wisselde voortdurend, omdat toch niemand de weg wist in dit land. Ze waren het erover eens dat de wagen met de nog altijd niet van haar beenbreuk genezen koningin in het midden van de dicht opeengedrongen groep moest rijden.

Het eerste nachtverblijf op Coldrinische bodem was uitermate griezelig. De overal rondkrioelende kevers lieten zich er nauwelijks van weerhouden de slapenden in te spinnen of te knijpen. Herhaaldelijk meenden de wachters in het donker demonische omtrekken te zien, maar die waarneming bleek nooit te bevestigen.

De oudsten onder de duizend waren nog het meest verontrust omdat de lichtende hemelsteden in Coldrin andere constellaties toonden dan in Orison. Lae, die veel waarde hechtte aan de mening van de oudsten, vroeg zich af of Coldrin misschien niet alleen een ander land, maar zelfs een andere wereld was.

's Ochtends was de mist zo dicht dat je hem bijna met je handen kon pakken en kneden. Verscheidenen van de duizend hoestten of voelden zich ongewoon moe en slap.

'We moeten door deze mist heen,' zei de koningin tegen haar vertrouwelingen, 'maar we weten natuurlijk totaal niet of hij niet steeds dichter wordt naarmate we het land verder binnentrekken.'

'Wat moeten we dan doen?' vroeg er een. 'Teruggaan de bergen in om goed te kunnen ademhalen?'

'We zijn niet zo ver gekomen om terug te keren. Maar voor we allemaal bewusteloos raken moeten we wel boodschappers terugsturen, zodat onze overige 27.000 niet eventueel dezelfde fout zullen maken als wij. We hadden niet mogen vergeten dat van de afgezanten die mijn voorganger Tenmac III naar Coldrin heeft gestuurd, er niet één is teruggekeerd. Voor zover ik weet is er helemaal nog nooit iemand levend uit Coldrin teruggekomen.'

'Dat hoeft niet zonder meer te betekenen dat je hier niet overleeft,' mompelde een oudere vrouw. 'Misschien verlies je ook wel alleen maar de herinnering aan Orison en blijf je dan voor altijd gelukkig hier.'

'Dat zou beter zijn dan te sterven, maar het zou ons land ook niet verder helpen,' antwoordde de koningin ernstig. 'Laten we dus de kiezen op elkaar zetten. Er moeten mensen zijn die in deze mist overleven, want er is hier een koning. Dieren hebben, voor zover ik weet, geen koning.'

'Jawel,' zei een jonge man voorzichtig. 'Bijen hebben koninginnen. Mieren ook. Insecten dus.'

Verontrust keken ze allemaal om zich heen. De grond leek te krioelen. Toen vertrokken ze weer.

Ze trokken nog een halve dag door een vrijwel ondoordringbare damp als van een waskeuken. Zweet drong uit al hun poriën. De winterkleren uit de bergen hingen allang opzij aan de zadeltassen. Sommige mannen reden zelfs met bloot bovenlijf. Omdat er hier geen vliegende en stekende insecten leken te zijn, was dat heel prettig.

Toen doemden er vóór hen schrikwekkende omtrekken op uit de mist. Veelpotige demonen, groter dan paarden. Ze stonden dicht opeen, met z'n honderden. Ook rechts en links werden ze zichtbaar, en ten slotte ook achter hen. De duizend waren omsingeld.

Lae had tot op het laatste ogenblik gedacht dat het gezichtsbedrog was. Vreemd vergroeide wilgen misschien, of heidense beelden. Maar de omtrekken bewogen. En op hun ruggen leken ruiters te zitten.

De paarden van de duizend begonnen zich tegen de leiding van hun berijders te verzetten en hun ogen weg te draaien. Veel ervan poepten van angst.

'Dat zijn de rekamelkisj,' fluisterde de koningin. 'Laat me erlangs. Ik zal tot ze spreken!'

Hoewel sommige van de jongeren ertegen waren, werd de wagen naar voren doorgereden. Lae I kwam wankelend op haar krukken op de laadbak overeind.

'Bewoners van Coldrin, luister naar mij!' riep ze een met luide en heldere stem, die toch dof klonk in de mist. 'In grote nood wend ik mij tot jullie! Ik ben de koningin van het land Orison, en ik vraag om audiëntie bij jullie koning Turer om over het gevaar te spreken dat onze beide landen bedreigt!'

Een van de ruiters maakte zich los uit de formatie. Hij kwam dichterbij. Zijn rijdier was een bidsprinkhaan met de uitgestrekte, sterke poten van een reuzenspin, en ze was zo groot als twee aan elkaar gebonden ossen. De ruiter droeg een soort wapenrusting die eveneens uit insectendelen leek te bestaan, bont en bizar als een Orisonische demon en met een helm die op een hoorndragende keverschedel was gebaseerd. 'Een koningin?' vroeg hij met diepe stem. De k-klank klikte eigenaardig. 'Tot nu toe zond jullie land altijd alleen loopjongens!'

Lae verwonderde zich er maar even over dat een Coldriner de taal van Orison beter beheerste dan de dichterbij wonende bergnomaden. Daar konden verklaringen voor zijn die te zijner tijd duidelijk zouden worden. 'Dat is nu anders,' sprak ze met vaste stem. 'Het gevaar dat ons allen bedreigt, vereist nooit eerder vertoonde maatregelen. Wil je mij naar je koning leiden, zodat ik in vrede met hem kan spreken?'

'Je komt met een leger. Dat is niet aanvaardbaar. Ik leid jou en tien van de jouwen te voet. Jullie dieren mogen onze dieren niet.'

'Ik begrijp het. Goed, ik zal er tien uitkiezen. Maar ik kan niet goed lopen. Onze gemeenschappelijke vijanden hebben mij verwond, zodat ik op de wagen aangewezen ben.'

'Je rijdt bij mij, koningin,' zei de berijder van de bidsprinkhaan op een toon alsof hij gewend was bevelen te geven. 'Er zal jou niets overkomen. Ik ben Jmuan, temmer van de rekamelkisj.'

Als teken van zijn eerlijkheid zette Jmuan zijn helm af. De Orisoners hadden nog nooit eerder een mens met zo'n donkere, bijna zwarte huid gezien. Maar na de eerste schrik stelden ze unaniem vast dat Jmuan een goed uitziende, regelrecht knappe man was met een innemende glimlach.

Terwijl ze nog steeds probeerde het schrikwekkende legendarische beeld van het mistige Coldrin in overeenstemming te brengen met Jmuans glimlach, regelde de koningin wat geregeld moest worden. Toen strompelde ze op haar krukken op de licht terugschrikkende insectachtigen af en liet zich door de temmer in het zadel hijsen, zodat ze voor hem kon zitten.

'Je spreekt onze taal goed,' zei Lae.

'Ja,' zei Jmuan. Hij zette zijn helm weer op, omvatte de heupen van de koningin om haar meer houvast te geven in het zadel en klakte met zijn tong, zodat zijn griezelige rijdier zich in beweging zette.

Een ordonnans op een huppelend rijinsect dat wel een kruising leek tussen een sprinkhaan en een springspin werd vooruitgestuurd naar het noorden, om de koning van het land Coldrin van de aankomst van een koningin op de hoogte te brengen.

29
Nog eenentwintig tot het einde

Het ooit 10.000 demonen sterke leger uit het Derde Baronaat bestond nog maar uit 9000 soldaten, omdat ook dit leger volgens orders steeds 500 demonen voor de versterking van de Hoofd- en Buitenburcht had achtergelaten. Toen Culcahs 8000 deze 9000 tegenkwamen, kwam daar zoals verwacht ruzie van. Culcahs soldaten beschouwden zichzelf als ervaren strijdhelden, terwijl de 9000 uit het Derde tot nu toe niets anders hadden gepresteerd dan zich te goed te doen aan de 20.000 lijken van het Orogontorogon-slagveld. Maar Culcah kwam zo tenminste nog eens uit de eerste hand te weten wat er van de hogesnelheidstroep van de rode hond was geworden. Orogontorogons lijk zelf echter schitterde nog steeds door afwezigheid.

'De mensenkoningin heeft hem overwonnen en daarna opgegeten. Daarom ontbreekt ieder spoor van hem,' zei Culcah op een avond hardop tegen zijn naaste medewerkers. Niemand wist over wie hij het had. Niemand waagde het ernaar te vragen. Dus lieten ze het daar allemaal bij.

Culcah verlangde naar de geheimzinnige Zwarte Ridder uit het Tweede Baronaat. Stomstorm. Hij wilde hem persoonlijk overwinnen. Dan zijn benen afscheuren en hem in leven laten, als jammerend afschrikwekkend voorbeeld voor alle mensen die van verzet droomden.

Er waren vechtpartijen in zijn leger, tussen de oudgedienden en de 'nieuwen' uit het Derde. Culcah liet van sommige onruststokers de buik opensnijden en dwong andere om de ingewanden van de nog levenden op te eten. Hij moest een oorlog leiden, eventueel uiteindelijk tegen de almachtige Orison zelf, en hij kon zich niet veroorloven door kleinigheden te worden afgeleid.

Culcah joeg zijn leger door het Tweede Baronaat tot aan de Hoofdburcht. Hij hoopte allervurigst dat Stomstorm daar nog zou zijn en nog zou leven. Culcah werd niet teleurgesteld.

Het naar het Tweede Baronaat uitgezonden demonenleger was bij de Hoofdburcht vastgelopen. Tegen de 3000 demonen waren al gesneuveld. Vijfduizend belegerden de burcht, die bijna uit zijn voegen barstte van weerspannige mensen, en werden daarbij telkens weer door Stomstorm en de om hem heen geschaarde rebellenstrijders aangevallen. Nog eens 2000 demonen waren door de aanvoerder van dit veroveringsleger vooruitgestuurd naar de Buitenburcht om die tenminste in te nemen. Deze deeluitval was inderdaad succesvol geweest; de mensen hadden namelijk de Buitenburcht opgegeven om hun Hoofdburcht des te effectiever te kunnen verdedigen. Culcah weerstond dus de neiging rekenschap te vragen van de verantwoordelijke officier. Bovendien ging het hier om een uitgesproken langwerpig, bijna staafdun, zeer ernstig wezen. Deze demon was – net als Culcah zelf bij de Witercarzers – op onverwachte hindernissen gestuit, en was in elk geval zo slim geweest om de rest van het baronaat onder controle te krijgen terwijl hij op versterking voor zijn belegering wachtte. Die versterking was er nu: nog eens 17.000 demonen en hun opperste veldheer. De mensen in de Hoofdburcht moest de moed wel in de schoenen zinken. Bleef alleen nog het probleem met Stomstorm over.

Culcah zag de ridder: een imposante, in beroet ijzer ingepakte gedaante op een koudbloedig paard, een beetje zoals dat van hemzelf.

'Laat hem maar aan mij over,' kwijlde hij. 'Ik wil hem zelf overwinnen.'

Maar zijn naaste medewerkers waren ertegen. Ook de dunne officier die het bevel voerde over deze belegering raadde het hem af. 'Het risico is gewoon te groot, mijn veldheer!' lispelde hij dringend. 'Deze ridder heeft iets, een magie die volstrekt... ondemonisch is. Geloof mij. Ik ben immers al verscheidene dagen met hem bezig. Het gevaar dat hij u met behulp van zijn magie op een volkomen onvoorspelbare manier overwint is veel te groot. En wat gebeurt er dan als de mensen de veldheer van de demonen hebben gedood? Wie zal hun wil om in opstand te komen dan nog in bedwang houden?'

'Hij zal mij niet overwinnen.'

'U bent opperbevélhebber, geen opperwáchtmeester, als ik dat zo mag zeggen. U draagt verantwoordelijkheid. Mijd het risico, dat kan ik u alleen maar smeken.'

Culcah herinnerde zich dat hij echt tot voor kort nog helemaal geen strijdervaring had gehad. Maar het bloed van Witercarz lag nog altijd als patina over zijn keverlijf, en het rook opwindend. 'Goed dan. Wat stelt u voor? Ik wil de ridder niet gewoon maar onder de voet lopen. Ik wil de mensen een voorbeeld stellen.'

'Doe het dan met een tweekamp, zoals u van plan was. Maar houd dat gevecht niet zelf. Er zal wel een demon te vinden zijn die in staat is de ridder in de tweekamp te verslaan.'

'Als de ridder door één enkele demon te verslaan zou zijn, hoe is het dan mogelijk dat jullie al weken niet verder met hem komen?'

'Misschien... omdat in mijn eenheid niet zo'n demon te vinden is. Maar misschien wel in de uwe, of in degene die oorspronkelijk in het Derde Baronaat zat!'

Inderdaad bleek een demon van de klaplopers van het Derde Baronaat zich vrijwillig te melden voor deze strijd. Hij zag eruit als een op twee poten lopende prairiebuffel en noemde zich Snidralek, hoewel sommige andere demonen, die al sinds de hoofdstad met hem in dezelfde eenheid dienst hadden gedaan, beweerden dat hij zich oorspronkelijk anders had genoemd.

Snidralek had het niet makkelijk gehad sinds zijn nieuwe compagnie zich met de 8000 soldaten van Culcah had verenigd.

Eerst was hij in verscheidene vechtpartijen verwikkeld geraakt. 'Je ziet er toch zo sterk uit!' hadden Culcahs opscheppers telkens weer gebruld. 'Hoe komt het dan dat jullie allemaal zulke slappelingen zijn?'

Toen was Snidralek door de ordedienst gedwongen om de ingewanden van een nog levende demon met wie hij had gevochten op te eten. Sindsdien werd hij nog meer gemeden en absurd genoeg zwartgemaakt als kannibaal.

En tot overmaat van ramp was de snelle mars naar de Hoofdburcht van het Tweede Baronaat hem niet goed bekomen. Het buffellichaam dat hij als nieuwe gastheer had uitgezocht rustte op twee relatief kleine hoeven. Snidralek had nu last van gezwollen enkels en voetgewrichten, bijna net als toen hij nog in zijn oorspronkelijke miserabele lichaam leefde.

Hij had al overwogen de buffeldemon tegen een andere in te ruilen, maar toen bood het lot hem plotseling een heel andere uitweg. Culcah zocht een strijder. Deze strijder moest één enkele tweekamp houden en zou daarna voorrechten krijgen. Er was sprake van het bevel over een burcht. Een mooie, rustige functie zonder akelig geloop. Snidralek sloeg twee medekandidaten tot moes en meldde zich vrijwillig.

Een demonenbode stelde met de woordvoerder van ridder Stomstorm de voorwaarden vast. Stomstorm leek zijn naam eer aan te doen en geen enkel woord te zeggen.

De voorwaarden luidden: als de ridder won, zouden de demonen weliswaar de rest van het land Orison veroveren, maar zich terugtrekken van de Hoofdburcht van het Tweede Baronaat en die erkennen als onafhankelijk bastion van vrije mensen. Won de demon, dan werden beide benen van de ridder afgescheurd, werd hijzelf als kermend afschrikwekkend voorbeeld voor alle mensen die van verzet droomden in leven gelaten en werd de Hoofdburcht vervolgens door 20.000 jubelende demonen van het aangezicht van het land geveegd. De ridder en zijn woordvoerder accepteerden deze voorwaarden.

De tweekamp moest op een met bloed doordrenkte vlakte voor de burcht plaatsvinden. De ridder mocht te paard strijden. Snidralek vertrouwde op zijn spieren en de reikwijdte van zijn met bont begroeide armen.

In een vreemde eendracht die nauwelijks voor herhaling vatbaar was verzamelden mensen en demonen zich aan de rand van het strijdperk om ieder hun held aan te moedigen. Heel even veranderden de strijdende partijen in een bonte troep toeschouwers.

Ridder Stomstorm was een indrukwekkende verschijning. Een zware zwarte wapenrusting, glanzend van roest en kopergroen op de gewrichten. Zijn helm was spits van voren en omsloot zijn gezicht helemaal. Zijn linkerarm was eigenlijk een soort zwaard, hoewel je aan zijn ingewikkelde structuur niet kon zien welk bestanddeel de eigenlijke kling was en welke segmenten alleen maar weerhaken. Culcah zag dat sommige van zijn demonen dusdanig onder de indruk waren van de ridder dat ze stukken prooi op zijn overwinning inzetten.

Maar Snidralek met zijn enorme buffelschedel zag er ook bijzonder imposant uit. Hij was zonder paard bijna net zo groot als de ridder op zijn machtige ros, zodat de afloop van de strijd onmogelijk te voorspellen was.

Een menselijke trompetter blies het hoornsignaal.

Stomstorm en zijn paard galoppeerden tegen Snidralek aan als een duistere wolk ijzer en opstuivende sneeuw. Snidralek week nauwelijks uit. Met een geweldige ruk trok hij de ridder het paard onder zijn lichaam vandaan en hij scheurde het in bloedige stukken. De demonen om hem heen brulden een demonisch hoera. Snidralek had nu een paardenbeen met dij en hoef in zijn hand. Een wapen dat alle aanwezige mensen angst aanjoeg.

Maar niet de ridder. Die rolde door de sneeuw, kwam weer overeind en begon aan zijn tweede aanval. Culcah kon er niet onderuit deze krijger demonische kwaliteiten toe te dichten. Even kwam hij op de gedachte dat zich onder deze wapenrusting mogelijk een afvallige demon verborg, misschien zelfs de dwarsdrijver Orogontorogon in eigen persoon, maar daarna vervloog die gedachte weer in het vuur van de ontbrandende strijd.

Stomstorm vloog op Snidralek af en hakte met zijn kling het dwars voorgehouden paardenbeen in stukken. Snidralek antwoordde met krachtige slagen die de wapenrusting lieten dreunen, alsof die hol was en alleen gevuld met de geest van een mens. Een van die slagen wierp de ridder terug in de sneeuw. Snidralek maakte de fout hem te achtervolgen en verloor een arm. De ridder was veel te snel voor zijn ogenschijnlijke gewicht, te snel bijna voor mensen- en demonenogen. Eenmaal pareerde Snidralek een slag van dit unieke zwaard door er direct met zijn overgebleven vuist tegenaan te slaan. Beide tegenstanders werden door deze botsing door elkaar geschud. Het leek of de sneeuw om hen heen zou smelten en als regen naar de hemel zou terugkeren. De ridder draaide om zijn eigen as. Snidralek kon niet meer wegkomen en verloor ook een been. Hij was nu volkomen asymmetrisch: alleen het linkerbeen en de rechterarm had hij nog over. Hij voelde meer pijn dan ooit tevoren in zijn korte leven in vrijheid – zelfs als druipneuzige dwerg had hij het nooit erger gehad. Maar die pijn was ook een teken dat hij leefde. In de Poel was er nooit pijn geweest. Hij ramde zijn hoorns tegen de borst van de ridder. Opnieuw viel de ridder in een opeenhoping van metaalschroot. Opnieuw krabbelde hij weer op. De kling bewoog uit zichzelf, als happende scharen. Toen drong hij diep door in Snidraleks lijf. De buffel loeide en stierf, en zijn tong werd samen met zijn bloed uit zijn muil gespoeld. De ridder kon zich alleen nog maar oprichten door op zijn veelvormige zwaard te steunen. Toen hief hij langzaam en metaal verbuigend zijn menselijke arm ten teken van de overwinning.

Een paar ogenblikken zag het eruit alsof de demonen, die getalsmatig veruit in de meerderheid waren, zich nu op alle mensen zouden storten om stuk te bijten wat hun in de weg stond.

Toen kwam Culcah tussenbeide. 'De strijd is voorbij. De mensen hebben gewonnen. Wij trekken ons onmiddellijk terug.'

'Zijn wij dan geen demonen?' hoorde hij iemand in zijn leger roepen. 'Sinds wanneer moeten demonen zich aan regels houden?'

Maar daar schonk hij geen aandacht aan. De zwarte ridder werd, vol deuken en zichtbaar aan het eind van zijn krachten, door zijn menselijke bewonderaars ondersteund, opgetild en naar de trotse burcht teruggedragen. Culcahs onderbevelhebbers en de dunne officier droegen er zorg voor dat de demonen de mensen geen haar krenkten.

Culcahs gezichten glimlachten sluw. Eigenlijk was het helemaal niet zo slecht dat de mensen nog een bastion behielden. Daar konden alle menselijke rebellen en vrijheidsdromers zich verzamelen als motten bij een lamp. Dat zou de demonen de moeite besparen hen te zoeken en de genadeslag des te meer kracht verlenen.

Snidralek raakte in paniek. De klingen van de ridder hadden met hun zoekende vertakkingen bijna hemzelf te pakken gekregen – hem, de in het binnenste van het buffelmonster verborgen bestuurder! Nu vond hij slechts met moeite nog een uitweg, bevend en huilend. Verzwakt botste hij tegen de massa demonen. Ze zaten zo vol woede en walging vanwege de hun zojuist toegebrachte nederlaag dat er gewoon geen doorkomen aan was!

Een mens. Hij moest in een mens vluchten, anders zou de koude wind hem versplinteren. Maar welke mens was het waard, welke had kracht genoeg om te kunnen overleven? Want Snidralek voelde duidelijk dat elke nieuwe wisseling van gastheer hem verzwakte, dat elke dode gastheer ook zijn eigen wezen meer sterflijkheid bezorgde.

De ridder? Maar voor hem was hij nu zelfs nog banger dan voor Culcah en Orison.

De woordvoerder van de ridder? Maar dat was maar een mager knaapje, nog onaanzienlijker dan Snidraleks oorspronkelijke onrechtvaardige lijf.

Was er dan nergens een mens die in staat geacht kon worden Culcahs uiteindelijke woede te doorstaan?

Nee. Die was er niet.

Op het allerlaatste moment, voor de winterse kou zijn gewonde ziel de genadeslag kon toebrengen, glipte Snidralek in een twaalfjarige weesjongen, die ver van het strijdperk in de sneeuw naar eetbare bloembollen groef.

Culcah bracht de noordwaartse veldtocht snel tot een einde.

Nog voor zijn leger het Eerste Baronaat kon binnengaan, kwamen de overlevende demonen van het leger dat met de verovering aldaar was belast hem tegemoet. Het was hun gelukt de 5000 deserteurs die hen in het gebied van het Merendal hadden overvallen in een reeks met ijswater doordrenkte gevechten af te slachten. Daarbij hadden ze zelf maar 2000 soldaten verloren. Met aftrek van de tweemaal 500 krijgers die ze bij de overigens vlekkeloze overname van de Hoofdburcht en de Buitenburcht daar hadden gestationeerd, waren er dus nog 7000 demonen, die Culcahs rondtrekkende leger van 24.000 tot 31.000 aanvulden. Daarmee waren de vier noordelijke baronaten onder controle. Alleen de havensteden waren nog ongemoeid gelaten, en de Hoofdburcht van het Tweede Baronaat zette als vrij bastion van de mensen een domper op de overwinningsstemming.

Even spontaan als hij een paar dagen geleden had besloten zich aan het tweekampsverdrag te houden en van de Hoofdburcht weg te trekken, besloot Culcah nu dit vrije bastion uit te roeien. Zijn idee om op die plek alle nog rondzwervende mensen te vangen als in een grote fuik was goed geweest. Anderzijds bood zo'n bastion de mensen hoop, een opvangplek voor de misschien in de bergen ontkomen mensenkoningin en een overbodige versterking voor de misschien op een dag eveneens opduikende Coldriners.

'Schijt aan de rebellen,' bromde Culcah in zichzelf. 'Die worden op den duur wel in kleine schermutselingen door de bezettingstroepen in de pan gehakt.'

Hij leidde zijn 31.000 demonen naar de Tweede Hoofdburcht, die zo'n aanval totaal niet meer had verwacht, en nam hem in nog geen drie uur in, waarbij hij maar duizend soldaten verloor.

Van de zwarte ridder Stomstorm was tijdens noch na de slag onder de overblijfselen een spoor te bekennen. Een gemartelde personeelskok verried echter dat de ridder samen met zijn woordvoerder was teruggekeerd naar het Wolkenpijnigergebergte in het noorden, waar hij vandaan was gekomen, omdat hij meende dat zijn taak om de Hoofdburcht te beschermen voltooid was.

Snidralek was blij om weer in het lichaam van een demon te kunnen terugkeren. Tijdens zijn dagen in het lichaam van de weesjongen had hij zich zwak, hulpeloos en richtingloos gevoeld op een manier die zelfs voor een demon die duizenden jaren opgesloten was geweest nauwelijks te verdragen was.

In het strijdgewoel glipte hij in een overijverig rondwoedende, op vier poten lopende hagedissendemon met een slangenschedel, die weliswaar nogal kortzichtig bleek te zijn, maar een met beenderplaten overdekte staart had waarmee je een enorme hoop schade kon aanrichten. De demon rekende niet op ongewone aanvallen, zodat Snidralek in hem kon binnendringen als in zacht overrijp fruit.

Slechts korte tijd nadat Snidralek hem had verlaten blies de verwarde weesjongen onder de hoeven van een demonische sint-vitusdansbok zijn laatste adem uit.

Culcah voerde zijn met buit overladen leger terug naar Orison-Stad.

Het noorden was eindelijk ingenomen.

Nu was het zuiden aan de beurt.

30
Nog twintig tot het einde

Orogontorogon hield het niet lang uit in Ferretwery.

Hij en zijn vliegende knecht die hij met touw had vastgebonden waren de enige demonen daar; dat was het enige leuke.

Natuurlijk wisten de mensen aan de noordkust allang over de oorlog. Verscheidenen hadden bepakt en bezakt de stad verlaten en zich bij de vluchtstoet van de koningin aangesloten. Anderen waren op schepen hun heil ten noorden van het Wolkenpijnigergebergte gaan zoeken, op de kusten van Coldrin, die onbedwingbaar heetten te zijn. Weer anderen waren naar andere havensteden vertrokken om bondgenootschappen te sluiten met handelspartners die in vredestijd betrouwbaar waren gebleken. Maar de meesten wachtten nog altijd in de havenstad op de dingen die komen gingen. Ze hoopten door de demonen over het hoofd te worden gezien of op tijd door de koningin te worden gered, of door een marinevloot uit Orison of Coldrin te worden gesteund; ze hoopten dat de winter zijn ijs als een verdedigingswal om de stad zou leggen, dat alle andere steden de demonen rijkere buit beloofden dan hun eigen, dat ze uit zichzelf de kracht voor het verzet zouden opbrengen; ze vertrouwden op tekens aan de hemel en zieners en charlatans en de ingewanden van zeevogels en vissen. En toen landde er midden tussen hen een rode hellehond op een monster met leerachtige vleugels en verspreidde de stank van angst en brand.

Een paar dagen lang nam Orogontorogon het er flink van. Vooral de huizen van plezier bij de havenkade vervulden hem van verrukking. Hij was verbaasd over het gebrek aan angst en de hoge tolerantiegrens van de smakelijke meisjes. Sommigen van hen hadden voor geweldige demonen kunnen doorgaan.

Maar ook deze pret en dit spel werd hij snel beu. Nadat hij in één teug een heel vat rum had geleegd, trok hij het dak van een heel huizenblok af en piste in een brandend haardvuur. De daaropvolgende explosie legde twee huizenrijen in de as.

'Dat valt moeilijk te overtreffen. Van nu af aan wordt het dus vervelend,' lalde hij. Hij trok zijn halfverhongerde vliegslaaf uit zijn omheinde stuk land en dwong hem verder naar het zuiden te vliegen.

Ze vlogen over Zarezted en Zetud, maar haalden Keur niet meer. De vleermuisgier begaf het midden in de vlucht. Schuim spoot uit zijn oren. Voedselgebrek, pijn door Orogontorogons ruwe behandeling en de inspanning om het door schranspartijen niet bepaald minder geworden gewicht van de hondendemon in de lucht te moeten houden, waren gewoon te veel voor hem. Samen stortte ze neer. Ze knalden in de diepe sneeuw, maar de klap was niettemin dodelijk voor de vleermuisgier. Orogontorogon overleefde met kleine verwondingen. Het lichaam van de vliegdemon had de grootste klap opgevangen. 'Kapotgevlogen!' lachte Orogontorogon waanzinnig. Toen waggelde hij verder te voet naar Keur.

Hij wist helemaal niet waar hij heen wilde. Weg van Orison, het land en de onderdrukker. De schaduw die de demonenkoning wierp ontvluchten. Aan de Poel ontkomen, aan de draaikolk van eeuwige verdoemenis.

In een buitenwijk van Keur gooide hij een oude vrouw neer, die hysterisch begon te gillen. Een paar klauwige oorvijgen later kon de demon haar ondervragen.

'Wat is er nog meer?'

'Wattissernogmeer? Wattissernogmeer? Wattissernogmeer?'

'Wat is er nog behalve dit land?'

'De zee! De zee is er, de mooie, groene zee!'

'Kun je de zee drinken?'

'Nee, o nee, de zee kun je beslist niet drinken!'

'Heeft de zee een einde?'

'Nooit! De zee zal geen einde hebben, zelfs niet als jullie verdomde demonen ons land allang tot zinken hebben gebracht!'

'Wat is er nog behalve de zee en dit land?'

'C... C... C... Coldrin?'

'Bah, Coldrin. Daar was ik al bijna. Bergen en viezigheid. Oninteressant! Is er niks beters?'

'Rurga en Kelm. In het zuiden heb je nog de eilanden Rurga en Kelm.'

'Rurga en Kelm! Er staat me bij dat ik daar al over heb gehoord, maar op een of andere manier speelden die eilanden nooit een rol in onze plannen. Er zijn daar nauwelijks mensen, wel?'

'Nauwelijks mensen, dat klopt.'

'Welk eiland is dichterbij?'

'Van hieruit? Rurga. Zonder meer Rurga.'

'Hoe kom ik daar?'

'Alleen met een boot. Alleen met een boot.'

Orogontorogon liet de oude vrouw leven en pakte in de haven een zeeman beet. Die verzette zich en stierf. Een tweede zeeman stierf ook. De derde verwees Orogontorogon naar een kapitein en mocht blijven leven. De kapitein op zijn beurt weigerde en stierf. Het ging moeizaam. Orogontorogon voelde dat hij langzaamaan zijn geduld verloor met dat mensengespuis. Hij pakte nog een zeeman beet. Die verwees hem naar een kapitein die niet hiervandaan kwam, maar pas kortgeleden van het eiland Rurga was gekomen en meestal in een bepaalde herberg aangetroffen kon worden, waar hij in ruil voor sterkedrank oorlogsnieuwtjes ten beste gaf. Orogontorogon koerste op de bewuste herberg af.

Blannitt had eigenlijk met zijn 'trouwe meisje' nog verder naar het noorden willen verdwijnen, naar Ferretwery of Zarezted, waar het 'stinkende demonengebroed' stellig nog geen vaste voet aan de grond had gekregen. Maar zijn dorst had hem in elke havenstad die nog niet door het 'stinkende demonengebroed' was platgebrand – dus elke haven ten noorden van Tjetdrias – het anker doen uitwerpen om zich een paar dagen te laten onderhouden in ruil voor verzonnen oorlogsgruwelen. Toen Orogontorogon de tapperij binnenkwam, vertelde Blannitt net hoe de mooie koningin Lae I en haar trouwe ridder Taisser Sildien al bij de Demonenpoel de uitbraak van het 'stinkende demonengebroed' hadden geprobeerd terug te dringen en zich alleen door het vuige verraad van de lelijke bloedzuiger Eker Nuva hadden moeten terugtrekken. Nog nooit eerder had hij met een van zijn verhalen zo'n effect bereikt: de muziek zweeg, de tapgasten begonnen in paniek te schreeuwen en in verwarring te vluchten. Dat beviel hem goed en hij dronk zijn veertiende borreltje. Een paar ogenblikken later werd hij door een vuurrode demon dwars door de stad naar de haven gesleept.

'Welke is van jou?' vroeg de demon, en hij wees op de weinige schepen die in Keur nog voor anker lagen.

'D-d-die daar!' Blannitt wees op de trouwe, lijvige Miralbra. Hij verbaasde zich erover dat de demon niet stonk, maar bijna aangenaam naar dennenhoutrook geurde.

Blannitt mocht verder leven omdat hij met de rode hondendemon als enige passagier onmiddellijk het zeegat koos.

Ze passeerden de hele oostkust in zuidelijke richting en stopten alleen een keer in Kirred, waar Orogontorogon verscheidene mensen doodde onder het roven van proviand en alcoholvoorraden. Achter Tjetdrias was alles door demonen verwoest. De hondendemon dacht erover na dat hij deze hele afstand, het land Orison van noord naar zuid, al te voet in omgekeerde richting had doorkruist, alleen om nu in veel kortere tijd op zee weer naar het zuiden terug te keren. Wat was oorlog toch een apart verschijnsel! Het leek wel op ronddraaien in een gevangenispoel. En een opgeblazen patser als Culcah voelde zich ook nog de baas van die hele waanzin!

Ook Blannitt zat te kniezen, omdat hij het gevoel had dat hij zijn leven lang aan het armzalige 'schijteiland' Rurga vast bleef zitten. Hoe verder hij ervandaan probeerde te gaan, des te genadelozer werd hij weer teruggedwongen. De kou en het ijs dat zich in het touwwerk vormde, maakten zijn stemming er niet beter op. De winter leek maar niet op te houden, alsof de demonen hem aan de mensen als gastgeschenk hadden opgedrongen. Zijn treurigheid verleidde Blannitt ertoe zich te troosten met goedkope foezel. Eenmaal liepen ze daardoor tussen Saghi en Kurkjavok bijna op een voor het land liggende klip, maar Orogontorogon, die een aantal basisprincipes van de scheepvaart snel begrepen had, voorkwam het ergste. Hij aapte de menselijke kapitein na tot en met zijn onbegrijpelijke bevelen. Daarbij vroeg hij zich af hoe een mens die zijn ingewanden al tijdens zijn leven zorgvuldig in alcohol marineerde zou smaken.

Het proviand was maar net voldoende. Toen kwam Rurga in zicht. Een troosteloze haven van zandsteen, nauwelijks minder onderworpen aan de winter dan het vasteland.

'Allemaal poep daar, vogelpoep, iedere stap die je zet,' lalde Blannitt toen hij op de bekende inham aanstuurde. Toen gluurde hij naar zijn vuurrode passagier. De afgelopen dagen was deze demon geen verschrikkelijker gezelschap gebleken dan eerdere passagiers. Dus besloot hij hem te waarschuwen. 'Het strand wordt vast bewaakt,' mompelde hij bijna onverstaanbaar. 'Ze wachten alleen maar tot er een demon te zien is, die poepneuzen. Die wilden daar zo'n soortement verzetshaard opzetten, of hoe je dat noemt. Met soldaten en zo.'

'Fijn,' zei Orogontorogon, en hij wreef zich in zijn handen. 'Het eiland is lelijk, maar het belooft tenminste pret.'

Dronken schuurden ze aan land.

De alarmtoon van de mosselhoorns snerpte door het dorp.

Taisser Sildien en Nenamlelah Ekiam schoten overeind in hun bed. Beiden waren naakt en schaamden zich daar plotseling voor, nu hun zweet was opgedroogd, terwijl ze het eerder als bedwelmend hadden ervaren.

'De demonen!' riep buiten iemand, en de stem van een van de drie ervaren soldatentrainers riep zijn vijftig leerlingen op de wapens te grijpen.

'Dat is onze schuld!' fluisterde de jonge weduwe ontdaan. 'Wij hebben toegegeven aan de verleiding en daarmee het strafgericht van de demonen over Rurga gebracht!'

'Ach, onzin!' antwoordde Taisser geërgerd. 'De demonen hebben niets met gerechtigheid of vergelding te maken. Het zijn vreemde levensvormen die een vernietigingsveldtocht houden, en vroeg of laat waren ze hier toch wel geland.' Hij sprong uit bed en kleedde zich aan. 'Bovendien hebben wij goed beschouwd niets verkeerds gedaan. Jouw echtgenoot leeft niet meer, en ik ben niet de man van de koningin, maar alleen al jarenlang haar partner. Het is gegaan zoals het moest gaan.'

'Waarom doe je je wapens om?'

'Omdat ik ga vechten. Jij niet dan?'

'Ik weet het niet meer. Ik voel me plotseling zo zwak, zo kwetsbaar.'

Taisser trok haar aan haar schouders uit het bed omhoog. 'Zo heb ik mij mijn hele leven gevoeld. Zwak en kwetsbaar. Maar vandaag niet. Niet na deze nacht.' Hij kuste haar. Ze kuste hem aarzelend terug. Toen gordde ook zij haar wapens om.

Orogontorogon slenterde het strand op als een wandelaar.

Het Rurgaanse leger stormde hem tegemoet: twintig vrouwen en dertig mannen, aangevoerd door drie oudgedienden van de koningin.

Ze hadden zich leren ingraven. Daar hadden ze nu niets aan, want de vijand was er al en het zandstrand was vlak.

Ze hadden palissaden leren bouwen. Daar hadden ze nu niets aan, want de vijand was er al en het zandstrand was vlak.

Ze hadden push-ups gedaan. Daar hadden ze nu niets aan, want als ze nu gingen liggen, zouden ze niet meer overeind kunnen komen.

Ze hadden over stuivende guanovelden gerend en zandrotsen beklommen. Dat maakte weinig uit voor een gevecht in het zand.

Ze hadden gierstepap uit houten nappen gelepeld. Die maakte hen nu log en traag.

Ze hadden over dwarsliggende boomstammen gedoken. Daar hadden ze nu niets aan, want deze rode boomstam stond rechtop en bewoog.

Ze hadden onder dwarsliggende boomstammen door verse zoute blubber getijgerd. Daar hadden ze nu niets aan, want deze boomstam stond rechtop en bewoog.

Ze waren snel achter elkaar omhooggesprongen en ineengedoken, tot ze helemaal duizelig werden. Daar hadden ze nu niets aan, want door omhoogspringen of wegduiken kon je Orogontorogons onorthodoxe aanvallen onmogelijk ontwijken.

Ze hadden geoefend in schermen, in aanvallen en afweren met houten speren, formatie behouden en medestrijders dekken. Daar hadden ze nu niets aan. Het rekte hun lijden alleen maar.

Ze hadden geleerd hun wapens en kleren schoon te houden. Daar hadden ze nu niets aan, want een demon was niet onder de indruk van schone wapens en uitrustingen.

Ze hadden gebogen voor het bevel van de drie soldaten, die met hun houten fluitjes boven het gekrijs van de overal aanwezige zeevogels uit waren gekomen. Dat was het enige waar ze nu iets aan hadden, want terwijl ze gedood werden, mengde het geschreeuw van de overal aanwezige zeevogels zich met hun eigen angstige en pijnlijke gekrijs tot volkomen abstracte commando's, en het deed hen duidelijker dan wat ook beseffen dat ze kinderen waren, kinderen van een eiland – kinderen van een eiland dat nu bezig was ten onder te gaan.

Voor Orogontorogon was het altijd weer interessant om te zien dat mensen die met een groep tegen hem vochten elkaar meer dwarszaten dan hem. Iets in hun manier van denken leek het hun onmogelijk te maken hun tactische concentratie langer vol te houden dan de beginfase van een gevecht.

De drie soldaten hielden het nauwelijks langer uit dan hun vijftig leerlingen. Twee van hen hadden in de Irathindurische Oorlog gestreden, maar geen van hen had ooit tegen een echte demon gevochten, laat staan tegen een uit Orisons verborgen raad. Orogontorogon trok een van hen zijwaarts het hoofd van de romp en sloeg met dat hoofd in één enkele vloeiende beweging de tweede de schedel in. De derde beging de fout heel even ontdaan te zijn over de aanblik van de uiteenbarstende gezichten van zijn kameraden. Orogontorogon was onder hem en toen boven hem. Toen de demon boven hem was, merkte de soldaat dat zijn eigen romp en onderlijf in een onmogelijke hoek ten opzichte van elkaar in het zand lagen. Al het zand was demonenrood. De dood ontfermde zich genadig over hem, nog voor alles hem duidelijk kon worden.

Orogontorogon schudde zich als een hond. Bloed spatte alle kanten op. 'En wat is er hier nog meer?' vroeg hij hardop.

De demon kwam in het dorp.

Alle inspanningen van het zo hoopvol opgerichte Rurga-verdedigingsleger hadden hem kunnen verwonden noch vertragen.

Nenamlelah Ekiam zag vrouwen en kinderen rennen. Hutten gingen als vanzelf in vlammen op, hoewel de demon ze alleen maar leek te aaien. Een hond spatte uit elkaar. Vogels vielen krijsend uit de lucht.

Nenamlelahs broers, die zich nooit bij het nieuwe kleine leger hadden aangesloten, stortten zich met parelvissersdolken en kokosnootmessen op de demon. Hun bewegingen waren ingewikkeld – ze waren van plan de demon te verwarren en in de tang te nemen. Nenamlelah wilde hun een waarschuwing toeroepen, maar het was al te laat. De demon scheurde haar drie broers aan flarden alsof ze decorstukken van geverfd perkament waren. Nenamlelah besloot dit later pas tot zich door te laten dringen.

Ergens moesten haar ouders zijn. Vluchtend? Weeklagend? Waar was Taisser, die te langzaam was geweest om zich bij het leger aan te sluiten, maar nog altijd veel sneller dan zijzelf uit de hut van hun liefdesnacht was gesneld? Waar was hij?

Waar was de zon? Waar de maan? Was het dag of nacht? Alles gloeide in vlammend rood.

De demon zag haar. Was zij echt zoveel mooier dan alle anderen? Haar man Donter had dat altijd gezegd: 'Daarom heb ik jou ook uitgekozen en geen andere Rurgaanse.' Zelfs de demon leek nu schunnig te grijnzen.

De demonen waren sterfelijk. Donters moordenaar had met zijn leven moeten boeten voor zijn daad. Nenamlelah kon zich het gevecht in het wiebelende schuitje niet meer herinneren. Was de demon bezweken aan de wonden die Donter hem met zijn laatste kracht had toegebracht, of was zij zelf degene geweest die hem had overweldigd? Waarmee? Met haar blote vuisten?

De demon slenterde ontspannen op haar af. Een rechtop lopende hond zonder duidelijke geslachtskenmerken. Geen vrouw, geen man, geen nachtmerrie.

Schuin van boven kwam Taisser. Vanaf een dak. Hij goot iets uit. Brandolie. Hij gooide iets. Een visnet. Hij gooide nog iets. Een fakkel. De olie trof de demon. Het net flodderde om de demon heen. De fakkel trof de demon. De demon vatte vlam. Taisser kwam neer, verstuikte zijn voet, kwam moeizaam en schreeuwend overeind en ramde een speer door de brandende demon. De demon pakte de speer, hield hem vast en stootte hem daarna terug naar Taisser. De stompe kant van de zelfgesneden speer drong door Taissers geïmproviseerde wapenrusting en buikwand en bleef daar steken. Met wijd opengesperde ogen viel Taisser bevend ter aarde.

Nu schreeuwde Nenamlelah ook. Ze viel aan met haar kling. De namen van haar broers gingen door haar heen. De demon leek van de vlammen op zijn lijf te genieten als van een plens koud water in de zomer. Hij lachte hees.

Waarom is het er maar één, vroeg Nenamlelah zich af. Waarom krijg ik altijd maar met één enkele te maken? En waarom heeft die ene altijd de macht om me alles te ontnemen waar ik om geef? Moet ik vernederd worden omdat ik trots ben geweest?

Ze sneed hem. Hij sloeg haar. Haar ruggengraat brak.
Toen ze viel, voelde ze eenzaamheid en pijn.
Ze dacht aan de liefdesnacht, aan dat laatste verzet tegen de dood.
Waar was die nacht heen gegaan, dat je hem niet kon volgen?

Orogontorogon had nog een poosje lol op dit eiland. Hij doodde mensen en vogels, verwoestte hutten en bosjes, en eenmaal zelfs een rots. Hij stelde vast dat de overal geknoeide vogelpoep goed brandde en zette daarmee alles in een walmend schijnsel.

Maar toen verveelde hij zich al snel. Het eiland was niet groot genoeg. Het bood niet veel afwisseling voor een demon die lang gevangen was geweest.

Hij liep terug naar het smeulende dorp. Een van de mensen was zelfs nog in leven, een huilende blonde met het stompe eind van een speer in zijn buik.

'En?' vroeg Orogontorogon hem. 'Is hier niets meer? Geen verborgen grotten en wonderen?'

'Niets,' rochelde de mens.

'Waarom verdedigen jullie het dan zo, dit stinkende zandgat?'

'Omdat... deze mensen... hier thuis waren...'

'Ik begrijp jullie niet. Ik ben lang thuis geweest in de Demonenpoel, maar ik zou die nooit verdedigen of zelfs maar missen.'

De mens keek hem eigenaardig aan en bracht toen een woord uit dat Orogontorogon niet meteen verstond. De demon moest ernaar vragen. 'Wat?'

'Kelm,' herhaalde de mens. 'Het... eiland Kelm. Ten westen van hier. Dat zit... vol wonderen. Die moet je je niet... laten ontgaan...'

'Waarom vertel je me dat? Wonen daar geen mensen, die je op die manier de dood in jaagt?'

'Nee,' zei Taisser met een trillende glimlach. 'Daar wonen... geen... mensen...'

Toen werd zijn blik star. Hij was gestorven.

Blannitt had overwogen ertussenuit te knijpen.

Kon de demon hem over het water volgen? Sneller zwemmen dan de Miralbra voer? Hij wist het niet. Maar als dat zo was zou het Blannitts einde betekenen, terwijl je het verder met deze rode hond eigenlijk heel goed kon redden als je maar deed wat hij wilde. Bovendien hadden ze zijn trouwe meisje op het strand gezet. Blannitt zou de oude dame toch niet zonder hulp terug in het water kunnen slepen. Dus bleef Blannitt waar hij was en opende een nieuw vat.

Na een paar uur kwam de demon over het strand terug. Hij zag er bebloed, roetig en verschroeid uit en maakte zich eerst schoon in het water van de inham voor hij Blannitts eenmaster met één hand terug in het water schoof.

'Was het de moeite waard?' waagde Blannitt het te vragen. Het pas geopende vaatje vulde hem met een warme moed.

De demon antwoordde eerst niet. Toen zei hij: 'Nu Kelm. Naar het westen. Naar het eiland Kelm.'

'Jawel, meester!' bromde Blannitt, en hij groette bijna militair. De alcohol hielp hem met een warme en zachte omhelzing om niet verder over het rode strand met de verspreide mensenlichamen te hoeven nadenken. 'Kelm zal het zijn! Het is daar prachtig, op Kelm, veel groener en bloeiender dan dit volgekakte Rurga. Naar Kelm dus! Waarom ook niet weer naar Kelm?'

31
Nog negentien tot het einde

De eerste uren voelde de koningin zich zeeziek. De bewegingen van het reuzeninsect waren heel anders dan die van een paard: een voortdurend op en neer rollen over acht verschillende assen. Maar op den duur wende ze daaraan.

Jmuans hand op haar buik was totaal niet zoals het hoorde. Ze was nog altijd koningin, verdorie! Maar ze had dat houvast nodig om niet helemaal tegen hem aan te leunen of haar achterste tegen zijn dijen te drukken. Ze ademde zo oppervlakkig mogelijk om te voorkomen dat zijn donkere hand op haar buik ging bewegen.

De negen andere Orisoners, die de troep rekamelkisjruiters te voet begeleidden, waren snel uitgekozen. Het ging zonder uitzondering om betrouwbare uniformdragers, die al sinds de oprichting van deze uit alle baronaten samengestelde ordetroep Laes vlucht begeleidden. Graag had de koningin bovendien de zeven Dochters van Benesand om zich heen gehad, maar deze jonge groep huurlingen leek te zeer met hun paarden te zijn vergroeid om zich tot voetgangers te laten degraderen. In plaats daarvan had Lae de Dochters opgedragen op de 990 wachtende Orisoners te letten die het land Coldrin niet verder binnen mochten gaan. Marna Benesand voerde nu dus het bevel over bijna duizend ruiters, maar had orders om deze troep zo weinig mogelijk van zijn plaats te laten komen.

Tijdens de rit door wonderlijke karstlandschappen vol cactussen en olijfbomen bleef Jmuan hardnekkig zwijgen. Toch waagde de koningin het nog eens te vragen naar zijn goede taalkennis.

'Meer dan twintig jaar geleden,' verklaarde de Coldriner ten slotte, met een vervormde stem doordat hij zijn helm weer had opgezet, 'zond jullie toenmalige koning gezanten naar ons. Kun je je dat nog herinneren?'

'Ja. Koning Tenmac III was mijn directe voorganger op de troon.'

'Zo. Ik had je jonger ingeschat. Maar goed. Ónze koning' – hij benadrukte het woord 'onze' met ronduit wilde trots – 'dacht destijds dat het geen kwaad kon als een aantal van onze kinderen jullie taal leerde. Dus toen zijn veertig kinderen door een van de gezanten onderwezen in de taal van Orison. Ik was daar een van. En van ons veertigen verricht bijna iedereen patrouillediensten in het randgebied van de zuidelijke bergen, omdat wij ons verstaanbaar kunnen maken.'

'Ik begrijp het. Jullie koning lijkt een vooruitziende blik te hebben. Maar ik kan me nog herinneren dat geen van de gezanten van Tenmac III ooit naar Orison is teruggekeerd. Daardoor zijn de betrekkingen tussen onze landen helaas weer in het slop geraakt.'

'Veel gezanten werden ziek en stierven. De lucht in Coldrin is niet goed voor jullie, omdat jullie niet gewend zijn aan de mist. Een paar dagen kunnen waarschijnlijk niet veel kwaad. Maar een paar weken wel.'

'Ik begrijp het.' Lae knikte opnieuw. 'Maar zijn niet alle gezanten destijds gestorven?'

'Niet allemaal. Een aantal overleefde en besloot bij ons te blijven. Maar van hen leeft er ook nog maar één. Je kunt hem ontmoeten als je wilt.'

Jmuan verviel weer in zwijgen en Lae dacht na. Het klonk onzinnig dat koninklijke gezanten zomaar hun dienst verlieten om op de plek te blijven waar ze heen waren gezonden. Het waren tenslotte geen weggelopen niksnutten, maar goed opgeleide specialisten. Temeer daar Tenmac III zijn gezanten in vredestijd had kunnen uitkiezen, in alle rust, en zich niet zoals Lae tevreden had moeten stellen met een bard en een ouwelijke lerares. Bovendien klonk het verhaal over de giftige mist ongeloofwaardig. Als die voor alle Orisoners dodelijk was – waarom was er dan eentje na meer dan twintig jaar nog in leven? Nee, wat Lae betrof waren de verschrikkelijke oude legenden over de kannibalenkoning Turer nog beslist niet ontkracht.

Ze kwamen voorbij dorpen die opgebouwd leken te zijn uit gigantische slagtanden, ribbenbogen, schedels en kaken van onvoorstelbaar grote hagedissen, en enorme hoeveelheden leer, vacht, leem en touwwerk. De mensen in deze dorpen hadden een donkere huid en waren mooi, maar bevonden zich allemaal op een nog niet verstedelijkt jagers-en-verzamelaarsniveau van de beschaving. De nederzettingen zelf droegen vreemde namen als Hew-Uzef, Wug, Xutt-Kah, Wetuf-Wetuw en – het meest indrukwekkend – Naidub-Uiz-Schusa. Koningin Lae voelde dat de moeilijkheid om zulke namen te onthouden en ze ook nog goed te kunnen uitspreken het bijna onmogelijk maakte in dit land de weg te vinden. Het land zelf werd overigens door zijn bewoners Koll-Turuin genoemd, wat zoveel betekende als 'Middelpunt'.

Omdat Lae niet wist hoe groot Koll-Turuin was, had ze ook geen idee hoe lang de reis naar de koning zou kunnen duren. Maar op de tweede dag van hun rit maakte Jmuan de bemoedigende opmerking dat het niet ver meer was.

Het landschap werd steeds paarser. De overal aanwezige waskeukennevel ging over in wattige grondmist. Of het kwam door wat Jmuan haar over de mist had verteld, of dat ze het zich maar verbeeldde – in elk geval had Lae echt het gevoel dat ze in de witachtige wolkenmassa slecht kon ademhalen. Ze nam een geur of smaak waar die haar op onprettige wijze aan sperma deed denken.

Toen, op de derde dag van hun rit – duidelijk eerder dan wanneer ze geprobeerd zouden hebben vanuit de bergen Orison-Stad te bereiken – kwamen ze bij de nederzetting die Jmuan als Udazede aanduidde: Koningsnest. Het ging nog altijd niet om een echte stad. De slagtanden en hagedissenschedels leken hier nog groter, de hoeveelheden leem en touwwerk waarmee alles bij elkaar werd gehouden nog indrukwekkender, maar het was net zo goed een verzameling van de meest uiteenlopend gevormde hutten van leer en vacht, die eruitzagen of ze niet tegen een flinke regenbui zouden kunnen.

Lae vroeg zich af of het in Coldrin ooit regende.

De bewoners verdrongen zich nieuwsgierig rond de gearriveerde troep, maar er was geen sprake van een bijzonder eerbetoon. Niemand had bloemen gestrooid of hutten met guirlandes versierd. Niemand vormde een erehaag of maakte muziek. Niemand presenteerde trots zijn leger en liet het heen en weer marcheren, zoals zelfs in Orison onder bevriende baronaten de gewoonte was als de ene baron de andere een officieel bezoek bracht.

Misschien was Laes aankomst – met negen begeleiders te voet en zonder enige praal – gewoon niet spectaculair genoeg. Ze droeg haar kroon niet eens. Die had ze bij Lehenna Kresterfell achtergelaten, zodat dat waardevolle erfgoed van Orison niet in de handen van Coldrinische wilden of afpersers zou vallen. Misschien erkende koning Turer een Orisonische koningin ook gewoon wel niet. Misschien wel omdat ze een vrouw was. Jmuans rekamelkisjtroep bestond in elk geval uitsluitend uit mannen. Ook in de dorpen leken de vrouwen altijd vooral met dragen, wassen en ander werk bezig te zijn, terwijl de mannen rondhingen, kletsten en rookten. De geur van de golvende mist versterkte Laes gevoel nog eens dat ze in een primitieve mannenwereld terecht was gekomen.

De hut van de koning was groter dan andere hutten, maar nog lang geen paleis. Lae kon zich niet aan de indruk onttrekken dat ze eerder naar een dorpshoofd werd geleid dan naar de koning van een reusachtig land. Hier klopte iets niet. De legenden die in Orison over de onsterfelijke Turer werden verteld waren veel en veel groter dan de nederzetting Udazede.

Jmuan liep voorop en gebaarde de koningin even op hem te wachten. Daarna stond ze leunend op haar vernederende krukken met haar negen verschillend geüniformeerde lijfwachten voor de hagedissenleren ingang van de koningshut. Ze had zich vaak voorgesteld hoe haar ontmoeting met Turer eruit zou zien. Een stad van puur goud. Ivoren paleizen, omringd door siervijvers. En Turer als de vleesgeworden rijkdom, onbeperkte macht en eeuwigheid.

Na een eindeloos lijkende wachttijd leidde Jmuan hen naar binnen. 'De koning zal naar je luisteren,' zei hij. 'Ik zal vertalen.'

Lae mocht haar lijfwacht mee naar binnen nemen. Het interieur van de hut was met vachten, tanden, beenderen en wandtapijten aangekleed en verschilde daarin niet wezenlijk van de buitenkant. Het rook naar brandende kruiden, waarvan de rookflarden de ruimte blauwachtig kleurden. Onwillekeurig vroeg Lae zich af of de Coldriners zonder zwevende deeltjes in de lucht niet konden leven. De muren en wandtapijten waren eigenlijk donkerrood, maar door de rook zag ook hier binnen alles er paars uit. Halfnaakte dienaressen stonden bevallig klaar en presenteerden hun met olie ingesmeerde borsten. Verscheidene mannen in met veren en botten versierde kleding zaten her en der en keken traag op van hun dobbelspel. Jmuan was de enige die een wapenrusting uit insectenonderdelen droeg. Op de achtergrond stond een gevlochten stoel, die je met de beste wil van de wereld geen troon kon noemen. Op die stoel zat een tengere grijsaard, zwart en glanzend als ravenveren en op een paar leren lappen na schrikbarend naakt. Zijn mond en neus leken wel alleen maar diepere plooien of littekens in zijn gerimpelde gezicht. Was dit koning Turer van Coldrin? De oude man zag eruit alsof hij vrijwel geen voedsel tot zich nam, laat staan een menseneter was.

Jmuan ging voor hem staan en vertelde hem iets in de klakkende taal van Coldrin. De oude luisterde, knikte langdurig en antwoordde vervolgens met een zachte stem, die klonk als het schuren van zand langs mosselschelpen. Jmuan vertaalde. Hij had zijn helm weer afgezet en bekeek koningin Lae met een spottende glimlach. 'Koning Turer heet je welkom in zijn land. Hij is al oud en vraagt je je verzoek kenbaar te maken zonder al te uitvoerig de voorgeschiedenis te vertellen.'

'Ik begrijp het,' zei de koningin. 'Ik zal het kort houden: het land Orison wordt geteisterd door een groot gevaar. Demonen zijn uit de Demonenpoel...'

De oude man hief een hand op en fluisterde Jmuan iets in het oor. Jmuan vertaalde glimlachend. 'Koning Turer vraagt je hem zonder omwegen te vertellen wat je van hem wilt.'

'Wat ik van hem wil? Heb je eigenlijk al vertaald wat ik hem zonet heb gezegd?'

Jmuan hield zijn glimlach in de plooi. 'Koning Turer kan verstaan wat je zegt als je het uitspreekt. Hij verstaat ook sommige dingen die je nog niet in woorden hebt gevat. Soms maakt dat hem ongeduldig. Ik ben hier alleen maar om zíjn woorden te vertalen.'

'Ik begrijp het,' zei Lae weer. Taisser had haar jaren geleden ooit aangeraden je gesprekspartner het gevoel te geven dat die serieus genomen werd door hem te laten merken dat je zijn problemen kon begrijpen. Hoe graag zou ze nu Taissers aan trucjes grenzende handigheid in het onderhandelen hebben. 'Ik wil,' zei ze, hees van de rook, 'dat onze lànden een militair bondgenootschap sluiten tegen de demonen. Als Orison valt, zal vervolgens ook Koll-Turuin vallen. Het gevaar van de demonen bedreigt ons allemaal.'

Ze had haar verhaal nog maar nauwelijks afgemaakt toen de oude man alweer met een hoge, chagrijnig lijkende stem op Jmuan in begon te praten. Lae kon de ogen van de koning te midden van de wirwar aan rimpels op zijn gezicht niet goed zien, maar ze had kunnen zweren dat hij haar nog niet één keer direct had aangekeken. Misschien was de grijsaard wel blind.

De rekamelkisjtemmer Jmuan vertaalde. 'Koning Turer vraagt waarom hij niet in alle rust zou afwachten tot Orison en Orisons vijanden elkaar hebben afgeslacht, om de ongetwijfeld verzwakte overwinnaar daarna pas aan te vallen.'

De koningin voelde over haar hele lichaam het zweet uitbreken. Turers vorm van diplomatie verschilde nauwelijks van een openlijke oorlogsverklaring. Hadden al diegenen gelijk gehad die haar hadden gewaarschuwd de slapende hond Coldrin niet wakker te maken? 'De demonen... worden sterker naarmate ze meer mensen doden en opeten. Als koning Turer eerst wil afwachten tot heel Orison is vernietigd, zal hij daarna met onoverwinnelijke tegenstanders te maken krijgen.'

'Die... daimonin,' vroeg Jmuan, zonder een uitspraak van de koning af te wachten, 'zijn dat dezelfden die duizenden jaren geleden overal in Orison werden aangetroffen?'

'Dat weet ik niet. Mogelijk. Maar misschien zijn het ook andere. Nieuwe soorten. We hebben tot nu toe geen tijd gehad om onderzoek te doen. We zitten midden in een oorlog.'

De grijze koning knikte weer lang voor zich uit. Toen lispelde hij iets. Jmuan vertaalde. 'Drie divisies rekamelkisjruiters. Meer zal ik je niet geven.'

'Hoeveel ruiters zijn drie divisies?'

'Driemaal zevenduizend.'

Lae slikte. 'Dat is een goed en edelmoedig hulpaanbod. Ik moet de koning er evenwel op wijzen dat het demonenleger ongeveer vijfmaal zo groot is.'

De grijze koning bleef voor zich uit knikken alsof hij seniel was. Jmuan sprak met hem. Er werden enkele woorden tussen de twee gewisseld. Toen zei Jmuan: 'Koning Turer zegt dat drie divisies meer dan genoeg zijn. Ikzelf, Jmuan, zal een ervan aanvoeren. De andere zijn die van Dirgraz en Chahiddu. De drie divisies zullen elkaar treffen in het noorden van de altijdwitte bergen. Ordonnansen zullen meteen op weg gaan om de twee andere hoofdmannen in te lichten. Morgen vertrekken we weer. Het onderhoud met de koning is ten einde.'

Geërgerd keek de koningin heen en weer tussen Turer en Jmuan, maar de oude man zei inderdaad niets meer en knikte alleen maar. Het leek wel alsof hij vergeten was dat hij niet alleen was met zijn mooie dienaressen, want hij krabde zich volkomen ongegeneerd tussen zijn benen.

'Dan rest mij alleen nog de koning te bedanken.' Lae boog voor de grijsaard en maakte vervolgens dat ze op haar onhandige krukken de hut uit kwam, voor zich nog meer pijnlijkheden voordeden. Haar lijfwachten duwden tegen elkaar aan, betoverd – mannen zowel als vrouwen – door de blote boezems van de dienaressen.

Buiten maakte de rook weer plaats voor de obsceen stinkende nevel. Lae kreeg sterke braakneigingen.

Maar toch: het aanbod van de koning was niet slecht. Eenentwintigduizend krijgers was weliswaar minder dan Lae zelf nog aan vluchtelingen ter beschikking had, maar als ze op schrikwekkende reuzeninsecten reden veranderden die 21.000 in tweemaal zoveel strijdeenheden, misschien zelfs driemaal zoveel, al naar gelang de insecten ook actief meevochten. De vlucht naar Coldrin was dus de moeite waard geweest: het Orisonische leger keerde echt duidelijk versterkt uit de bergen terug. En eigenlijk was Lae blij dat Turer geen honderdduizenden van zijn troepen naar Orison zond. Eenentwintigduizend was een hoeveelheid die na het einde van de demonenoorlog moeilijk het karakter van een bezettingsmacht kon aannemen.

Laes hoop wankelde pas toen Jmuan tegen het eind van die dag de laatste overlevende gezant van Tenmac III naar de haar toegewezen leren tent stuurde.

De gezant was uitgemergeld, vuil, vrijwel naakt, over zijn hele lichaam met ringen doorboord en volkomen krankzinnig. Hij bazelde iets onsamenhangends over de 'duivel Turer', de 'liefde van de insecten' en 'insectenvrouwen', de 'sprekende nevel', over 'meerdere Turers, die overal verspreid alles te weten kwamen wat je zei en dacht', over 'reusachtige Turers en piepkleine Turers', over 'stervende Turers en Turers die geboren worden' en soortgelijke mallepraat. Pas toen hij over vluchtelingen begon te babbelen die 'overal opgegeten werden', spitste de koningin haar oren en vroeg door.

'Over welke vluchtelingen heb je het?'

'Aan de kusten!' antwoordde de gek met opengesperde ogen. 'Uit Ferretwery en Zarezted, uit Eugels en Akja! Ze beproeven hun geluk, ontvluchten Orison in schepen en landen in Coldrin, zodat die monsters hier tenten van hun huiden kunnen maken!' En hij keek om zich heen in Laes leren tent, spreidde met een gezicht vol weerzin zijn armen uit en rende schel schreeuwend naar buiten.

De koningin kon alleen maar haar hoofd schudden. Ze nam een punt van de tent tussen duim en wijsvinger. Dat was geen mensenhuid, zoveel wist ze wel van leer. Mensenhuid was nooit zo dik en wrattig. De gezant had gewoon zijn verstand verloren.

Toch liet de kwestie van de vluchtelingen haar niet los. Ze verliet haar tent zonder lijfwachten en zocht in de vreemd spinnenwebvormige straatjes van Udazede naar Jmuan. Uit een hut waar Lae langs kwam klonken duidelijk herkenbare geluiden. Ze kon haar nieuwsgierigheid niet bedwingen en wierp een blik door het wijd open deurgordijn. Een man besteeg een vrouw die aan een tafelblad was vastgebonden van achteren. De tafelpoten bestonden uit botten. De vrouw keerde de koningin slaperig haar gezicht toe en vertrok het tot een grimas van pijn en wellust. In een ander straatje speelden kinderen met een schorpioen. Daarbij sneden ze het dier geleidelijk aan van achter naar voren in plakjes. De schorpioen leefde nog steeds en probeerde zonder succes te ontsnappen. Op de achtergrond bewogen binnen een omheining de geketende omtrekken van rijschorpioenen.

Opnieuw voelde Lae de neiging om over te geven. De mist drong niet alleen door haar neus binnen, maar op een benauwde manier ook door alle poriën in haar lichaam. Ze werd duizelig; haar gespalkte been hield haar in elkaar klappende lichaam overeind als een tentstok, maar ze zou onherroepelijk zijn gevallen als Jmuan haar niet had opgevangen.

'Je moet hier niet alleen rondlopen, koningin,' zei hij met klakkende tong. Het was haar niet duidelijk waar hij zo plotseling vandaan was gekomen. Zijn stem klonk als een slaapliedje. 'Ik draag je wel terug naar je tent.'

Het maakte Lae allemaal niet uit. Weerloos liet ze zich door de donkere krijger in de armen nemen en naar haar tent brengen. Daar vlijde hij haar neer op haar bed van ruige vachten.

'Hoe zit dat met de vluchtelingen?' vroeg ze mat. 'Degenen die op jullie kusten landen? Met schepen?'

‘Ze slaan te pletter,’ antwoordde Jmuan. ‘Onze kusten zijn steil en wild, vol draaikolken en klippen. Wijzelf bouwen alleen schepen voor rivieren, nooit voor de zee.’

‘Ze willen jullie geen kwaad doen. Jullie zouden hen net zo goed welkom kunnen heten en opnemen. Ze hebben vast spullen van waarde bij zich om jullie mee te belonen.’

‘We kunnen niet voorkomen dat ze aan de kust verdrinken. We hebben geen boten.’ Jmuan streek de koningin over haar haar, tot ze dodelijk vermoeid was ingeslapen.

In haar dromen paarde de gekke gezant met een bidsprinkhaan zo groot als een mens. Vlak voor het einde vrat het insect zijn schreeuwende hoofd op.

32
Nog achttien tot het einde

Culcah zat in een van de weelderigste paleizen van Orison-Stad met witte wijn en gesuikerde mensenniertjes, en maakte aan een met lijsten bezaaide tafel de balans op.

Uit het zuiden waren verheugende berichten gekomen: de overijverige officier die met zijn 5000 demonen sterke leger de Binnenburcht van het Zevende Baronaat had moeten innemen en die het toen gewoon op eigen houtje gewaagd had verder te marcheren, was samen met zijn leger teruggekeerd en had trots gemeld dat hij volledig geslaagd was. Alle drie de burchten van het Zevende Baronaat waren gevallen en door demonen bezet; de havensteden Feja, Cilsdokh, Vakez en Aztreb waren eveneens geïnspecteerd en vernietigd verklaard door de afvallige demonen aan de zuidkust.

Culcah besloot de overijverige officier niet te bestraffen. Hij bleef Orisons raad volgen en deed net alsof in het Zevende Baronaat alles volgens plan was verlopen. Onder de demonensoldaten waren in elk geval weinig slachtoffers gevallen.

De verovering van het noorden daarentegen had Culcah zegge en schrijve 34.000 demonen gekost.

De 10.000 van Orogontorogons snelle achtervolgingstroep waren gesneuveld. Nog eens 10.000 in het Vierde Baronaat door de kristalridders. Nog eens 3000 bij de strijd om Witercarz. Nog eens 3000 door ridder Stomstorm en het door hem aangewakkerde verzet in het Tweede Baronaat. Nog eens 1000 bij de slag die de Hoofdburcht van het Tweede Baronaat uiteindelijk in handen van de demonen had gebracht. Nog eens 5000 waren in het Eerste Baronaat gedeserteerd en door de reguliere troepen gedood. Nog eens 2000 waren daarbij gesneuveld door de handen van de deserteurs.

Dat waren samen 34.000 slachtoffers. Een ongelooflijk, regelrecht verpletterend aantal.

Van de 93.000 demonen die hem aan het begin van de noordelijke veldtocht ter beschikking hadden gestaan waren er dus nog maar 59.000 over. Van die 59.000 waren op hun beurt 10.500 in eenentwintig burchten met elk 500 demonen gedetacheerd: steeds drie burchten in de Baronaten Een, Twee, Drie en Vier, steeds nog eens drie burchten in de al overijverig, dan wel aan het begin van de uittocht uit de Demonenpoel veroverde Baronaten Zeven en Zes, en tot nu toe alleen nog maar de Binnenburcht in de Baronaten Vijf, Acht en Negen. De Negende Binnenburcht was oorspronkelijk door de naar het Merendal gedeserteerde demonen helemaal niet ingenomen. Maar intussen had een van Culcahs onderofficiers eigenhandig deze schandvlek ter hand genomen en de uitbreiding van het controlegebied van de hoofdstad naar de Binnenburchten voltooid. Daar kwamen nog 500 gedetacheerden in de stad Witercarz bij.

Culcah moest het nu dus met slechts 48.000 demonen redden. Mocht hij op de zuidelijke veldtocht net zoveel verliezen lijden als in het noorden, dan zou hij vervolgens nog nauwelijks genoeg soldaten overhouden om het land Orison fatsoenlijk te beheersen.

Het was hem echter duidelijk dat de noordelijke balans door een aantal unieke factoren vertekend was. Tienduizend onnodige slachtoffers zoals bij Orogontorogons volkomen zinloze achtervolgingsmanoeuvre zouden niet nog eens vallen. Ook de kristalridders van het Vierde Baronaat waren overwonnen, en geen enkel ander baronaat beschikte over zulke gevaarlijke speciale troepen. Al evenmin zou er waarschijnlijk nog eens een desertie voorkomen, nu alle deserteurs met hun leven hadden geboet voor hun gedrag. Daarom kon Culcah voor het zuiden van een aantal verliezen uitgaan dat 27.000 lager lag dan dat van het noorden.

Hoogstens moest er rekening worden gehouden met nieuwe Stomstorm-fenomenen en afzonderlijk verzet van hardleerse burchten. Het Zesde en Zevende Baronaat waren al doorkruist en geplunderd. De Baronaten Vijf, Acht en Negen zouden wel geen bijzondere verrassingen meer in petto hebben, temeer daar hun zuidkusten al door de plunderende, afvallige horden demonen van de eerste vrije dagen waren geteisterd.

In het geheim had Culcah nog altijd de hoop niet opgegeven dat hij deze 10.000 verkapte deserteurs op een goede dag weer in zijn bestand kon invoegen.

Hij leunde achterover en bekeek met al zijn drie gezichten de wandversieringen die de mensen zo mooi vonden. Vlakke pogingen om landschappen uit te beelden, in protserige lijsten gedwongen, alsof de echte wereld grenzen kende. Breekbaar vaatwerk. Tapijten met ingevlochten onzinpatronen, die nooit één enkele stap zouden dempen. Schilderijen van coördinatoren en hoofse hielenlikkers die allang in hun graf lagen weg te rotten. Wapens van uitgestorven families, die probeerden de karaktertrekken van een stamboom tot een hert of een linde terug te brengen. Versierselen voor ijdel vrouwvolk.

Wat was Orison van plan?

De demonenkoning had zich al lang niet meer laten zien; ook voor zijn legeraanvoerder gaf hij niet thuis.

Liep alles volgens plan omdat Culcah op het punt stond het hele land te onderwerpen? Of liep alles volgens plan omdat Culcah al een derde deel van zijn leger had verloren en nog een derde deel mogelijk in het zuiden verloren zou gaan? Hoe prettig Culcah het ook vond om de onbeschaamde Orogontorogon de schuld te geven van het verlies van 10.000 snelle demonen, in werkelijkheid was hem duidelijk dat Orison dit bevel had gegeven en Orogontorogon niets meer was geweest dan een ijverige hond die een stokje in het landschap was toegeworpen.

Wat was Orison van plan?

Vrijheid of duisternis? Overwinning of ondergang? En waarom ondergang? Om alleen te kunnen zijn? Het gekrioel niet meer te hoeven verdragen waar de grote Orison al in de Poel zo'n hekel aan moest hebben gehad dat hij zich in een verborgen raadkamer had teruggetrokken met een klein groepje getrouwen? Zou hij nu ook een paar vertrouwde demonen toestaan te blijven leven? Zou Culcah bij die uitverkorenen horen? Als hij zich niet verzette misschien. Drie gezichten waren niet voldoende om de houding van een wezen als Orison te begrijpen.

Culcah zuchtte. 'Het is gewoon om van te kotsen.'

Het plan voor het zuiden was simpel. Drie legers van elk 10.000 demonen, één naar het Vijfde, één naar het Achtste, één naar het Negende. Minder dan 10.000 per leger leek hem te riskant, omdat hij niet wist hoe agressief en vijandig de demonen aan de zuidkust zich zouden gedragen. Het was het slimste om elk verzet meteen bij voorbaat door een demonstratieve overmacht in de kiem te smoren. Als bevelhebbers voor deze drie legers koos Culcah degenen die zich in het noorden al trouw hadden betoond, ook de graatmagere officier die zijn problemen had gehad met Stomstorm, maar in grote lijnen alles strategisch juist had gedaan. De overijverige officier uit het Zevende daarentegen wees Culcah liever een post binnen de hoofdstad toe dan het risico te lopen hem nog eens uit het oog te verliezen.

Dertigduizend soldaten eropuit zenden betekende dat de hoofdstad met nog maar 18.000 demonen bemand zou zijn. Maar bestond er dan echt gevaar dat de mensen nog samenhangend verzet zouden kunnen bieden? Stomstorm was weliswaar ontkomen en spookte nog ergens rond, maar zelfs die respectabele strijder kon geen legers uit sneeuw bakken. De mensenkoningin had nog duizenden vluchtelingen de bergen in kunnen leiden, maar ook die moesten eerst langs alle nu met demonen bezette burchten in het noorden sluipen voor ze de hoofdstad bereikten. Voor die tijd was minstens het bekwaamste van de drie naar het zuiden gezonden legers van 10.000 man alweer terug om de bezetting van de hoofdstad te verdubbelen.

Dan waren er ook nog de noordelijke, nog niet door de afvalligen verwoeste havensteden. Maar wie zou die allemaal onder gemeenschappelijke leiding kunnen brengen om effectief tegen de demonen op te treden? Hoe lang moest dat duren? Elke afzonderlijke havenstad was van haar achterland afgesneden. Als eilanden dreven deze steden nu in zee, steeds verder uiteen, zolang oorlog en vrees in Orison heersten.

Nee, Culcah rekende er niet meer op dat de mensen in een tegenaanval zouden slagen. Niet nadat de kristalridders vernietigd waren en Stomstorms laatste vrije bastion was gevallen.

Toen Culcah zich naar de officiersonderkomens begaf om zijn bevelen in een persoonlijk gesprek duidelijk kenbaar te maken, kwam een van de demonen hem tegemoet die zich sinds kort met de administratieve aangelegenheden van de hoofdstad bezighielden.

'Hoge veldheer,' sprak de katachtige demon hem vleiend toe. 'Om het al besproken probleem van de schaarste aan mensenniertjes op te lossen zou ik willen voorstellen fokplaatsen te stichten. We sluiten gewoon steeds honderd mensen, mannetjes en vrouwtjes flink door elkaar, naakt op binnen een omheining, waar ze hun natuurlijke driften de vrije loop kunnen laten. Op die manier wordt er steeds voor nieuwe voorraad gezorgd. De relatief lange draagtijd van de vrouwtjes vormt natuurlijk een probleem. Hier moeten de investering en het nut van voeding en huisvesting tegen elkaar worden afgewogen, maar ik denk dat we zonder meer iets over moeten hebben voor onze pas verworven levensstandaard.'

Culcah snoof verachtelijk. Als je de demonen lang genoeg in vrijheid liet, zouden ze waarschijnlijk ook al snel beginnen afbeeldingen van zichzelf aan muren te hangen, breekbaar serviesgoed op te potten en boeken vol te krabbelen met zinloze gevoelens.

Misschien was dat het wat Orison voorzag en wat hij hun allemaal wilde besparen.

33
Nog zeventien tot het einde

Marna Benesand reed heen en weer, heen en weer. Haar wangen waren rood. Ze had 990 vrouwen en mannen te paard onder haar bevel, en die 990 behoorden tot de besten en taaisten die de troep vluchtelingen te bieden had gehad.

Marna Benesand dacht na. Over Faur Benesand, hun geestelijke en ook lichamelijk verinnerlijkte vader. Had ze hem niet willen zoeken in het mistige Coldrin? Naar tekenen van zijn aanwezigheid of zijn voorbijkomen speuren? Nu zat ze hier vast, mocht niet verder, moest wachten, wachten, wachten, tot de koningin, weerloos, hinkend, gewond in lichaam en ziel, alle beslissingen alleen had uitgevoerd!

De koningin had Marna nooit iets verweten omdat háár paard de rode hondendemon in staat had gesteld haar been te breken en haar heupen te verscheuren. Maar toch voelde Marna de schaamte nog altijd. De schaamte was als een dwang om de smaad uit te wissen en voortaan alles beter te doen dan van haar verwacht werd.

Maar wat kon ze doen met haar 990 vrouwen en mannen? Hoe graag had ze de dorpen van het veel te lang gevreesde Coldrin overvallen, ze platgebrand en geplunderd, en angst gezaaid in het griezelige land van de sprookjes uit haar jeugd. Maar dat zou schadelijk zijn voor de onderhandelingen en het bondgenootschap die het doel van de koningin vormden. Hoe graag was ze dieper in Coldrin doorgedrongen als misschien wel de eerste ontdekkingsreizigster uit Orison, had ze kaarten laten vervaardigen om het griezelige land te ontginnen en begrijpelijk te maken. Maar ze mocht hier niet weg, mocht de terugkeer van de koningin niet missen. Hoe graag had ze naar Faur Benesand gezocht en –

mocht blijken dat hij hier nooit was geweest – een en ander aan zijn legende toegevoegd. Maar ze had nu 990 vrouwen en mannen te beschermen en mocht niet meer alleen aan zichzelf en haar mooie zusters denken.

’s Avonds ging ze van kampvuur naar kampvuur en vertelde over haar beroemde vader. Onder de 990 waren er verscheidenen die hem zelfs persoonlijk hadden gekend. Faur Benesand was nog altijd een van de coördinatoren van het Zesde Baronaat geweest, en iedereen die daar destijds had gewoond kende op z’n minst zijn naam en reputatie. ‘’t Was een knappe vent, ja, dat valt niet te ontkennen,’ zei iemand die nog aan de Irathindurische Oorlog had deelgenomen. Meer viel er niet uit hem te krijgen; hij draaide eromheen en weigerde zijn mening te geven toen Marna hem wilde aanmoedigen om te vertellen. *Misschien heeft Faur destijds zijn meisje wel ingepikt*, dacht Marna minachtend. *Dat moet niet moeilijk zijn geweest als ik die ouwe zak zo zie.*

Toen in de nevelige ochtendschemering van de zesde dag duizenden rekamelkisjkrijgers, traag alsof ze gewend waren te overwinnen, de heuvels aan de linkerkant begonnen te overspoelen, wist Marna Benesand onmiddellijk dat haar laatste uur geslagen had. Koningin Lae I was nergens te zien onder dit oprukkende leger. Het waren alleen maar monsters die op monsters reden. Het moesten er meer dan 5000 zijn.

‘Vrouwen en mannen!’ riep Marna haar snel opgestelde leger met bevende stem toe. ‘Dit is het uur van de waarheid! Onze koningin mag dood zijn, ontvoerd of gevangen, maar zolang er ook nog maar één sprankje hoop schittert dat ze nog leeft, zullen wij niet wijken, want ze heeft tegen mij gezegd: “Hou vol!” En volhouden zullen we, mijn dierbaren, mijn getrouwen, tot het bewijs van haar in de mist gevallen beenderen onmiskenbaar in ons aller ziel brandt! Wij wachten op onze schone koningin! Dan laten we ons toch door een paar insecten niet van de wijs brengen? Wij zijn Orisoners! Wij zijn Orison! Laten we dit krabbelende, krioelende uitschot uit Coldrin eens laten zien dat duizend van ons veel meer waard zijn dan een paar duizend van hen!’ De vrouwen en mannen brulden jubelend en wakkerden al brullend hun moed en doodsverachting aan. Marna wentelde zich in de onverholen bewondering van haar zusters Aligia, Teanna, Zilia, Tanuya, Myta en Hazmine. Ze waren allemaal zo mooi –

Marna wilde op dit moment wel met elk van hen afzonderlijk of met allemaal tegelijk de liefde bedrijven.

Een tweede leger insectenkrijgers begon over de rechts liggende heuvels te stromen. Nog eens dan 5000. De aanblik was ontstellend. Verpletterend. Ingewandenverslappend. Spierverwaterend.

'Vrouwen en mannen!' Marna Benesands stem snikte bij elke lettergreep. 'Wij zijn helden! Wij zijn onbuigzaam! Maar bij onbuigzaamheid hoort ook dat wij de toestand niet miskennen! Dat we niet verblind worden, maar ons steeds van onze verantwoordelijkheid bewust blijven! Wij zijn Orison! Als we hier nu sneuvelen, kan niemand van ons de koningin meer bevrijden, die misschien naakt en in ketens als slavin wordt misbruikt! Als we hier nu sneuvelen, overvallen de insectenmonsters als volgende onze in de bergen verborgen vluchtelingenfamilies, en niemand kan hen waarschuwen! Daarom, mijn dierbaren, mijn getrouwen – laten we in de zure vrucht van de schande bijten om met elkaar te proosten met zijn zoete sap! Terugtrekken! De bergen in! Voooolg miiijjj!' De vrouwen en mannen schreeuwden en jubelden nog luider dan tevoren. De ogen van Aligia, Teanna, Zilia, Tanuya, Myta en Hazmine glansden vochtig van liefde, bewondering en dankbaarheid. Marna voelde warme golven door haar lichaam gaan. Eindelijk, eindelijk kon ze iedereen laten zien dat ze voor aanvoerster in de wieg was gelegd! Faur Benesand zou vanuit de hemel of vanaf zijn hoge wereldverzakende kluizenaarsberg – of op welk hoog punt hij zich ook maar mocht bevinden – trots naar haar glimlachen en haar zegenen.

Marna had haar paard net gekeerd toen het dal tussen de heuvels links en rechts zich vulde met een derde rekamelkisjleger, nog eens 7000 op monsters rijdende krijgers. Voor aan dit middelste leger kroop een groteske kever, ongeveer zo groot als een span paarden. Op de rug van die kever was een cirkelvormige balustrade aangebracht. Bij die balustrade stonden de negen laatste begeleiders van de koningin te zwaaien en te lachen, en in het midden van het platform zat koningin Lae I op een van beenderen gemaakte stoel en zag er bleek en plechtig uit.

Marna hield haar paard in en keerde opnieuw. Haar 990 getrouwen overreden haar bijna, maar kwamen vervolgens ook wanordelijk tot staan.

'Gegroet!' riep de koningin hun welwillend toe. Haar stem klonk mat en hol, alsof ze onder invloed van een betovering stond. Maar toen schudde ze zich en maakte duidelijk dat ze geen gevangene was. 'Ik dank jullie dat jullie hier op mij hebben gewacht.' Of ze de spot met hen dreef of het serieus meende, was op deze afstand niet duidelijk. 'De onderhandelingen met de koning van dit land hebben succes gehad. Wij hebben 21.000 bereden krijgers als versterking gekregen, een leger dat in staat zal zijn de demonen gevoelige verliezen toe te brengen en de nog niet onderworpen mensen van Orison nieuwe moed te geven. Laat mij voorstellen: aan mijn rechterhand, de eerste divisie onder kapitein Chahiddu.' Koningin Lae wees op de heuvels die voor Marna links lagen. Kapitein Chahiddu was een kolos, dik, met een baard en een kaal hoofd, zwart van huid als alle Coldriners, en hij reed op een gigantische zilverkleurige pissebed, het weerzinwekkendste dier dat Marna ooit had gezien.

'Aan mijn linkerhand,' ging de koningin verder met uitgespreide armen, 'de tweede divisie onder het bevel van de ervaren kapitein Dirgraz.' Voor de insectenruiters op de heuvels rechts gleed een slanke, witharige man op een soort duizendpoot zo groot als een kleine brug. De man lichtte zijn absurde helm op en knikte Marna zelfgenoegzaam toe.

'En achter mij de derde divisie onder bevel van de jullie reeds bekende kapitein Jmuan.' Jmuan hief groetend zijn hand op vanaf zijn bidsprinkhaan-spinkruising.

Marna voelde dat haar dijen net zo begonnen te beven als de flanken van haar paard. Ze had nu al vaker aanvallende demonen meegemaakt – onder Hugart Belischell, in de hoofdstad en vlak voor ze het Wolkenpijnigergebergte hadden bereikt –, maar geen van die aanblikken was ook maar half zo afschuwelijk geweest als dit kruipende leger van nachtmerrie-insecten. 'Ze zijn érger dan demonen!' schreeuwde het in haar. 'Waar laten we ons mee in? Met welke demonenpoel sluiten we hier een pact?'

Ze schraapte haar keel en dwong haar stem vast te blijven. Ze besloot de laatste resten van haar afbrokkelende gezag met een leugentje te redden. 'We wilden juist gaan rijden om de weg vóór u de bergen in te beveiligen, majesteit! Onze paarden zijn nauwelijks in bedwang te houden tegenover zoveel...' Ze kon niet meer op het vreemde woord komen dat de Coldriners voor hun monsters hadden.

'Ja, mijn trouwe Marna,' gaf de koningin haar gelijk, 'paarden en rekamelkisj gaan niet samen. We zullen ook in de toekomst onze legeronderdelen uit elkaar moeten houden, maar dat zou bij de juiste tactische indeling geen probleem moeten zijn. Rijd vooruit met je duizend, Marna Benesand! We nemen dezelfde weg weer terug die we gekomen zijn. Ik verheug me er al op om Lehenna Kresterfell en onze 27.000 verborgen landgenoten weer te zien en naar Orison terug te leiden. Ons leger is verdubbeld – als de rekamelkisj als zelfstandige strijders worden geteld zelfs verdriedubbeld! We mogen blij zijn en met opgeheven hoofd in de toekomst blikken. We zullen onze hoofdstad terugwinnen!

Marna Benesand zag in de mooie ogen van haar zusters bezorgdheid en afschuw glanzen. Maar dit was niet meer tegen te houden. Wat hadden ze dan ook in 's hemelsnaam verwacht toen ze uitgerekend in Coldrin hulp gingen zoeken?

Ze zouden demonen met demonen bestrijden. En hopen dat alle demonen elkaar daarbij zouden uitroeien.

34
Nog zestien tot het einde

Het eiland Kelm rees op uit de woelige zee als een werkelijk groenere belofte dan het kale en lelijke Rurga.

Orogontorogon stond aan de boeg van de Miralbra en zoog de lucht in door zijn vochtige neus. Altijd maar zout was om somber van te worden.

'Koers houden, klootzak!' snauwde hij Blannitt toe toen hij merkte dat de boeg in de branding slingerde. 'Zeker weer bezopen, hè? Ik vraag me af waar je je hele voorraad verstopt hebt.'

'En dat terwijl ik voor de verandering eens nuchter ben!' kaatste Blannitt terug. In de loop van een paar dagen op hoge zee was de toon tussen hen ruwer, maar tegelijk ook vertrouwelijker geworden. 'Deze branding is raar, dat heb ik de eerste keer dat ik hier binnenvoer al gemerkt. Alsof de golven zich niet het strand op wagen.'

'Waarom zouden golven zich niet op een strand wagen?'

'Dat weet ik ook niet. De hofhotemetoot die ik hier toen heb afgezet wilde een man zoeken die op Kelm woont. Maar hij is zonder die man weer teruggekomen.'

'Omdat die man dood is?'

'Hoe weet ik dat nou? Interesseer ik me soms voor het leven van andere mensen?' mopperde Blannitt. Hij herinnerde zich maar al te goed hoe moeilijk het was in een baai aan te leggen. De kiel van zijn trouwe meisje bedreigd door duizenden steenpunttanden. 'Ik hoop dat je kunt zwemmen, demon. Echt goed voor anker gaan kun je hier namelijk nergens.'

Orogontorogon bedacht dat hij tijdens zijn belevenissen aan de zuidkust geen enkele keer geprobeerd had in zee te duiken. Een demon die deed denken aan een zwarte zwaan met acht vleugels had het gedaan en was jammerlijk verdronken. Orogontorogon wist niet of hij kon zwemmen. Dit was dus een gelegenheid om dat uit te zoeken.

Hij dook overboord. Het water sloeg over hem heen, tegelijk meegevend en uitdagend. Het trok van verschillende kanten aan hem en verkoelde zijn hete lijf. Maar het spul was beslist niet in te ademen, zo werd hem na een paar pogingen pijnlijk duidelijk.

Proestend kwam hij aan de oppervlakte. Hier was alles eenvoudiger; hij kon de boot en het eiland zien en op het laatste afstevenen. Daartoe peddelde hij met zijn armen en benen als een hond. Boven hem lachte Blannitt schallend toen hij dat zag. Wacht maar, dacht Orogontorogon, daarvoor sla ik je later nog wel eens in elkaar.

Golven groeiden om hem heen, tilden hem op, drukten hem neer, sloten zich boven hem. Orogontorogon had moeite om zijn koers naar het eiland vast te houden. Water was toch niet zo simpel als hij aanvankelijk had aangenomen. Herhaaldelijk dook de rode demon omlaag en stootte tussen twee klippen door, waarbij hij die gebruikte om zich eraan vooruit te trekken. Hij hoefde alleen maar boven te komen om adem te halen. In de Demonenpoel was ademhalen niet nodig geweest. Maar nu, met een lichaam dat vrij was en zich overal heen kon bewegen, was je aan nieuwe beperkingen onderworpen door zulke nooit eindigende zaken als ademen en voeding. Kun je dan nergens echt wild en vrij zijn, protesteerde Orogontorogon niet alleen tegen zijn eigen lot, maar ook tegen dat van alle levende wezens.

Hij kwam niet bij een strand, maar bij een kust met een steile klip. Moeizaam trok hij zich daaraan omhoog, en ook daar moest Blannitt vast om lachen.

Maar achter de klip begon het eiland, en Orogontorogon had nog nooit zo'n mooie plek gezien. Hier waren geen demonen, geen Culcah die hem met drie gezichten koeioneerde, geen schreeuwende mensen die uit hun mond roken, geen verlepte baronnen, geen kinderen, geen dieren van stof, geen zwaarbewapende koninginnen. Hier was meer groen dan Orogontorogon ooit in deze winter van zijn vrijheid te zien had gekregen; er waren bonte vogels om op te jagen en aan het schrikken te maken, bloemen die er allemaal anders uitzagen en gul verschillende geuren verspreidden, niet-bevroren, indrukwekkend doorzichtig water, allerlei geluiden die in zijn flaporen kietelden, een wind die niet naar vorst smaakte, berghellingen die noch door vogelpoep, noch door sneeuw wit waren gekleurd. Hier kwam zelfs de kleur rood – Orogontorogons eigen levenskleur – in de ongetemde natuur voor: rode bloemkelken, rode staartveren van papegaaien, rode ogen van zwart-witte halfapen, rode bladeren aan palmen, rode mieren, rode duizendpoten, rode aderen in het gesteente, rood sap dat uit boomschors stroomde, rood mos en rode mosselen. Leven met de uitstraling van bloed.

Al op het eerste gezicht was Orogontorogon verliefd geraakt op het eiland Kelm, maar hij had nog tijd om meer dan duizend keer te kijken.

Het werd donker, en voordat dat gebeurde werd de hemel vlammend rood!

De lichtgevende steden lieten zich weer zien, onbereikbaar en toch troostrijk in hun aanwezigheid. Ook vanuit de Demonenpoel was de hemel soms te zien geweest, en 's nachts de lichtjes erin, die van het verre leven getuigden.

Die nacht stak Orogontorogon een paar bomen in brand. Hij was niet bang voor dieren die zijn slaapplaats zouden kunnen besluipen. Hij wilde gewoon zijn omgeving beter kunnen zien. Het fascineerde hem buitengewoon hoe rood in het donker roestbruin werd. Nog altijd mooi, maar anders. Ook zelf kon hij zich voorstellen dat hij op Kelm – ongestoord door de oorlog, zijn willekeur en ongemakken – langzaam roestbruin zou worden. Niemand wist hoe oud demonen eigenlijk konden worden. De steden van de hemel vergingen nooit. Maar moest niet alles om je heen in de loop der tijd tot stof vergaan?

Orogontorogon sliep. Zijn buik deinde met veel gepuf. Misschien droomde hij.

De volgende dag verkende hij het eiland verder. Hij zag varens die uitwaaierden als duizend vingers. Piepkleine vogeltjes die staande in de lucht uit bloemkelken dronken. Slangen die hem nieuwsgierig bekeken en met lispelend gespleten tongen verder hun weg zochten. Een waterval die onderaan in opstijgende nevel leek te veranderen. Bonte bogen in de lucht die je duidelijk kon zien, maar niet met je handen kon pakken. Geen enkel dier leek op hem, maar op hun beurt leken ook nauwelijks twee andere dieren op elkaar. Zelfs vrouwtjes en mannetjes van dezelfde soort verschilden veel duidelijker van elkaar dan bijvoorbeeld bij mensen. Bij zijn gevechten tegen mensen had Orogontorogon vaak niet geweten of hij met een man of een vrouw te maken had. Het had ook niet uitgemaakt. In het dierenrijk leek dat anders te zijn. Beide geslachten gedroegen zich ook verschillend.

Om beter te kunnen leren en begrijpen doodde Orogontorogon een aantal van die dieren en haalde ze uit elkaar. Hoe verschillend ze er ook uitzagen vanbuiten, binnenin vond de demon toch altijd weer gelijksoortige organen. Als je daarentegen een demon doormidden sneed, vond je weliswaar ook bloed en ingewanden, maar bloed in honderden verschillende variaties, van bijna helder tot kleverig en stroperig. En demonen hadden ingewanden die de structuur van een zwam of een paddenstoel hadden, of aan een verzameling kiezelstenen deden denken, of uit elkaar ploften als je ernaar keek, of elkaar verteerden om hun eigenaar in de sneeuwjacht kracht en warmte te verlenen.

Toen Orogontorogon de kadavers voldoende onderzocht had, at hij ze op. Er was immers geen reden om goed voedsel te versmaden.

Toen de tweede nacht was gevallen stak de demon een berghelling in brand, alleen maar om te kunnen zien naar welke kanten de vlammen zich verspreidden. Vuur fascineerde hem buitengewoon. Het gedroeg zich als een levend wezen, altijd op zoek naar voedsel en verspreiding. Toch leek het niet echt verstand te hebben. Het vrat tot er niets meer was en dan stierf het. Misschien, dacht Orogontorogon, is elk vuur deel van hetzelfde grote vuur dat onzichtbaar in iedereen brandt. Maar hoe meer hij die gedachte probeerde uit te werken, hoe meer die hem ontglipte, net als wanneer hij bijvoorbeeld over de hemel nadacht en over de afstand tussen hier en de lichtende steden aan de nachtelijke hemel.

Hij kromp ineen van schrik toen er plotseling iemand naast hem stond.

De rook van het vuur waaide over alles heen en maakte de nacht rafelig en vol bewegende schaduwen, maar Orogontorogon vergiste zich niet. Er stond een mens naast hem. Vuil, met lang haar en een baard. Waarschijnlijk een man. De man zag eruit alsof hij iets hinderlijk groots in zijn mond had.

'Niemand heeft jou waarschijnlijk ooit geleerd,' zei de man, 'dat je niet maar gewoon overal kunt moorden en brandschatten als je er toevallig zin in krijgt.'

Orogontorogon kwam sloom overeind. Hij stak duidelijk boven de mens uit en kon een scheve grijns niet onderdrukken. 'Oho! Nog meer verrassingen! Een mus piept en denkt dat hij een draak is! Ben je dan helemaal niet bang voor een echte demon, vrolijke bosgeest?'

De man ging niet op de belediging in. In zijn ogen weerspiegelde de brand. 'Dit is mijn eiland. Zo ver heb ik me al teruggetrokken. Waarom laten jullie me niet gewoon met rust, honden van de oorlog?'

Orogontorogon wilde een stap naar hem toe zetten om hem te pakken, te verscheuren, weg te slingeren of in het vuur te werpen, maar hij stokte. 'Kennen wij elkaar niet ergens van? Niet je smoel, die heb ik nog nooit eerder gezien... Maar er is iets aan je geur. Ik vergis me niet. Maar dat kan toch niet! Gouwl? Ben jij dat, geniepige klootzak? Na al die jaren ben ik je stank nog altijd niet vergeten! Maar je bent toch dood? Je moet toch dood zijn!

Nu glimlachte de man. Er klopte iets niet aan zijn tanden. Misschien was hij toch wel geen mens. 'Ik ben Gouwl niet. Maar ik heb wel eens iemand ontmoet die zich zo noemde. En weet je hoe hij míj noemde, die Gouwl van je?'

'Nee.'

'Hij noemde me Demonendoder.'

Orogontorogon deed onwillekeurig een halve stap achteruit. Hij wist zelf niet waarom. Hij voelde iets – een nieuwe, irritante sensatie. Verlammend. En pijnlijk. 'Dat is koddig,' probeerde hij te spotten. 'Werkelijk allerliefst.'

'Ja, hè? Allerliefst.' De man bleef glimlachen. De vlammen leken gevangen te raken in zijn ogen. Zijn haar en baard waren rood, helderder dan de vacht van Orogontorogon, maar toch onmiskenbaar rood. 'Ik vraag me nog steeds af hoe hij daarbij kwam, voor het echt waar werd.'

'Wat klets je nou?'

'Dat van die Demonendoder.'

Er was een legende geweest in de raad van de Demonenpoel, dat een mens Gouwl en Irathindur had gedood. Dat een mens zoveel kracht in zich had. Maar dat was maar een legende, verzonnen door Klappertand en het mooie spook, want het kon niet waar zijn. Gouwl en Irathindur hadden elkaar om zeep geholpen, in een razernij die voor verraders hun verdiende loon was.

Orogontorogon viel aan. Hij wilde met vuur en tanden tegelijk toeslaan. Hij wilde de mens afmaken, of op z'n minst zijn verwrongen glimlach uitwissen. Maar het volgende ogenblik al had de mens zijn blote hand door de borstkas van de demon gestoten. Bloed spoot sissend uit Orogontorogons rug in het vuur. De hand vouwde zich open en sloot zich weer. Orogontorogon voelde de lichtende hemelsteden uitdoven.

'Ik-wil-jou-hier-niet-hebben,' zei de mens hortend en hij trok zijn hand weer uit de demon tevoorschijn. Nu spoot er ook bloed naar voren, de nacht in.

Orogontorogon verloor de controle over zijn ledematen. Hij viel naast de vlammen. Zijn kaken sloegen open. Hij rochelde. Zijn ogen bleven half open, ook in de dood.

Twee nachten lang had Blannitt branden zien woeden op het eiland, als teken van de bedrijvigheid van zijn demonische passagier.

Maar daarna gebeurde er niets meer.

De kapitein wist niet wat hij moest doen. Zijn drinkbare voorraden raakten duidelijk op. Graag was hij nu naar Aztreb, Vakez of Cilsdokh vertrokken om ze aan te vullen. Maar welke van die steden was nog niet door de demonen verwoest? En kon hij het wagen om zonder zijn passagier te vertrekken, alleen omdat die intussen grotten verkende en vanaf zee niet meer te zien was? Misschien leerde die rooie op het eiland wel vliegen en kwam hij Blannitt door de lucht achterna om vreselijk wraak te nemen! Het was al erg genoeg dat Blannitt had moeten lachen toen hij de demon als een flapoorhond in zee had zien spartelen!

Blannitt besloot nog een paar dagen te wachten.

Uit nood moest hij zelfs het water drinken dat elk schip volgens de regels van het baronaat aan boord moest hebben.

Een decreet – bedacht Blannitt nu – uit vredestijd, waarvan allang niemand meer kon controleren of het niet werd overtreden.

Blannitt dacht bijna vriendelijk aan de vrede terug.

Niet alles aan het geregel was alleen maar pesterij geweest. De vrede had ook één of twee goede kanten gehad.

35
Nog vijftien tot het einde

Snidralek was een van de 10.000 die onder bevel van een door Culcah uitgekozen onderofficier in het Achtste Baronaat oprukten om daar de overgebleven mensenburchten te veroveren. Vanwege zijn vierpotigheid in zijn pas bezette hagedissenlichaam onderging Snidralek de vernederende ervaring als rijdier te worden gebruikt, maar hij betoonde zich tevreden. Alles was beter dan nog eens voor de ogen van alle anderen overwonnen en gedood te worden. 's Nachts droomde Snidralek vaak akelig over ridder Stomstorm.

De veldtocht op zich bracht aanvankelijk nauwelijks problemen met zich mee.

De Hoofdburcht gaf zich over zodra het demonenleger in zicht kwam, en bood zelfs aan zijn nieuwe heersers gastvrij te onthalen. De demonen vierden de overname desalniettemin als slachtfeest, maar naast het gewone geschreeuw en gejammer klonk er nu ook nog muziek.

Daarna gingen ze langs de rivier de Erifel op de Buitenburcht af.

Toen het leger het gebied doorkruiste dat ooit Treurwoud heette en nu een besneeuwde vlakte met vreemde slijmerige paddenstoelen en blauwachtige kromme boompjes bleek te zijn, ontstonden er ruzies tussen de demonen. Er braken vechtpartijen uit, die al snel bloedig en akelig werden. Met ijzeren hand greep de onderofficier in. Uiteindelijk waren er een paar doden gevallen, en een paar onverbeterlijke driftkoppen werden snel berecht en aan het proviand toegevoegd.

Ze bereikten de Buitenburcht. Hier deden ze een verontrustende ontdekking: de totale bezetting van die burcht – meer dan honderd mensen – had zelfmoord gepleegd, waarschijnlijk met vergiftigd eten. Hun lijken waren ondanks de conserverende winterkou niet meer voor consumptie geschikt, omdat het vlees en bloed vol gifstoffen zaten.

'Hopelijk wordt dat geen mode,' zei een van de grootkoppigere demonen bezorgd. 'Of er is al snel niet genoeg meer te vreten in dit akelig koude land.'

Omdat ze tot nu toe nog helemaal geen strijd hadden hoeven leveren, besloot de commandant de havenstad Ekuerc aan de monding van de Erifel ook nog in te nemen. Maar ook hier was nog nauwelijks iets te doen. Plunderende demonenbendes van de zuidkust waren hier waarschijnlijk nog maar kortgeleden langs gekomen en hadden verbrand en verwoest wat ze in hun klauwen konden krijgen. Ekuerc bestond niet meer. Onder de vele verkoolde en tot rompen verminkte lijken bevonden zich ook verscheidene dode demonen, die te veel hadden gevreten, gezopen of geslachtsverkeer hadden gehad.

'Op de terugweg zullen we een echt bevoorradingsprobleem krijgen,' zei de commandant met een bezorgd slurfgezicht. Maathouden was geen sterk punt van de demonen.

Er was een discussie of er uitstapjes naar de Baronaten Negen of Zeven moesten worden ondernomen, naar Ulw of Feja, vanuit het idee dat het noordelijkere, 10.000 man sterke leger misschien langzamer vooruit was gekomen, of dat het oostelijkere, overijverige, 5000 man sterke leger niet al te nauwkeurig te werk kon zijn gegaan en mogelijk buit over het hoofd had gezien. Culcah had echter elk blijk van desertie of ongehoorzaamheid ten strengste verboden. De commandant met het bezorgde slurfgezicht wilde voorkomen dat zijn leger zou worden gebruikt om de voorraden van de andere legers te verversen.

Dus keerde het leger landinwaarts terug. In het Treurwoud werden paddenstoelen en blauwachtige kromme boompjes gegeten. Die brachten vervolgens bij verscheidene demonen hallucinaties teweeg. Ze zagen zichzelf als schepselen der vrede en stichtten een soort religie die ze Godsverlangen noemden. Achthonderd van deze ijveraars werden gedood en opgegeten, maar de consumptie van hun besmette vlees leidde tot nieuwe hallucinaties. Een nieuwe golf wereldverzakende dweepzucht propageerde de terugkeer naar de 'warme Poel' als naar een moederlichaam dat geen demon ooit had gehad, maar alle andere levende wezens wel. De commandant was een van deze waanzinnigen. Voor hij zijn leger naar het zuidoosten kon laten deserteren in de richting van de Demonenpoel, werd hij eerst door zijn stafofficiers vermoord en daarna officieel van zijn commando ontheven. Nog eens vijfhonderd demonen moesten worden afgemaakt. Zo keerde het leger met nog maar 7200 demonen terug naar Orison-Stad: 1500 waren gestationeerd in twee burchten en de stad Ekuerc, 1300 waren het slachtoffer geworden van het Treurwoud.

Snidralek maakte de hele veldtocht uitgesproken passief mee. Hij werd bereden en beladen, en liet dat allemaal maar gebeuren.

Hij vroeg zich af of het feit dat hij korte tijd in een mensenjongen had gewoond er de oorzaak van was dat hij nu voortdurend aan zijn eigen sterfelijkheid moest denken. Het gevoel dat zijn volgende dood definitief zou kunnen zijn verliet hem geen moment. Hoewel het lichaam van de slangenkophagedis relatief ruim was, leefde Snidralek toch in de zekerheid dat er in dit lichaamsomhulsel geen verstopplaats meer was die niet door een hatelijke kling kon worden opgespoord.

Hij proefde noch van de paddenstoelen uit het Treurwoud, noch van de demonen die van de paddenstoelen hadden geproefd. Maar hij vroeg zich bij elke stap van zijn vier poten sterker af of een terugkeer naar de Demonenpoel niet een geweldig idee was in een land waarin alles even vijandig leek te zijn.

Hij dacht aan desertie. Maar hij werd bereden en beladen, en dat alleen hield hem op koers.

Culcah verbleef in de hoofdstad en verzamelde het nieuws dat vanuit de drie gelijktijdige baronaatsveldtochten aan hem teruggerapporteerd werd.

In het Achtste Baronaat vochten de demonensoldaten met elkaar, maar alles leek binnen de perken te blijven.

In het Vijfde Baronaat bleef alles rustig. De burchten van de mensen waren al verlaten, omdat hun manschappen de gevechten in het Vierde Baronaat hadden ondersteund.

Alleen in het Negende Baronaat werd nog verzet gepleegd. De bij de eerste aanval op het Negende gedeserteerde 5000 demonen hadden voor hun uitroeiing onder andere ten zuiden van het Merendal rondgezworven en daar gruweldaden begaan, waarop de inheemse mensen zich van schrik tot relatief weerbare troepen hadden aaneengesloten. Het 10.000 man sterke leger dat nu in het Negende oprukte, zag zich blootgesteld aan een hinderlijke reeks schermutselingen, die weliswaar allemaal werden gewonnen, maar het leger wel bijna 2000 demonen kostten. Bovendien zonk in het algehele tumult een 500 man sterk regiment weg in een moeras, dat niet bevroren was omdat het gevoed werd door warme bronnen of gassen. Ook op de terugweg werd het getalsmatig duidelijk superieure leger nog steeds af en toe overvallen door mensenbenden. Deze mensen wilden blijkbaar liever sterven dan in een door demonen overheerst baronaat leven. Des te simpeler konden ze tot voedsel worden verwerkt. De bevelhebber van dit demonenleger had zo zijn problemen met de rebellen, het weer en het merengebied, maar met de hulp van zijn officiersstaf lukte het hem de richting niet kwijt te raken en naar Orison-Stad terug te keren.

Culcah was tevreden. Hij had 30.000 demonen eropuit gezonden; 22.700 keerden weer terug. In totaal 3500 waren in zes burchten en een havenstad gestationeerd. De verliezen bedroegen maar 3800. Zoals hij verwacht had, was de zuidelijke verovering kinderspel geweest vergeleken met de noordelijke.

Eindelijk waren alle zevenentwintig burchten van het in negenen gedeelde land Orison stevig in demonenhanden. En bovendien nog de steden Witercarz en Ekuerc, of wat daar nog van over was.

Als beloning voor deze prestatie speelde het lot de opperbevelhebber der demonen nog een extra leger in handen, waar hij inmiddels nauwelijks nog op gerekend had: de afvalligen van het eerste uur, de plunderaars die aan de zuidkust verbleven, keerden naar Culcah terug. Ze hadden langs de westkust omhoog tot Ulw alles vernietigd en langs de oostkust omhoog alles tot Cerru. Toen zette de grote uitputting in. Langs de sporen van de allereerste tocht van de demonen marcheerden de demomen van de zuidkust door het Zesde Baronaat landinwaarts, om zich in Orison-Stad met schuldbewuste blik te onderwerpen aan het strafgericht van de opperste legeraanvoerder.

Culcahs gerechtvaardigde toorn vervloog deels toen hij zag dat er van de oorspronkelijk 10.000 afvalligen nog maar 4000 over waren. De meesten waren niet omgekomen door gevechten met menselijke stedelingen, maar doordat ze in hun overmoed zeewater hadden gedronken of zich bij het crawlen in de branding te ver in zee hadden gewaagd. De rest van Culcahs toorn vervloog helemaal toen hem duidelijk werd dat deze wilde horde brandschatters hem de moeizame verovering van in totaal elf havensteden uit handen had genomen. Er waren nu nog maar negen steden waar hij zich druk om hoefde te maken. 'En dat zou toch geen al te groot probleem moeten vormen,' bromde hij terwijl hij tevreden in zijn handen wreef.

Hij stopte weer een gesuikerd mensenniertje in het meest linkse van zijn drie monden en spreidde de nieuwe cijfers voor zich uit.

Veertienenhalfduizend demonen waren op in totaal negenentwintig goed verspreide posten over het hele land gestationeerd.

Met de 4000 hervonden afvalligen, de drie teruggekeerde zuidelijke legers en de aanvankelijke bezetting van de stad stonden hem in Orison-Stad nu weer 40.700 soldaten ter beschikking.

De rest van zijn aanpak was simpel.

Hij zond 5000 soldaten naar het westen, naar Ulw, om van daaruit in noordelijke richting de kust af te stropen en de drie daar nog overgebleven havensteden te veroveren.

Hij zond 10.000 soldaten naar het oosten, naar Cerru, om van daaruit in noordelijke richting de kust af te stropen en de zes daar nog overgebleven havensteden te veroveren.

En hij zond twee kleine afdelingen vliegende demonen, gerekruteerd uit de 'nieuw' gewonnen bestanden van de afvalligen van de zuidkust, naar de twee zuidelijke eilanden Kelm en Rurga, om ook de laatste witte vlekken op de veroveringskaart van de demonen met de kleur van bloed te vullen.

Koning Orisons uiterlijk was intussen opnieuw veranderd.

Hij leek nu weer op de mens in wiens gedaante hij ooit zonder herkend te worden onder de stervelingen van dit land had rondgelopen en als hun grootste en machtigste magiër was vereerd. Verscheidene schilderijen in de hoofdstad toonden hem zoals hij er destijds had uitgezien, en dat maakte het aanzienlijk gemakkelijker hem in zijn huidige verschijning te imiteren.

Hij was groot, lijvig, met een bultig voorhoofd en bolle wangen, een tamelijk kleine neus en spottende ogen en wenkbrauwen. Een grijswitte baard sierde zijn wangen en kin, en onder het lopen steunde hij op een meer dan manshoge staf. Wat kleding betreft gaf hij de voorkeur aan een wijde, donker gekleurde toga, met daaromheen een nog donkerder cape, alsof hij zijn gezetheid wilde verbergen.

Toen koningin Lae I met haar nieuwe bondgenoten de landsgrenzen van Orison overschreed, kon de demonenkoning dat voelen als het trippelen van kevers op zijn eigen lijf.

'Turer,' zei hij, en hij glimlachte waarderend in het slechts door een paar kaarsen verlichte donker van een uitgestrekte zaal. 'Je komt in hoogsteigen persoon, oudste van alle denkbare regenten! En zelfs de dwaze kroondraagster heeft geen idee wie van hen je bent. Ik verheug me. Ik verheug me er echt op!'

36
Nog veertien tot het einde

In de bergen heersten koude en ijs altijd al, maar in de winter was die heerschappij wel bijzonder grenzeloos en gruwelijk.

Koningin Lae voelde dat haar krachten en die van haar getrouwen het langzaam begaven. De drie rekamelkisjdivisies kenden in het gebergte evenmin de weg als de Orisoners en konden haar dan ook niet helpen. Als ze niet opnieuw hulp kregen van Hiserio en zijn Wolkenstrijkers, waren ze allemaal gedwongen om weer precies dezelfde weg terug te gaan die Laes afvaardiging al op de heenreis was gekomen. Maar die weg was door lawines en vallend gesteente onbegaanbaar geworden. Een kloof waar ze een paar dagen geleden nog doorheen waren gegaan, was nu gebarricadeerd met ijsblokken zo groot als hele huizen. Al op de derde dag van hun reis door het Wolkenpijnigergebergte dwaalde het grote verenigde Orison-Coldrin-leger, dat vertrokken was om heldhaftig de demonen te bestrijden, hulpeloos rond tussen bergen en gletsjers.

De rekamelkisj snaterden en sisten boos. Hun donkere ruiters hapten in plotselinge sneeuwstormen naar adem. Laes duizend waren de dood door uitputting nabij, hun paarden bijna doorzichtig van magerte.

Nu deden de Dochters van Benesand zich gelden. Marna was vastbesloten om alle smaad die het leven haar de afgelopen weken had toebedeeld weer uit te wissen. Ze dreef de duizend voort, spoorde ook de rekamelkisjruiters aan, en foeterde zelfs op haar koningin. Lae liet zich te zeer verlammen door haar gebroken been. Marna was er verantwoordelijk voor geweest dat dat been gebroken was. Marna ondernam alles wat in haar macht lag om die schuld te vereffenen. Lae liet zich door die ondernemingen meeslepen.

Ook Aligia, Teanna, Zilia, Tanuya, Hazmine en Myta deden in niets voor hun aanvoerster onder. Ze joegen op sneeuwberen, fluithazen en rambokken, die eruitzagen alsof hun ruige vacht alleen uit stukken ijs bestond. Ze vonden een bevroren meer, waarin vissen en zelfs vinpotige zoogdieren konden worden gevangen. Ze verkenden doorgangswegen op hun paarden. Ze zwermden uit om beschutte onderkomens voor de nacht of tegen een aansnellende storm te vinden. Ze klommen zelfs – ondanks hun nog altijd relatief schaarse en prikkelende kleding – langs de rotswanden om nieuwe wegen te zoeken of een algemeen overzicht te krijgen. De koningin was dolblij dat ze deze zevenkoppige huurlingentroep had meegenomen. Ze besloot elk van hen een orde toe te kennen, mochten de hoofdstad en het land ooit weer in haar sturende handen terugvallen.

Marna genoot deze dagen. Ze voelde in elke vezel van haar lichaam dat ze nodig – ja, zelfs onmisbaar was. Bijna wenste ze dat de Wolkenstrijkers niet zouden opduiken, zodat zij hen allemaal op haar hoogmoedig-vrolijke manier weer door de bergen kon leiden. Maar op de achtste dag doken de Wolkenstrijkers op, en dat was wel goed, want ondanks alle inspanningen van de Dochters van Benesand was het verenigde leger inmiddels hopeloos verdwaald in het gebergte.

Ditmaal was de oude Hiserio niet de aanvoerder van de twaalf gemzenruiters. Ditmaal was het een duistere ridder, die nooit sprak en in plaats daarvan een mager ventje van hoogstens achttien jaar het woord liet voeren.

'Mijn heer Stomstorm biedt de hoge majesteit en haar bondgenoten een geleide aan,' sprak het knaapje met heldere stem. 'Hoewel mijn heer vanzelfsprekend niet van mening is dat de hoge majesteit haar weg niet ook zonder zijn steun zou kunnen vinden.'

'Natuurlijk niet,' antwoordde Lae mat. Ze reisde afwisselend op de wagen waarmee ze Coldrin had bereikt en op de platformkever die Jmuan haar en haar lijfwachten ter beschikking had gesteld. Haar algehele hygiënische toestand was zo erbarmelijk dat ze zich serieus afvroeg hoe iemand haar nog als koningin herkende, laat staan accepteerde.

'Hoezeer is het ons door puur geluk vergund geweest,' ging de jongeling verder, 'op zoek naar u een doorgang te vinden, een systeem van tunnels dat beschutting biedt tegen de beproevingen van het weer, en dat door ons al in het voorbijgaan onderzocht is om te zien waar de wegen veilig zijn en waar niet.'

'En waarom zocht jouw heer ons?'

'Mijn heer heeft tegen de demonen gevochten bij de Hoofdburcht van het Tweede Baronaat. Hoewel het mijn heer lukte daar een belangrijke overwinning te behalen, hebben de demonen de met deze overwinning verbonden overeenkomst met voeten getreden en mijn heer geen andere keus gelaten dan een strategische terugtocht. Mijn heer raakte gewond in de strijd. Bij de Wolkenstrijkers hoopte hij op genezing. Maar toen de Wolkenstrijkers hem berichtten dat de hoge majesteit in eigen persoon het gebergte doorkruiste op zoek naar een bondgenootschap met Coldrin, voelde mijn heer de wens zijn genezing uit te stellen ten gunste van een audiëntie.'

'Een... audiëntie?'

Het gezicht van de jongeling bleef onbewogen. 'Mijn heer wenst vergiffenis te ontvangen voor het feit dat zijn krachten niet voldoende waren om de Hoofdburcht van het Tweede Baronaat te behouden. Hij wenst in dienst van de hoge majesteit te treden met een opdracht die het hem mogelijk zal maken toch nog eervol te sterven.'

Lae voelde ontroering in zich opwellen, een gevoel dat ze door de ontberingen van de laatste weken al bijna leek te zijn kwijtgeraakt. Ridder Stomstorm was zelfs op een rijgems een fascinerende verschijning, met zijn wapenrusting onder zijn besneeuwde schouders, stevig en zwart, maar ook roestig en kopergroen, alsof die al tientallen jaren niet alleen maar een strijduitrusting, maar ook een behuizing vormde. De helm had de vorm van een aambeeld; die was van voren spits en omsloot het gezicht volledig. De linkerarm van de ridder was geen arm, maar een wapen, een kling met verscheidene beweegbare weerhaaksegmenten.

De koningin schraapte haar keel. 'Niemand hoeft zichzelf iets te verwijten omdat het hem niet gelukt is een burcht in zijn eentje te verdedigen. Kijk naar mij. Ook ik heb er de voorkeur aan gegeven mijn krachten te bundelen met die van Coldrin, in plaats van de verschrikkelijke vijand alleen tegemoet te treden. Zeg mij dus maar één ding, knaap: is het al te laat om uw heer te genezen?'

De jongeling hoefde de ridder niet te raadplegen en zelfs geen blik met hem te wisselen om tot een antwoord te komen. Lae vroeg zich onwillekeurig af hoe dat mogelijk was, en of de jongeling niet eigenlijk de baas van de ridder was. 'De wonden van mijn heer die uitsluitend zijn lichaam betreffen, zijn niet ernstig. Belangrijk daarentegen is de wond die de demonen mijn heer dankzij hun arglist door de verovering van zijn vaderland hebben toegebracht.'

Lae knikte. De wind wakkerde weer aan en ze moest haar sjaal bijna helemaal over haar gezicht slaan. 'Staat het er dan... al zo slecht voor met ons land?'

'Mijn heer gaat ervan uit dat alle burchten nu gevallen zijn.'

'En de havensteden?'

'Misschien zijn er nog een paar, maar daar gaat geen verzet meer van uit.'

'En de eilanden?'

'Welke eilanden, hoge majesteit?'

'Kelm. En Ruga. In het zuiden van de Groene Zee.'

'Die eilanden hebben tot nu toe in het verloop van deze oorlog nog geen rol gespeeld.'

Weer knikte de koningin. Taisser, de dweepzieke, hardleerse Taisser, was samen met zijn waanzinnige plan in de Groene Zee verdwenen. Haar stem klonk dieper toen ze verder sprak. 'Dank je heer dan. Zeg hem dat de gevaarlijke opdracht die hij van mij hoopt te krijgen eruit bestaan dit leger veilig door tunnels en ijs te leiden. We hebben nog eens 27.000 bondgenoten onder de hoede van de Wolkenstrijkers verborgen. Kan jouw heer ons met hen samenbrengen?'

'Mijn heer heeft van de Wolkenstrijkers vernomen waar deze schuilplaats zich bevindt. Laten we onverwijld daarheen vertrekken, hoge majesteit.'

Het was niet gemakkelijk om de rekamelkisj zover te krijgen dat ze zich op onderaardse, benauwende paden begaven, maar Chahiddu, Dirgraz en Jmuan hadden hun divisies goed onder controle. Geen van de ruiters morde. Slechts een aantal rekamelkisj had wat klappen nodig, voor ze uiteindelijk bijdraaiden en zich door de smalle gangen persten.

De zwijgende ridder en zijn tengere spreker reden voorop. Daarachter de andere tien gemzenruiters. Daarachter de koningin, de Dochters van Benesand en de overige duizend. Daarachter de Divisies Een, Twee en

Drie van Coldrin, als een oneindig uitgerekte tros bizarre dieren met hun bekwame ruiters, die af en toe moesten afstijgen om niet in lage grotten aan stalactieten te blijven hangen.

Een reusachtige bruine beer, die in deze grotten zijn welverdiende winterslaap had gehouden, sloeg jammerend op de vlucht voor deze stoet.

Er waren vleermuizen daar beneden, helemaal kleurloos en met rode ogen, en wormen zo groot als dassen, die op handen liepen en er bijna menselijk uitzagen.

Vier dagen lang leidde Stomstorm hen door het donker.

De daaropvolgende verblinding door de sneeuw van een nieuwe winterdag in het hooggebergte was bijna ondraaglijk.

De koningin belastte haar gebroken been elke dag meer. Als ze de vluchtelingen uit Orison weer onder ogen kwam, wilde ze geen strompelende invalide meer zijn. Alles hing ervan af of ze de vluchtelingen en de Coldriners in één enkele aanval tot een effectieve strijdmacht zou kunnen samensmelten. Een tweede kans zou er niet zijn. Noch zou Coldrin voor de tweede maal troepen ter beschikking stellen, noch zouden er dan nog vluchtelingen uit Orison over zijn.

Lae vreesde de directe toekomst. Zonder Taisser aan haar zijde woog de last van de omstandigheden tweemaal zo zwaar. Ze moest haar zorgen om Taisser verdringen. Toch vertrouwde ze er volkomen op dat hij nog ergens in leven was. Hij had immers ook de Irathindurische Oorlog overleefd. Als soldaat van twee vijandige partijen zelfs. Zonder uitgesproken goed te kunnen vechten. Maar tegen het einde was zij er voor hem geweest en had hem beschermd. Nu was ze er niet meer voor hem. Ze moest haar zorgen om Taisser verdringen.

Eenmaal kwam ze met Stomstorm, zijn woordvoerder, Marna Benesand, Jmuan, Dirgraz en Chahiddu bijeen om krijgsraad te houden.

'Het meest voor de hand liggend zou zijn,' begon ze, 'om onze hoofdstad te heroveren. Dan zouden we door het Derde Baronaat zo snel mogelijk moeten oprukken naar het midden van het land, om Orison-Stad weer uit handen van de mogelijk verraste en over het hele land verspreide demonen te krijgen. Het herwinnen van de hoofdstad zou alle overgebleven mensen in het land nieuwe hoop en kracht schenken! Maar het probleem is dat uitgerekend Orison-Stad heel moeilijk in te nemen is. De demonen kunnen ons voor de muren net zo tegenhouden en laten verhongeren als twintig jaar geleden ook baron Helingerd den Kaatens bij zijn mislukte belegering is overkomen.'

'Als die stad zo moeilijk in te nemen is,' vroeg Jmuan geïnteresseerd, 'hoe is het de daimonin dan gelukt?'

'Zij hebben vliegende troepen,' verklaarde Marna Benesand somber. 'Ik was erbij. Ik en mijn zusters hebben alles zien gebeuren. De vliegende demonen hebben in de stad vuur, water en stenen afgeworpen. Dat heeft de verdedigers murw gemaakt en bressen in de muren geslagen. Je kunt geen verdedigingslinie vormen als er gewoon overheen wordt gevlogen.'

'Zijn er vliegende rekamelkisj?' vroeg de koningin. Alle drie divisiekapiteins schudden hun hoofd.

Nu nam de spreker van Stomstorm het woord. 'Mijn heer stelt voor dat wij het terrein bepalen voor de vijand. We nemen de Buitenburcht van het Derde Baronaat in. Misschien ook nog de Hoofdburcht, om een onmiskenbaar signaal af te geven. Maar daarna trekken we ons terug in de uitlopers van de bergen. Daar kunnen we vanaf een hoger terrein naar beneden vechten, wat in elk geval een voordeel betekent tegenover een vijand die zich omhoog moet bewegen.'

'Maar zullen de demonen daarop ingaan en überhaupt ten strijde trekken?' vroeg de koningin bezorgd. 'Ze kunnen het zich immers heel goed veroorloven gewoon in de burchten te blijven zitten en al het werk aan ons over te laten.'

De spreker ging verder, zonder met de ridder over een antwoord op deze nieuwe vraag te overleggen. 'Het zijn demonen, hoge majesteit. Ze zullen zich geen gelegenheid tot een confrontatie laten ontgaan. Misschien zullen ze niet allemaal tegelijk oprukken. Maar dat zou voor ons alleen maar beter zijn. Dan zouden we hun troepen geleidelijk aan in de pan kunnen hakken, wat met het oog op hun getalsmatige overmacht gunstiger zou zijn.'

De koningin wierp de drie Coldriners een vragende blik toe. Jmuan antwoordde voor de andere kapiteins. 'Wij kennen de eigenschappen van jullie land niet; daarom stellen wij ons bij het plannen maken liever terughoudend op. Zeg ons maar waar we heen moeten gaan en waaruit onze taak bestaat, en we zullen jullie niet teleurstellen.'

De koningin glimlachte hem dankbaar toe. 'Dan doen we het zo. Eén van jullie divisies moet voldoende zijn om twee burchten te bevrijden. Daarna trekken jullie je terug in de bergen, waar de rest van ons leger wacht. De Dochters van Benesand en – als hij wil – ridder Stomstorm zullen de overvaldivisie begeleiden om hem de weg te wijzen.'

Jmuan overlegde kort in zijn eigen klakkende, ratelende taal met Chahiddu en Dirgraz. Daarna zei hij: 'Kapitein Dirgraz zal dat op zich nemen. Chahiddu en ik blijven bij de koningin en haar mensen.'

'Goed,' zei de koningin en ze knikte. 'Eerst zullen we ons leger nog aanvullen.'

De krijgsraad werd ontbonden. De deelnemers verwijderden zich in verschillende richtingen. Alleen de woordvoerder van de ridder liep op de koningin af. 'Mijn heer kent de Wolkenstrijker Hiserio goed. Zodra die hoort dat er een overvalcommando naar het binnenland van Orison tot stand is gekomen, zal hij er graag bij willen zijn. Dat zal hem aan vroeger herinneren.'

De koningin glimlachte opnieuw. 'Ik weet het. Hij heeft me zijn verhaal verteld. Maar de Wolkenstrijkers hebben al heel veel voor ons gedaan. Ditmaal zou het niet tegen Orisoners gaan, die elkaar bovendien nog met veldtochten afmatten. Ditmaal zou het tegen demonen gaan. Ik heb Hiserio al gezegd dat ik hem toewens dat zijn volk van het verdere verloop van de oorlog verschoond mag blijven. De Coldriners moeten voldoende versterking vormen.'

'Mijn heer zegt dat de Wolkenstrijkers dappere krijgers zijn.'

'Dat geloof ik wel. Maar de Coldriners zullen voldoende versterking vormen. Hoe heet je eigenlijk?'

De spreker antwoordde vriendelijk noch onvriendelijk. Eigenlijk bleef zijn gezicht altijd uitdrukkingsloos. 'Ik heb geen naam. Ik ben de woordvoerder van Stomstorm.'

'Maar je moet toch ergens vandaan komen?'

'Uit Cerru. Ik ben een wees, maar de naam die ik in het weeshuis heb gekregen heb ik weer afgelegd. Mijn ouders zijn allebei in de Irathindurische Oorlog gesneuveld.'

'Dan moet je ouder zijn dan je eruitziet.'

'Ik ben al drieëntwintig, hoge majesteit.'

'Ik begrijp het. Ik herinner me Cerru. Was dat niet een van de vreedzaamste overnames van een stad waar legercoördinator Matutin uit naam van de nieuwe koningin ooit in is geslaagd?'

'Mogelijk. Later is mij verteld dat de legercoördinator van de veroveraars mij zelfs heeft gekust toen mijn moeder hem mij voorhield. Ik weet dat niet meer. Ik was toen nog maar een klein kind.'

'En bij welke gelegenheid zijn je ouders dan gestorven?'

'Later. Toen het Vijfde Leger zich bij het Zesde aansloot en de oorlog tegen Helingerdia begon. Mijn ouders zaten allebei in het Vijfde Leger en vielen voor Irathindurië.'

'Ja, ik begrijp het. Ik was toen ook een jonge officier in dienst van Irathindurië. Misschien kende ik je ouders zelfs wel. Ik was bij de gevechten om Kirred en Witercarz.' Lae zuchtte. 'Eigenlijk had ik gehoopt nooit meer een oorlog te hoeven meemaken.'

De naamloze spreker bleef onbewogen. 'Voor mij is het de eerste oorlog, hoge majesteit.' Daarop knikte hij bevestigend en sjokte zijn ridder na, die al een heel eind verder was gelopen.

Op het weerzien met Lehenna Kresterfell en de 27.000 in gletsjergrotten verborgen vluchtelingen werd een domper gezet door de ontzetting van deze uitgemergelde mensen over de demonachtige wezens die door de vreemd donkere Coldriners werden bereden.

Koningin Lae I had er haar handen vol aan haar Orisoners te beletten het diepgewortelde wantrouwen tegenover Coldrin in openlijke vijandelijkheden te laten omslaan. Velen waren op van de zenuwen. De ontberingen en verliezen waren te groot geweest. Nu Coldrin niet meer alleen maar een woord was, een schrikbeeld voor lichtgelovigen, maar een samenscholing van meer dan 20.000 monsterlijke wezens en hun niet minder griezelige ruiters, voelden verscheidene vluchtelingen zich verraden door hun koningin. 'We eindigen nog als voedsel!' klaagden sommigen. 'Of de demonen eten ons op, of deze reuzeninsecten uit de mist!'

Zonder de hulp van Lehenna Kresterfell had koningin Lae nooit meer de kracht gehad om een openlijke opstand te voorkomen. Ze miste Taisser nu zo dat eenmaal zelfs in het openbaar de tranen in haar ogen kwamen. Maar Lehenna Kresterfell met haar onherstelbaar beschadigde benen ging voor de koningin met haar slechts tijdelijk verzwakte been staan en sprak tot het razende volk: 'Denken jullie dat het mij gemakkelijk valt het lot van mijn twee kinderen in Coldrins handen te leggen? Denken jullie dat ik minder angst voel voor deze insectachtige wezens dan wie van jullie ook? Moeten jullie jezelf nu eens zien! Denken jullie echt dat een eskadron van met kwikken en strikken pronkende gardisten met de demonen zou kunnen afrekenen? Denken jullie echt dat mooie wapenbanieren en paarden met gecoupeerde staarten en versierde manen ons van nut zouden kunnen zijn tegen deze afgrijselijke monsters, die onze bloedverwanten hebben vermoord en ons onze hoofdstad uit handen hebben gerukt? Nee! Eigenlijk zouden we demonen nodig hebben om de demonen op de knieën te dwingen! Deze insecten zijn geen demonen, maar ze lijken er verdomd veel op, behalve dat ze door mensen ingetoomd, bestuurd en bereden worden. Dus wat willen jullie? Willen jullie je verbergen tot jullie worden gevonden en uitgemoord? Willen jullie helemaal alleen vechten? Of willen jullie je gelederen aanvullen met wezens die werkelijk tegen de demonen opgewassen zijn?' Er ging een rumoer door de opgewonden menigte. Toen riepen een paar jongere mannen en vrouwen: 'Hoera voor koningin Lae!' Anderen namen die roep over en versterkten hem. Het ijs was gebroken. Alleen zo konden de monsters uit Coldrin worden geaccepteerd: niet als waarnemers van Coldrin en de belangen van koning Turer, maar als door koningin Lae eigenhandig gerekruteerde versterking, tevoorschijn getoverd als demonen uit het niets.

Er werden nog één keer wat kleine correcties in de strategie aangebracht, maar de volgende dag al vertrok kapitein Dirgraz met zijn Tweede Divisie rekamelkisjkrijgers. De Dochters van Benesand vergezelden hem, evenals de koningin, die nog een afzonderlijk uitstapje van plan was. De nog niet helemaal genezen ridder Stomstorm en zijn woordvoerder bleven bij Lehenna Kresterfell, de vluchtelingen, de weinige nog aanwezige Wolkenstrijkers en de twee overige divisies uit Coldrin. Dit hoofdleger moest nog zo lang in de bergen verborgen blijven tot Dirgraz' aanval de eerste reacties bij de demonen had uitgelokt.

Als verbinding tussen Dirgraz' overvaldivisie en het hoofdleger fungeerden Coldriners op snelle renspinnen.

De winter leek zijn adem in te houden, want sneeuwjachten en windvlagen namen af en lieten het veld over aan een bijna verlammend felle kou.

37
Nog dertien tot het einde

De demonen die Culcah naar de eilanden had gezonden voelden zich allesbehalve behaaglijk toen ze over open zee vlogen.

Sommige van hen probeerden op het water te landen om uit te rusten, en zonken jammerlijk weg met nat geworden vleugels.

Andere werden waanzinnig omdat de wereld er aan alle kanten hetzelfde uitzag. Ze probeerden de hemel in te vliegen om een van de lichtende steden te bereiken, tot ze van uitputting neerstortten en tegen het vanaf die hoogte keiharde water sloegen.

Maar weer andere hielden zich gewoon aan de kaart die Culcah hun had meegegeven en oriënteerden zich op hun eigen dikkoppige rechtlijnigheid.

Degenen die naar Rurga waren gestuurd hadden geen enkele moeite om dit eiland in bezit te nemen. Behalve vogelpoep en de sporen van een algeheel bloedbad tussen verschillend geklede groepen mensen – halfnaakte inboorlingen en anderen in wapenrusting – was daar niets opvallends te zien.

Degenen die naar Kelm waren gestuurd werden met vuur ontvangen. De groep van acht demonen had zich nauwelijks opgemaakt voor de landing toen de eerste van hen al midden in de vlucht door een vuurbal werd getroffen en krijsend met brandende vleugels de diepte in tuimelde. Een tweede werd vlak daarna geraakt.

De overige zes verspreidden zich kakelend. Eentje vluchtte zelfs terug in de richting van het vasteland, maar hoe hij zich ook probeerde te haasten, een projectiel als een met brandende vlinders bezette speer achtervolgde hem en doorboorde hem in de lucht. Gekromd stortte hij in de groene zee en zonk weg in de glinstering van duizenden luchtbelletjes.

De woordvoerder van de resterende vijf slaagde er niet in zijn gezag te doen gelden. Drie hadden zich al buiten gezichts- en gehoorsafstand verstopt; nog maar eentje was bij hem in de buurt.

'Wat valt ons daar aan?' vroeg die laatste met een van paniek vertrokken gezicht. Dit gezicht was zo plat als een schijf. 'Hebben de mensen een nieuw wapen ontwikkeld?'

'Dat zijn geen mensen,' beweerde de woordvoerder. Hij leek op een donker, rechtop lopend varken, maar in plaats van een vast lichaam had hij er een van een stroperige consistentie. 'Dat moet een van ons zijn. Waarschijnlijk een projectieldemon. Maar waarom schiet hij dan op ons? Hé, jij daar!' begon hij te brullen. 'Hou op met die onzin! Ben je een van de zuidkustafvalligen? Ik toch ook? Er zal je niets overkomen! We horen nu allemaal weer bij Culcah!'

'Wie is Culcah?' vroeg een stem achter hem. De demon draaide zich om en merkte op hetzelfde moment dat zijn lichaam in tweeën was gesneden. Zijn bovenlichaam en onderlijf gleden twee verschillende kanten op naar de grond en sloegen daar stroperig tegen het gras.

De demon met het platte gezicht begon schel te krijsen. 'Laat me leven! Laat me leven! Laat me leven! Laat me leven! Laat me leven!'

'Dat zou ik wel willen,' sprak een stem die midden uit de bomen leek te komen. 'Maar jullie laten me gewoon niet met rust.' Toen bogen twee bomen zich bijna bevallig voorover en drukten de krijsende demon plat.

Drie waren er nog over.

De eerste kroop weg in een rotsspleet aan de kust. Minten liet de spleet dichtklappen als de kaken van een krokodil.

De tweede vloog zo laag over het oerwoud dat hij telkens weer bladeren van de bomen scheurde. Hij probeerde de contouren van de jungle na te bootsen: als er een open plek was, dook hij er diep in en steeg pas vlak voor de bomen aan de overzijde weer op. Op die manier wilde hij zijn achtervolger afschudden. Maar Minten plukte hem uit een bloeiende boomtop en brak hem doormidden als een droog houtje.

De derde rende te voet door het onbekende bos en bood tenminste nog verzet toen Minten hem te pakken kreeg.

Genoeg verzet om hem na het korte gevecht in leven te laten en hem een paar vragen te stellen.

'Wie is Culcah?'

'Onze legeraanvoerder!'

'Heeft hij jullie bevolen om naar dit eiland te gaan?'

'Ja! Ik moest gehoorzamen! Ik had echt geen andere keus!'

'En waar bevindt die Culcah zich?'

'In de hoofdstad, geloof ik! Als hij tenminste niet intussen daarvandaan weer op veldtocht is gegaan! Maar alles is toch al bijna veroverd, op een paar onbelangrijke havensteden in het noorden na, dus ik kan me niet voorstellen dat hij weer naar buiten is gegaan!'

'Over welke hoofdstad heb je het? Over Orison-Stad soms?'

'Natuurlijk!'

Taisser Sildiens woorden gonsden door Mintens hoofd: *Er heerst een nieuwe oorlog. Ditmaal zijn het allemaal demonen. Het zijn er duizenden, tienduizenden. Ik ben in opdracht van koningin Lae I bij je gekomen om je de post van coördinator van het verzet aan te bieden. Ik zal je raadsman zijn, net als toen, en samen zullen we het land dat al in handen van de demonen is van achteren oprollen, tot die vervloekte monsters horen en zien vergaat!* Het scheen dat Taisser niet had overdreven. De demonen hadden de hoofdstad al in handen. En: *Alles is toch al bijna veroverd, op een paar onbelangrijke havensteden in het noorden na.*

De mensen, dacht Minten. Wat een tragedie.

Onder zijn handen verging de demon tegenspartelend tot stof en as.

De gang van zaken was tamelijk duidelijk. Eerst was er maar één demon geweest. Die was niet teruggekeerd. Dus hadden ze er acht gestuurd. Die zouden ook niet terugkeren. De volgende keer zouden ze er tachtig sturen, en daarna achthonderd.

Wilde Minten schade aan zijn eiland voorkomen, dan restte hem geen andere keus dan de oorzaak van deze gang van zaken, het wezen dat Culcah heette, onschadelijk te maken.

Misschien kon de stinkende drinker die al voor de tweede keer, en ditmaal al dagenlang, in een van de baaien voor anker lag en – zonder van tevoren om toestemming te hebben gevraagd – Mintens vissen ving en opvrat, zich eindelijk eens nuttig maken.

Blannitt schrok zich bijna dood toen er ineens achter hem een man op het dek van de Miralbra stond. Eerst dacht hij dat het Orogontorogon was die een baard had gekregen, maar toen zag hij dat hij zich had vergist.

De man zag eruit als een kluizenaar. Lange, viltige, roodblonde haren. Een volle baard die tot op zijn borst reikte. Zijn kleding, die zijn krachtige, vuile lijf maar nauwelijks bedekte, leek vooral van gebladerte, mosselschelpen, zeewier en boomschors te zijn gemaakt.

'Vanaf welke havenstad is het het kortst naar Orison-Stad?' vroeg de kluizenaar. Er was iets vreemds aan zijn tanden, zodat hij ook raar en onduidelijk praatte. Maar dat nam Blannitt hem niet kwalijk; hij lalde immers zelf. 'Ziwwerz, zou ik zeggen. Of Ulw. Ulw ligt misschien een ietsjepietsje meer landinwaarts, maar daar staat tegenover dat ik in Ziwwerz woon en daar beter de weg weet. De vraag is alleen of een van beide steden er nog wel staat!' Blannitt grijnsde onzeker over zijn grapje.

'Dat maakt niet uit. Breng me naar Ulw.'

'Ik wacht eigenlijk nog op mijn vorige passagier, zo'n rooie kerel met een hondensnoet en...'

'Breng me naar Ulw.'

'Maar natuurlijk, meteen, uwe genade! Vanzelfsprekend hoeft ook u mij niet te betalen. Sinds de hofhotemetoot heeft niemand me meer voor mijn diensten beloond, dus waarom zou ik daar uitgerekend nu over beginnen te klagen? Alleen uw kleding, meester, als ik zo vrij mag zijn...'

'Wat is daarmee?'

'Ehhh... behalve op dit eiland heerst er winter op de wereld. Dat zou verdomd koud kunnen worden met alleen een paar schelpen en wat dat allemaal ook maar is.'

'Ik krijg het niet koud. Breng me naar Ulw.'

Knikkend tot hij ervan duizelde hees Blannitt de zeilen.

38
Nog twaalf tot het einde

Het vuur kon nog niet lang gedoofd zijn, want de balken knapten nog van de hitte. Koningin Lae stond, omringd door de vijf uniformdragers van haar persoonlijke lijfwacht, voor de smeulende resten van de hut en het hekwerk.

Tanot Ninrogin was dus dood of meegevoerd, verbrand of opgegeten, zijn schapen geslacht, hun bloed opgeslurpt. Het was uiterst onwaarschijnlijk dat de oude herder zijn dieren bij dit noodweer had weggeleid. Waarheen ook? Nergens waren sneeuwvrije weiden.

Die vervloekte demonen hadden vanuit de buitenburcht plundertochten ondernomen om met prooi uit de omgeving hun buiken extra vol te proppen, omdat de voorraden van het slot al verbrast waren.

Lae sidderde van minachting.

Maar al te goed herinnerde ze zich haar gesprek met de voormalige raadsheer. Dat hij de demonen zelfs nog in bescherming had genomen en de mogelijkheid had geopperd dat er onder hen ook nog iets als fatsoen en waardigheid zou kunnen bestaan. Dat hij haar had afgeraden een bondgenootschap met Coldrin te sluiten. Dat hij haar aanraadde een onderhandelaar naar de demonen te sturen.

Dat was allemaal fout geweest.

De demonen hadden hem overvallen als de smerigst mogelijke moordenaars en hem samen met zijn vee geslacht. In de Coldriners lag nu de enige hoop van het land. En de naam van de ongelukkige gezant die ze naar de demonen had gestuurd kon de koningin zich al helemaal niet meer herinneren. Het waren er twee geweest, een man en een vrouw, maar geen van beiden stond Lae nog voor ogen. Ze waren uit de geschiedenis van het land gestreept, omdat hun streven zonder weerklank was gebleven.

'Koningin?' vroeg een van haar begeleiders. 'We kunnen maar beter terugkeren naar het hoofdleger. We zijn maar met z'n zessen tegen een onbekend aantal tegenstanders, die hier nog altijd zouden kunnen rondzwerven. De brandsporen zijn nog verdomd vers.'

'Ja,' antwoordde ze. 'Ik weet het.'

Alles was fout geweest.

Maar niet omdat Tanot Ninrogin een slechte raadsman was geweest. De tijden waren veranderd.

Hij had dat zelf toegegeven. *Ik weet niets over de demonen van nu*, had hij gezegd. Eenentwintig jaar geleden, in een volkomen ander soort oorlog, had hij met een demon, die zijn koning was, bijna een soort vriendschap onderhouden. Maar nu leken er onder de demonen geen figuren van niveau meer te zijn. Vuurrode honden, kleverige hagedissen, gevleugelde nachtmerries, wormen met smoelwerken, een gedrang en geschraap als van miljoenen tentakels. Als er een koning was die zin gaf aan dit bloedige gekrioel, kon Lae hem niet zien, bereiken of spreken.

Ze klom op de wagen. Haar been vormde nog altijd een hinderpaal. Hopelijk zou er tot de grote beslissende slag nog genoeg tijd verstrijken om haar dan weer, zoals een legeraanvoerster betaamt, op een paard te kunnen laten zitten.

Voor de demonen die de Buitenburcht van het Derde Baronaat bezet hielden, kwam de aanval volkomen onverwacht.

Ze namen het toch al niet zo nauw met het bemannen van de wachttorens. Het moest uiteindelijk één voordeel hebben om in een búítenburcht gestationeerd te zijn, dus zo ver mogelijk bij Culcahs wantrouwige ogen vandaan.

Er was wel een aantal onder hen die er voortdurend vermanend over kletsten dat de koningin van de mensen juist door dit baronaat gevlucht was, en het daarom niet onwaarschijnlijk was dat ze ook uitgerekend in dit baronaat weer zou opduiken, maar die zeurpieten werd steevast met veel lawaai en gelach het zwijgen opgelegd. Het voornaamste argument tegen hen luidde: 'Als die koningin hier per se weer naartoe wil, waarom smeert ze 'm dan eerst?'

Toen nu kapitein Dirgraz' Tweede Divisie van 7000 rekamelkisjruiters vroeg in de ochtendschemering op de burcht af kwam gekropen als een golf van chitinepantsers, merkte eerst niemand in de burcht dat op. Toen vertraagde de stormaanval, omdat de rekamelkisj niet konden vliegen en eerst ingewikkelde piramides en trapvormige torens uit hun lichamen moesten opbouwen om over de hoge muren heen te kunnen komen. Maar zelfs in deze fase van de overval hielden de eerste twee demonen die de aanval zagen de aanstormende reuzeninsecten gewoon voor een enigszins verdwaalde versterking uit Orison-Stad of een door Culcah zelf gezonden controletroep. De rekamelkisj zagen eruit als demonen, ook al gedroegen ze zich veel beheerster.

Uiteindelijk waren de muren ingenomen en nu begon het grote krijsen en rondlopen. Slechts een paar demonen hadden de tegenwoordigheid van geest om naar wapens te grijpen en het gevecht aan te gaan. De meesten gilden alleen maar, liepen rond als kippen zonder kop en kwamen hier en daar zelfs tot een persoonlijk ontwikkeld godsgeloof. 'Het strafgericht komt over ons!' brulde er een, voor de scharen van een reuzenmier hem in plakjes sneden.

Er waren 7000 rekamelkisjruiters tegen 500 daimonin. De strijd was maar van korte duur en daarna was de burcht in handen van de Coldriners. Het enige wat Dirgraz niet kon verhinderen was dat een gevleugelde demonenbode zuidwaarts vertrok en snel aan de horizon verdween.

Maar Dirgraz keek deze gevleugelde met een smal glimlachje na. Hij zag er niet uit alsof deze ene ontsnapping hem dwarszat. Zijn duizendpoot steigerde in golfbewegingen onder de kapitein. 'Deze daimonin zijn belachelijk,' zei hij tegen een van zijn adjudanten. 'Ze willen hulp halen. Maar voor die tijd hebben we ook de Hoofdburcht. Voorwaarts, mannen, vooruit met jullie!'

De divisie vertrok naar het zuiden, zonder de Buitenburcht ook maar opnieuw te bezetten.

Zelden tevoren in haar leven had Marna Benesand zich zo overbodig gevoeld.

Ze wílde vechten, wílde het de demonen betaald zetten, wílde zich wreken voor alle smaad en ontbering van de laatste weken – maar ze wist totaal niet waar ze moest beginnen.

Haar paard en de paarden van haar zusters schrokken voortdurend terug voor de rekamelkisjmonsters. Al bij de bestorming waren ze veel te ver achteropgeraakt.

Toen hadden de rijdieren van de Coldriners zich opgestapeld en waren gewoon over de muren naar de binnenkant van de burcht gekrioeld als mieren in een emmer die in de grond was gegraven. De rijdieren van de Dochters van Benesand konden niets vergelijkbaars en waren daarom niet in staat om mee te doen.

Marna was afgestegen en had geprobeerd een van de onderste rekamelkisj tenminste te voet te beklimmen, maar het beest had alleen maar met acht ogen, twee kaaktangen zo groot als kromsabels en het blazende geluid van een woedende slang tegen haar gekwijld. Ze was eraf gegleden en languit tegen de grond geslagen. Tanuya had haar onder het nerveus trappelende reuzeninsect vandaan in veiligheid getrokken.

Marna was overeind gekrabbeld, had zo waardig mogelijk het slijm uit haar haren geveegd en met overslaande stem geschreeuwd: 'Terugtrekken, zusters! We kunnen beter de uitlopers van de slag bewaken en garanderen dat er geen demon ontsnapt! De Coldriners lijken namelijk niet bijzonder voorzichtig te werk te gaan!'

Toen hadden ze alle zeven hulpeloos moeten toezien hoe een gevleugelde demon hoog boven hun hoofden naar het zuiden ontkwam.

Het huilen stond Marna nader dan het lachen.

Ze wilde zich gaan beklagen bij Dirgraz, maar Hazmine en Teanna hielden haar tegen. 'Alles loopt toch goed?' zei Hazmine. 'Wij zijn hier gewoon alleen voor de beveiliging. En om de koningin verslag uit te brengen!'

Teanna voegde eraan toe: 'Het zijn allemaal mannen, Marna. Wat kun je dan verwachten?'

Teanna had gelijk. De Coldriners waren zonder uitzondering mannen. Van gelijkberechtiging in het leger hadden die onontwikkelde mistkerels nog nooit gehoord.

'Misschien zijn de rekamelkisj wel vrouwelijk,' probeerde Marna hun gekwetste trots met spot te verzachten.

'Ja, misschien is er wel een weerzinwekkend geheim tussen hen en hun ruiters,' viel Aligia haar grijnzend bij.

'Echt goed vast te stellen is dat niet,' voegde Zilia eraan toe. 'Bij insecten is in elk geval niets te zien tussen de poten.'

'Bij de Coldriners misschien ook niet,' besloot Myta het gesprek.
De Dochters van Benesand konden weer lachen.
En het ging verder zuidwaarts.

39
Nog elf tot het einde

Culcah reageerde ogenblikkelijk op de boodschap van de gevleugelde vluchteling. De demon die het bevel voerde over de 10.000 veroveraars van de noordelijke oostkust, luisterde naar de naam Baebin.

Baebin, luidde de boodschap die Culcah hem zond, *staak je bezigheden, wat je ook aan het doen bent, en spoed je naar het westen. De Buitenburcht van het Derde Baronaat is ingenomen door bereden demonen die niet bij ons leger horen. Het zouden Coldriners kunnen zijn. Snijd hun de terugweg naar het noorden af! Vernietig hen, of je zult zelf vernietigd worden!*

Die slotzin beviel Culcah echt goed. Tevreden leunde hij achterover in zijn zetel, nam nog een niertje van het bord dat op de armleuning balanceerde en keek de vliegende demon na terwijl die het grote balkonvenster uit fladderde.

Baebin was een tamelijk kleine demon, maar wel reusachtig breed en massief, en hij beschikte over een stem waarmee je steen kon splijten. Hij zag eruit als een potige, lichtgevend blauwgroene amfibie, en daardoor was hij ondanks zijn gedrongen gestalte ook ver achter in het leger goed te onderscheiden.

'Bereden demonen die niet bij ons leger horen? Wat is dat voor klotetroep?' snauwde hij tegen zijn raadslieden. 'Is er daar boven in het noorden soms nog een demonenpoel?'

'Dat kan niemand weten, legercoördinator.' Baebin had zijn ondergeschikten geleerd hem met 'legercoördinator' aan te spreken. Hij hield van dat ingewikkelde mensenwoord, zoals hij ook van de mensenvrouwen hield.

'Oké, waar zijn we nu? In welk gat? Ik kan al die verdomde namen niet onthouden!'

'We zijn nu in Zarezted, legercoördinator. Ten noorden van ons ligt alleen Ferretwery nog, en dan is onze missie toch al voorbij.'

'Voorbij? Laat me niet lachen! Tot nu toe was er toch nauwelijks iets te doen! Of noemen jullie een paar aangeschoten havenarbeiders met laadhaken in hun handen soms serieus verzet?'

'Natuurlijk niet, legercoördinator. Alles liep gesmeerd tot nu toe.'

'Nou, laten we dan naar het westen vertrekken! Dat Ferrisweely zal zich maar een paar dagen zonder ons moeten vermaken.'

'Ferretwery, legercoördinator.'

'Wat dan ook! Het gaat toch binnenkort allemaal anders heten. Ieder van ons zal een stad krijgen die naar hem is vernoemd, en dan heerst er eindelijk orde aan de kust! Overigens kan die vervloekte sneeuw nu eens ergens goed voor zijn. Hij zal ons namelijk helpen de sporen van de bereden demonen te vinden, of we hun al vóór zijn of nog achter hen zitten, en al die dingetjes.'

'Heel sluw, legercoördinator!'

Soms vroeg Baebin zich af waar een raadgeversstaf die hem uit angst altijd maar gelijk gaf goed voor was. Maar hij had ook geen zin om voortdurend discussies met zelfstandig denkende ondergeschikten te moeten voeren. Dat was vermoeiend, en Baebin was toch al een demon die veel slaap nodig had – en kreeg –, maar desondanks zelden in een goed humeur was.

De 10.000 kustplunderaars vertrokken in de richting van de Derde Buitenburcht. Sommige van de grotere stukken buit – zoals bijvoorbeeld een geciseleerde kerktoren uit Keur – moesten worden achtergelaten, want Baebin drong tot spoed aan. Het hele land behoorde al aan de demonen toe, en achtergelaten buit kon in alle rust op een later tijdstip weer worden opgeraapt, zonder dat iemand hem probeerde af te pakken.

De Tweede Divisie rekamelkisjruiters onder kapitein Dirgraz viel de Hoofdburcht van het Derde Baronaat aan met dezelfde tactiek als daarvoor de Buitenburcht. De Coldriners waren geen verfijnde strategen. Als iets eenmaal succes had geboekt, waarom dan iets veranderen?

De Hoofdburcht was een beetje groter en onoverzichtelijker, en de muren waren een beetje groter dan bij de Buitenburcht, maar het vermogen van de rekamelkisj om zich tot trappenbouwsels op te stapelen bleek ook hier goede diensten te bewijzen. Zelfs toen de verdedigers – net als de menselijke burchtbewoners hadden gedaan – met kokende olie en pek begonnen te gooien, konden de rekamelkisj de gevaarlijke vloeistoffen onbewogen langs hun natuurlijke rugpantsers laten wegdruppelen.

Culcah had ieder slot ongeacht zijn grootte met maar 500 demonen bezet. De 500 van de Hoofdburcht boden meer verzet dan de 500 van de Buitenburcht. Ze waren minder slaperig en nonchalant, sneller bij hun wapens, en ook – mogelijk verschuldigd aan de eer een hoofdburcht te mogen bezetten – strakker georganiseerd. Ze slaagden erin een kleine uitval te doen, een korte bres in de aanstormende insecten te slaan. Het lukte hun tenminste om de noordmuur langer te houden, tot de afgestegen ruiters van de zuidwaarts binnengedrongen rekamelkisj hen in de rug aanvielen. Ze hielden ook langer achterhoedegevechten vol, op de binnenplaats en in kleine hoekjes. Maar uiteindelijk stonden toch weer slechts 500 dapperen tegenover 7000 aanvallers en hun volledig gepantserde rijmonsters, en dat betekende dat ook deze slag nauwelijks langer dan een halfuur duurde.

Dirgraz hees geen overwinningsvlag, zoals de demonen nog wel hadden gedaan. De demonen hadden boven iedere veroverde burcht de in bloed gedrenkte kleren van een aantal mensen als wimpels in de wind laten wapperen. Dirgraz liet deze inmiddels roestbruin bevroren getuigenissen van demonisch leedvermaak neerhalen en verwijderde zo die honende vlekken uit het hemelse blauw. Zijn verliezen bedroegen ongeveer nul.

Zijn duizendpoot steigerde opnieuw onder hem. Dirgraz keek naar het zuiden, over besneeuwd heuvelland. Daar was nog, op enige afstand, een binnenburcht, en daar nog maar een kippeneindje achter was de hoofdstad al. De hoofdstad van Orison, door een Coldriner op de knieën gedwongen.

Maar Dirgraz was geen ongeduldig man. De instructies van zijn koning waren duidelijk geweest: twee burchten en dan terugtrekken. De vijand was veruit in de meerderheid en moest daarom vooral niet worden onderschat. De vijand moest gelokt worden, naar voor hem nadelig terrein. Dan pas moest het tot een slag komen. Dirgraz zou nog snel genoeg gelegenheid krijgen om zich met de aanvoerders van de daimonin te meten.

Geleidelijk aan begon Marna Benesand nu toch bang te worden.

De superioriteit van de Coldriners ten aanzien van de demonen begon ze langzaam griezelig te vinden. Vanzelfsprekend was Dirgraz' troep steeds in de meerderheid. Maar de demonen boekten nog niet eens een zielig klein succesje! De uitval was al na zeven stappen geëindigd in de tangen en klauwkaken van de rekamelkisj.

Als de koningin nu eens echt een vijand het land in had gehaald die veel gevaarlijker was dan de demonen?

Haar zusters probeerden haar gerust te stellen.

'Als de demonen zich eenmaal op deze nieuwe tegenstander hebben ingesteld, worden ze genadeloos teruggeslagen,' vermoedde Hazmine met haar legerervaring. 'Zo'n overvaltactiek kan maar een beperkte tijd goed gaan. Daarna worden de kaarten opnieuw geschud.'

'Ik hoop dat het aantal Coldriners tenminste behoorlijk uitgedund wordt,' zei Zilia grimmig. Ook zij vond de overmacht van de insectenruiters uiterst onaangenaam.

'Ik vind sommige van die ruiters echt schattig,' mengde de jonge Myta zich met een vrolijke stem in het gesprek. 'Ik bedoel, als je eenmaal gewend bent aan hun donkere huid, kun je eigenlijk niet beweren dat het lelijke mannen zijn.'

'Daar wil ik liever niets over horen,' vermaande Marna. 'We zijn bondgenoten, maar alleen tijdelijk. We laten ons niet met onze strijdmakkers van welk soort ook in. Dat zou niet soldatesk zijn en ook niet huurlingesk.'

De meeste Dochters bromden instemmend.

Maar Marna's zorgen verdwenen niet.

Hoe kon je als huurlingen in de toekomst nog opdrachten krijgen als er zúlke krijgers uit Coldrin waren, op zúlke monsters rijdend, beter bewapend en uitgerust dan de Dochters van Benesand zich tot nu toe hadden kunnen veroorloven? Eigenlijk was zo'n oorlog niet slecht voor de zaken. De koningin had weliswaar tot nu toe nog geen cent betaald voor de diensten van de Dochters, maar ze konden een goede naam opbouwen en zichzelf makkelijker in later tijd aanbevelen dan in de saaie vredestijd het geval was geweest. Maar nu haalde de koningin hulp uit Coldrin, nu het echt hard tegen hard ging.

Wij zijn mooier, en wel een stuk mooier, dacht Marna, maar dat is ook het enige waarmee we kunnen scoren. Een normale opdrachtgever in normale tijden huurt vast liever een paar sappige meisjes dan zwarte ruiters op harige reuzenspinnen. Maar wat we nog missen, wat we beslist nog nodig hebben, is een treffend bewijs van onze vaardigheden. Een geniale militaire zet, zoals de grote Faur Benesand ze onophoudelijk uit zijn mouw schudde. Een bijzondere actie, die op het beslissende moment alles omgooit, de kansen doet keren en heldinnen van ons maakt. Heldinnen van het in negenen gedeelde land Orison!

Marna's ogen begonnen weer te stralen. Zwijgend herdacht ze – zoals ze vaak deed in rustige ogenblikken – haar verloren zes zusters Belodia, Chasme, Nyome, Chesea, Ilura en Nikoki. Ze riep hen alle zes achter elkaar terug in haar geheugen: hun glimlachjes, hun rijhouding, hun grapjes, hun verschillende manieren om er verrukkelijk uit te zien. Hun moed. Hun moedeloosheid in uren van gevaar. Hun slaap en hun ontwaken 's morgens. Marna voelde zich op zulke momenten meer een moeder dan een zuster.

Als ik hun moeder was, was ik Faurs vrouw geweest, dacht ze, en ze zuchtte hartstochtelijk.

Baebin spoorde zijn 10.000 demonen aan tot topprestaties.

Om dat doel te bereiken gebruikte hij een heel simpel middel: wie bij de geforceerde mars naar het westen meer dan tweehonderd passen terugviel, werd door de anderen in handzame eenheden proviand verdeeld. Precies 27 demonen legden op deze manier het loodje; daarna heerste een tempo dat waarschijnlijk ook met Orogontorogons legendarische, zij het volkomen in de pan gehakte snelle troep had kunnen wedijveren.

Op de derde dag al kruisten de demonen nauwelijks ten noorden van de Derde Buitenburcht de sneeuwsporen van de 7000 zuidwaarts gereden rekamelkisjkrijgers. Deze sneeuwsporen leidden alleen maar naar het zuiden; de vijand was dus tenminste op deze weg nog niet verder naar het noorden ontkomen. Baebin stelde direct een uitgestrekte wachtpostenketen op zichtafstand op, om het hele Derde Baronaat in een van west naar oost lopende lijn te kunnen overzien en af te grendelen. Helaas had hij geen vliegende demonen ter beschikking; die waren schaars geworden nadat Orogontorogon 2000 van hen had verloren en de rest of naar de eilanden was gezonden, of als boodschappers over de burchten was verdeeld. Baebin moest 1000 van zijn soldaten voor deze wachtpostenketen aanwenden, maar dan bleven er nog altijd meer dan genoeg over om elke denkbare tegenstander te verslaan.

'Als Culcah echt uitgekookt was,' vertrouwde Baebin zijn raadslieden zijn overwegingen toe, 'zou hij nu met een leger uit de hoofdstad noordwaarts marcheren. De vijand staat tussen hem en ons in. We zouden hem kunnen fijnmalen als tussen twee kaken.'

'Briljant, legercoördinator!' viel men hem onmiddellijk bij.

'Maar Culcah weet dat natuurlijk niet,' peinsde Baebin verder, 'en we kunnen het hem ook niet vertellen zonder dat onze ordonnansen door de vijand worden gevangen. Dus ligt alles in onze handen. Daarom, mijn demonen, heeft Culcah ons uitgekozen. Omdat wij hem niet zullen teleurstellen.'

'Heerlijk, legercoördinator!' juichte een van de raadslieden in vervoering.

Een Coldrinische renspinnenruiter was onderweg naar het noorden, om de koningin ook de herovering van de Hoofdburcht te melden.

Plotseling ontwaarde hij voor zich in het eeuwige sneeuw- en stofhagelwit silhouetten. Afzonderlijk, maar een ketting vormend. Demonen.

De demonen zagen hem en gebaarden.

De renspinnenruiter dacht er even over door te breken. Maar toen besloot hij terug te rijden naar kapitein Dirgraz en melding te maken van de demonen die hier midden in het land een keten vormden.

'Eén enkele? Op een spin? En jullie hebben hem laten ontsnappen? Moet dat een grap verbeelden?' voer Baebin uit tegen de demonen die hem over het voorval berichtten.

'Waarschijnlijk alleen maar een boodschapper, legercoördinator,' waagde iemand van zijn raadslieden het te interpreteren. Dat leverde hem zowel van Baebin als van zijn mederaadsleden vernietigende blikken op.

'Vervloekte mensentroep!' schold Baebin. Hij vond het vreselijk om tijdens zijn middagdutje te worden gewekt. 'Het was echt van groot belang geweest om hem te vangen. En kom me nu niet aan met: hij was te snel! Nu kunnen de plunderaars plannen maken om ver om ons heen te trekken. Door het Tweede Baronaat of door het Vierde. Moet ik soms 5000 van mijn demonen verspillen aan een gesloten, door drie baronaten voerende bewakingsketen?'

De demon die hem het voorval had gemeld begon zachtjes te kermen.

'Mag ik een voorstel doen, legercoördinator?' bracht een van de raadslieden naar voren.

Baebin was verbaasd. 'Een voorstel? Nou, ik ben benieuwd!'

'Ehhhh...' De raadsdemon begon behoorlijk te haperen toen alle aandacht van de aanwezigen op hem gericht werd. 'Waarom... volgen we het spoor van die spinnenruiter niet? Is de... kans dat dat spoor ons direct tot de plunderaars leidt... niet... tamelijk... groot?'

Een tijdlang verroerde niemand een vin. Toen klapte Baebin plotseling in zijn handen. 'Dat is tenminste een idee! Goed gedaan, jongen! Maar we mogen ons natuurlijk niet gewoon maar door die ruiter laten beetnemen. Het kan een list zijn om ons op een vals spoor te brengen en op die manier de weg vrij te maken. Verder heb je gelijk: we zullen hem achtervolgen. Jijzelf neemt 2000 man mee en gaat achter hem aan. Als je de vijand vindt, en als hij zwak is, geef ik je de vrije hand om hem te bestrijden. Maar als hij te sterk voor je is, trek je je tactisch naar ons terug, waar wij hem dan met onze overige 8000 vernietigen!'

'En wat... moet ik doen... als de vijand... gewoon... sneller is dan ik? Zoals die spin sneller was dan... wij te voet? Dan zal de... terugtocht net zo'n ramp zijn als de... terugtocht van de mensen destijds in het Zesde...'

'Doe gewoon maar je best, jongen. We hebben twee demonen in ons leger die op mensenpaarden hebben leren rijden. Een van hen krijg je mee. Die stuur je als ordonnans naar ons toe zodra de achtervolging losbarst. Daarna is het alleen nog je plicht ofwel je snel bij ons aan te sluiten, ofwel de vijand net zo lang op te houden tot wij hem de genadeslag komen geven.'

De raadsdemon was duidelijk bleker geworden, maar hij knikte dapper en accepteerde zijn nieuwe commando, dat hem tenminste voor korte tijd de baas van 2000 demonen maakte.

De renspinnenruiter bracht Dirgraz verslag uit.

'Eindelijk duiken er loslopende troepen op,' glimlachte de ervaren kapitein. Ze hebben over onze overvallen gehoord en willen ons de pas afsnijden. Kom op! Laten we de rekamelkisj nog meer demonenharten te eten geven!'

De Tweede Divisie begaf zich onaangedaan weer terug naar het noorden.

Marna Benesand voelde haar onderlichaam zwaarder en haar hoofd tegelijk lichter worden.

Er stond een slag voor de deur, mogelijk nog verschrikkelijker dan alle andere slagen die ze in deze oorlog al had gezien. Ze was erbij geweest toen Hugart Belischells geweldige leger door de demonen uit elkaar was geplukt als een fruitmand. Ze was bij de val van de hoofdstad geweest. Ze was erbij geweest toen de vluchtelingen zich met pijn en moeite in de schaduwen van de bergen tegen het 10.000 man sterke leger van de rode hond teweer hadden gesteld.

En dan nu de demonen tegen de rekamelkisjruiters. Dat was nog niet eerder vertoond.

Moest ze déze slag gebruiken om de door haar zo hevig verlangde geniale militaire zet te doen? Maar wie zou daar achteraf over vertellen?

Nee, het was beter om zich ditmaal nog op de achtergrond te houden en de geniale zet onder de ogen van de koningin te volvoeren.

Zodat het gebroken been van de kroon, waaraan Marna immers niet helemaal onschuldig was, eindelijk – ook in Marna's innerlijk – kon genezen.

De 2000 demonen van de bleke raadsheer volgden het spoor van de renspinnenruiter. Om hen heen heerste het gelijkmakende wit. Geen van hen had in vrijheid ooit iets anders dan regen of winter gezien. Allemaal voelden ze zich onprettig, omdat ze hun tegenstander niet kenden. Noch zijn aantal, noch zijn aard. De sporen van de overvaltroep hadden alleen maar op een groot aantal gewezen, duizenden wezens met vreemde poten. Maar hoeveel duizend? Er waren geen aanknopingspunten.

Toen kwam de vijand in zicht. Iets wat eruitzag als grondmist hing over het dal, maar het was waarschijnlijk eerder opgewaaide stuifsneeuw.

Eerst dacht de raadgever dat zijn taak wel te behappen was. Zevenduizend eigenaardige insecten. Tweeduizend vastbesloten demonen moesten daarmee toch kunnen afrekenen! Maar toen begreep hij dat hij eigenlijk met 14.000 tegenstanders te maken had: met 7000 strijdlustige gepantserde dieren en hun 7000 zwaar uitgeruste ruiters.

Het was te laat om te keren en te vluchten. De insecten waren toch sneller en waarschijnlijk ook volhardender dan door de winter vermoeide demonen te voet. De raadsman liet zijn bereden ordonnans wegdraven naar het noorden om Baebin te informeren. Toen gaf hij het bevel – als laatste daad van zijn korte leven in vrijheid – om aan te vallen.

Voor de eerste keer botsten demonen in de open ruimte op Coldriners.

De slag was maar van korte duur; de overmacht van de Coldriners was gewoon te duidelijk. Toch slaagden een paar demonen erin om hun vijanden met bijzondere vermogens zoals vuurbraken, lichaamsprojectielen schieten, celdeling, wapengezwellen, met elkaar werpen en complete zelfontploffing te verrassen. Meer dan 500 Coldriners vonden de dood, meer dan 200 rijinsecten stonden na het gevecht niet meer op. Geen enkele van de 2000 demonen overleefde het gevecht.

Desalniettemin toonde kapitein Dirgraz zich onder de indruk van de offerbereidheid van zijn tegenstanders. 'Degene die bij deze demonen het bevel voert,' zei hij tegen een jongen die demonenresten van zijn wapenrusting veegde, 'heeft zijn troepen vast in de hand. Niemand deserteert, zelfs niet tegenover een overmacht. Maar toch: de demonen zullen met duidelijk meer op de proppen moeten komen, willen ze het ons serieus moeilijk maken.'

De Tweede Divisie volgde het spoor van de paardenordonnans, omdat dat in de gewenste richting leidde.

De Dochters van Benesand begrepen niet wat de Coldriners in hun vreemde taal met elkaar bespraken. Maar ze hadden zich toch al zo ver mogelijk bij de korte slachtpartij vandaan gehouden.

'Laat hen elkaar maar rustig aan stukken scheuren,' fluisterde Marna haar huurlingenzuster Teanna toe. 'Zolang de koningin niet aanwezig is, hebben we geen echte verplichting om ons op te offeren.'

'Heb je gezien hoe die ene demon... ontplofte als een overvolle zaaddoos?' vroeg Teanna met bevende stem. 'En een andere spuugde vlammen op een reuzenrups!'

'Nou en?' Marna leek niet onder de indruk. 'Goocheltrucjes. Toch hebben ze verloren.'

De 'legercoördinator' Baebin luisterde nauwkeurig naar het verslag van de bereden boodschapper, die buiten adem was en dampte van het zweet. Al tijdens dit verslag liet hij zijn observatiepostenketen weer samentrekken om zijn leger tot 8000 soldaten te verdichten.

'Dat wordt geen suikernierhappen,' glimlachte hij innemend naar zijn raadslieden. 'Maar als het ons lukt die monsters uit de weg te ruimen, zal Culcah ons eindelijk de waardering toekennen die we al lang verdienen. Geen schoonmaakkarweitjes aan de kust meer! Ik zeg jullie: koning Orison zal ons zelfs een eigen baronaat geven! Wat denken jullie daarvan, jongens? Zoals dat altijd gebruik is geweest onder de mensen. Hoe zou het Vierde jullie lijken? Nou? Twee verschillende gebergten, een volle zee, een eigen rivier, drie mooie burchten, een stadje in de bergen, nog eens vijf aan het strand – alles wat een deftige demon nodig heeft om te leven!'

'Baron Baebin!' juichten de raadslieden uit volle borst.

Dat klonk eigenlijk nog beter dan 'legercoördinator': baron Baebin.

De 8000 demonen begonnen de nog ongeveer 6500 Coldriners van de Tweede Divisie tegemoet te marcheren.

En toen, toen de twee legers eindelijk op zichtafstand waren en op elkaar af stormden, brulde Baebin met al het volume dat de Poel hem zo overdadig had toebedeeld: 'Vreet je vol, mijn kleine helden! Het voer is zo vriendelijk om naar ons tóé te komen!'

40
Nog tien tot het einde

De slag nam een griezelig verloop.

Toen de blauwgroen glanzende, amfibieachtige aanvoerder van de demonen bijna ongelooflijk luid de woorden 'naar ons toe!' had geroepen, raakten de relatief strak geordende gelederen van de Coldriners door een eigenaardig getreuzel in de war. Sommige ruiters toomden hun rekamelkisj in. Andere dreven ze verder naar voren, zoals het plan was, en keerden vervolgens om met een vijandige uitdrukking op hun gezicht. Rekamelkisj steigerden onder hun ruiters en probeerden hen af te schudden.

Kapitein Dirgraz had een hele tijd nodig voor hij begreep wat er aan de hand was: verscheidene van zijn soldaten liepen zomaar over! Mogelijk was het verschil tussen Coldrin en de al even mistige Demonenpoel kleiner dan dat tussen Coldrin en het lichte land Orison. In elk geval verloor kapitein Dirgraz in de loop van het gevecht de controle over 2000 van zijn ondergeschikten.

Deze 2000 Coldriners begonnen samen met hun rijdieren tegen hun eigen troepen te vechten. Daardoor wijzigden de krachtsverhoudingen zich dramatisch. In plaats van 6500 ruiters op 6500 rekamelkisj stonden er plotseling nog maar 4500 ruiters op 4500 rekamelkisj tegenover de 8000 demonen, die op hun beurt door 2000 overgelopen ruiters en 2000 overgelopen rekamelkisj tot 12.000 waren versterkt. De ervaren krijger Dirgraz zag zich plotseling aan alle kanten door tegenstanders omgeven, en met verscheidene daarvan was hij een paar ogenblikken daarvoor nog vertrouwd of zelfs bevriend geweest.

De demon Baebin jubelde. Hij leek helemaal niet voor honderd procent zeker te zijn van zijn eigen toverkracht, maar hij riep nog een paar keer: 'Naar ons toe! Naar ons toe!' In het alomtegenwoordige tumult was niet zonder meer uit te maken of daarop nog meer Coldriners overliepen, maar de toestand was voor Dirgraz ook zo al rampzalig genoeg.

Marna Benesand begreep dat deze slag verloren zou worden als de blauwgroene amfibie erin zou slagen de dapper strijdende Coldriners volledig in zijn ban te krijgen.

'Zusters!' riep ze, en zo verzamelde ze de Dochters van Benesand nog dichter om zich heen dan ze toch al waren. 'De tijd van terughoudendheid is voorbij! Zien jullie de aanvoerder van de demonen daar? Die blauwachtige dwerg die eruitziet als een grotsalamander? Dat misbaksel zet die stomme Coldriners tegen hun soortgenoten op! Als de Coldriners verliezen zullen *wíj* het volgende slachtoffer van de demonen worden. En na ons de koningin, die onmogelijk kan weten over wat voor toverkracht de demonen beschikken! De Coldriners zijn niet slim genoeg om te doorzien waar deze slag van afhangt. Maar wij wel! Faur Benesand zou het wel zijn geweest! Zijn dochters zullen het zijn! Volg mij! Laten we die demonische horde het lelijke hoofd afslaan!'

De Dochters schreeuwden instemmend met rode wangen. Ze werden nog mooier van strijdlust!

Ze gaven hun paarden de sporen.

De slag was zelf een veelpotig ondier, dat zich slingerend en voortdurend nieuwe voelhoorns vormend zijwaarts over de sneeuwvlakte bewoog. Een ingang vinden met daarachter een weg die naar de schreeuwende demonenvorst leidde – dat was het eigenlijke probleem waarvoor de Dochters van Benesand zich nu gesteld zagen.

De ingang moest worden gemaakt. Tanuya liet daarbij het leven. Ze had vroeger naakt voor betalende mannen op herbergtafels gedanst. Nu scheurde de klauw van een demon de helft van haar wapenrusting van haar lijf, en haar vlees en haar ziel er meteen achteraan. Zilia raakte ook zwaargewond, maar zij was vroeger toneelspeelster geweest en kon dus haar zusters wijsmaken dat alles in orde was en dat ze zich om haar geen zorgen hoefden te maken. De ingang in het lichaam van de slag werd gemaakt doordat Marna en Hazmine zich op hun paarden in de door Tanuya en Zilia gemaakte demonenopening drongen en die bres aan beide kanten openbraken, zodat hij niet weer dicht kon klappen.

De Dochters van Benesand kwamen midden in de slag terecht.

Bloed regende heet in de sneeuw. Klingen en armen wentelden langs. Er weerklonk diep dreunend gebrul als van mannen die een arena vulden met enthousiasme en bloeddorst. Iets hier binnen was vertraagd, dik en troebel. Iets anders kwam juist veel te snel aansissen en trof, schramde en beschadigde waardevolle zaken. Ze raakten allemaal gewond. Zilia deed nog steeds alsof haar niets mankeerde.

De Dochters van Benesand hadden zich door demonen heen gehakt en bevonden zich plotseling tegenover Coldriners. Of het overlopers waren, of dat het lichaam van de slag de controle over zichzelf had verloren, was ten eerste niet uit te maken en ten tweede niet van belang. De rekamelkisj overvielen de Dochters en hun paarden. Teanna, die vroeger rijlerares was geweest, kon het niet over haar hart verkrijgen op het moment van het grootste gevaar van haar rijdier te scheiden. Gezamenlijk kwamen ze als bruinachtig-harige klomp de kaaktangen van een rekamelkisj binnen. Myta, die nog te jong was om ooit een ander leven te hebben geleid dan dat van een kind of een Dochter van Benesand, kon deze gebeurtenis niet snel genoeg verwerken en verdedigde zich niet tegen de aanvallen van een zeisarmige zwaaidemon. Aligia, die vroeger als gezelschapsdame er altijd op had gelet of iets wel of niet zo hoorde, redde Myta het leven door tussen de zwaaiende zeisen en het meisje te duiken, maar werd daarbij in vier ongelijke, slordig gescheiden stukken verdeeld. Myta schreeuwde eerst, viel daarna flauw, kreeg toen een oorvijg van Marna, schreeuwde toen weer en werd samen met haar paard door Marna verder naar binnen getrokken. Marna had tranen in haar ogen, maar niet van haarzelf. Ze waren uit de lichamen van gedode tegenstanders geperst.

De Dochters van Benesand waren nu nog maar met z'n vieren. Marna Benesand leidde Myta Benesand. Hazmine Benesand streed als een razende in het midden en Zilia Benesand vocht er glimlachend achteraan, terwijl haar bloed van de buik van haar paard droop.

De slag loeide alsof er een hele kudde dieren omkwam.

Baebin vocht nu eigenhandig, met een al weken geleden van een mens buitgemaakte bullepees in zijn knuist. Hij kon met dat wapen zo hard toeslaan dat zelfs het pantser van een Coldrinisch insect werd gekraakt. Bovendien vergrootte het wapen Baebins reikwijdte, die van nature tamelijk klein was.

Hij genoot van deze slag, zoals hij van de hele oorlog tot nu toe had genoten. Alleen de kustmissie waar Culcah hem onlangs op uit had gestuurd was hem saai en een beetje zinloos voorgekomen, maar Culcah zond er nu eenmaal alleen nog bevelhebbers op uit die hij volledig kon vertrouwen, bevelhebbers die zeer bij hem in de gunst stonden en naderhand met eigen landerijen zouden worden beloond. Alles bij elkaar was het een en al dikke pret om het land Orison uit handen van de mensen terug te nemen! Dat zich er nu ook nog onbevoegde Coldriners mee bemoeiden, verhoogde de verwarring en daarmee de pret alleen maar!

Baebin lachte als hij zijn raadslieden zag vechten. Hij lachte ook als een van hen het loodje legde. Meestal had het sterven iets tamelijk komisch; het ging in de regel gepaard met achterovervallen en een hoop viezigheid.

Baebin had er ook plezier in om te zien hoe zijn soldaten strijdmethoden gebruikten of nieuw ontwikkelden waarmee de vijand nog nooit eerder in zijn leven was geconfronteerd: zich dood houden en dan ineens vooruitspringen, zich stroperig, taai en op die manier onkwetsbaar maken, nieuwe ledematen vormen op onverwachte lichaamsdelen, scherpgepunte ijsballen van de sneeuw bakken en ermee gooien, insectenverdelger uitpissen, gehoorgangen kapotzingen, door meerdere tegenstanders tegelijk heen beuken, wapens omsmelten tot abstracte structuren die alleen een demon kon hanteren, insecten gedwongen met hun eigen ruiters voeren, insecten met de darmen van hun eigen ruiters boeien en knevelen, insecten aan andere insecten vastbinden tot ze tot agressieve razernij vervielen, en nog veel meer creatiefs.

Baebin ramde elke tegenstander die te dicht bij hem kwam aan flarden en droomde van zijn latere baronaat Baebinia.

Kapitein Dirgraz was al zo kleverig van alle bloed, slijm, gal, demonenspeeksel en insectenvloeistoffen dat hij nauwelijks nog iets kon zien, laat staan gecoördineerd bewegen.

Hij deed iets wat hij nog nooit eerder in zijn leven had gedaan: hij gaf een renspinnenruiter opdracht hulp te halen. Ondersteuning. Versterking. Wat dan ook.

Toen de renspinnenruiter was vertrokken, zond Dirgraz er nog twee weg, omdat hij bang was dat ze door de demonen zouden worden gevangen.

Korte tijd later viel de kapitein van de Tweede Divisie voorwaarts wankelend in een diepe plas demonisch verterend zuur en veranderde kwellend langzaam in brij.

De slag om hem heen overstemde zijn klaaglijke geschreeuw.

Ongeveer veertigmaal verloor Marna Benesand de lichtgevende amfibie uit het oog, maar telkens weer wist ze hem terug te vinden dankzij zijn opvallende kleur.

'Niet opgeven, zusters! We zijn zo bij hem en keren het lot van Orison!' Haar eigen stem maakte haar bang, zo oud en krakend als hij klonk. Maar aan opgeven dacht geen van hen hoe dan ook nog. Wat er ooit nog aan twijfel was geweest, was weggespoeld in vuil en woede. De weg terug was nu verder en moeilijker dan de steeds breder wordende weg voorwaarts naar het doel.

Het bloedbad was afgrijselijk.

Gruwelijke monsters doodden elkaar en kenden daarbij geen genade.

Marna en haar overgebleven zusters zagen rekamelkisj eieren in levende demonen leggen, waarop die eieren uitkwamen en de nog altijd om genade brullende demonen van binnenuit vloeibaar maakten. Ze zagen demonen de rijinsecten systematisch alle poten uitrukken. Ze zagen Coldriners de demonen alleen hun armen en benen afhakken en hen vervolgens ellendig laten doodbloeden. Ze zagen demonen die hun tegenstanders leken te kussen, maar daarbij in werkelijkheid hun gezichten met zuur speeksel aanvraten. Ze zagen rekamelkisj die demonen opvraten, vaak vanaf de voeten omhoog. Ze zagen demonen die rekamelkisj opvraten. Ze zagen een rekamelkisjdier dat door vier demonen werd opgevreten terwijl het zelf twee demonen opvrat. Ze zagen Coldriners die lust beleefden aan het sterven.

Marna droomde met open ogen over een louterend vuur. Over een vuurtapijt dat het hele vleselijke, verscheurende gewemel onder zich begroef en alleen nog sneeuw en de fijnste as achterliet.

Maar dat was maar een droom. De slachtpartij was echt. Alsof alle nachtmerries van de mensheid stinkend en hijgend over elkaar heen vielen.

Marna onthoofdde twee demonen, waarvan de koppen gloeiden als lampions. Een reuzenslang ratelde op haar toe. Marna weerde hem af. Myta was apathisch. Hazmine streed als nooit tevoren in haar leven. Zelfs haar paard sloeg naar voren en naar achteren, verbrijzelde gezichten en de grijpende poten van reusachtige hooiwagens. Zilia speelde nog een laatste maal de heldin. Ze ging een afvallige Coldriner in de weg staan en velde hem met één slag helemaal van boven naar beneden. Toen gleed ze levenloos uit haar zadel. De Dochters van Benesand waren nu nog maar met z'n drieën.

De renspinnenruiters probeerden het strijdgewoel te omzeilen. Toch werden twee van hen ingelijfd. Pas de derde ontkwam door eerst naar het zuiden te rijden, richting hoofdstad, en daarna in een wijde lus naar het noorden, naar de koningin van Orison en naar zijn eigen koning. Toen hij weer de noordelijke richting insloeg, kwam hij een demon tegen die op een paard zuidwaarts galoppeerde.

De twee negeerden elkaar.

Ze zagen elkaar als boodschappers en niet zozeer als krijgers.

In Marna's hoofd vervormden haar zusters, haar dochters, haar geliefde vriendinnen van een veelzeggende glimlach uiteindelijk tot geschreeuw. Zo hevig had ze gezworen geen van hen meer te verliezen dat deze eedbreuk haar bijna nog meer verwondde dan hun nuchtere, echte dood.

Ze viel van haar paard in de met veelkleurig bloed en insecteneieren vermengde sneeuwblubber en wist niet eens wie of wat die val had veroorzaakt. Haar paard werd door twee demonen gepakt en uitgerekt alsof ze aan het touwtrekken waren. Myta zat met een kinderstemmetje nutteloos te babbelen. Hazmine hakte en doodde, tot een roofwesp zo groot als een schuur haar samen met haar paard gewoon wegveegde.

Marna moest nu beslissen: Myta of het lot van het land?

Myta of de koningin?

Myta of een bloedige heerschappij van de demoneninsecten?

Nee, daar klopte iets niet. De demoneninsecten waren datgene wat verhinderd moest worden; de koningin daarentegen moest worden beschermd. Maar Marna was niet meer in staat om logische fouten te ontrafelen. Ze kon niet meer denken. De viezigheid en het gestamp om haar heen en Myta's gebabbel kregen haar helemaal in hun ban. Was het gestamp ritmisch? Was al het doden en sterven een dans?

Wat zou Faur Benesand nu doen?

Hij stond plotseling over haar heen, met zijn frisgewassen blonde lange haren glanzend in de zon, en zijn innemende glimlach met de regelmatige tanden. Galant hielp hij haar overeind. Toen was hij weg, een nieuwe spoedeisende heldendaad tegemoet.

Marna huilde van eenzaamheid.

Vervolgens zette ze het op een rennen, te voet door het gigantengeraas. Ze zag de amfibie weer, die met een pees om zich heen ramde als een dompteur in een stadse voorstelling in vredestijd. Ze naderde hem, zonder dat hij haar opmerkte of serieus nam.

Toen zag hij haar toch.

Zijn brede kikkergezicht grijnsde wellustig.

Zijn pees trok haar kleren de modder in.

Marna besprong hem en doorboorde hem met haar zwaard. Telkens maar weer ramde ze het staal bij hem naar binnen en trok het er weer uit. De amfibie kreunde borrelend en stierf.

Toen ze Baebin zagen sneuvelen raakten zijn raadslieden in paniek. Als kippen zonder kop renden ze weg, in de klauwen van de maalstroom van vijanden, die dampten van ingewanden.

De demonen hadden plotseling geen leiding meer en vielen uiteen in onbezonnen enkelingen. Ze werden neergemaaid als dor gras.

Een tijdlang vochten alleen nog rekamelkisj tegen rekamelkisj.

Toen keerde eindelijk de stilte weer.

Stilte die overging in het huiveringwekkende geweeklaag van de insecten.

41
Nog negen tot het einde

Voor de eerste keer sinds vele weken waagde Culcah zich weer in de vertrekken van zijn koning. Orisons al te menselijke uiterlijk beviel hem niet, maar hij kon niet anders dan zijn zes ogen neerslaan voor de macht van dit wezen.

'Mijn koning, we hebben twee burchten verloren, en 10.000 goede soldaten. Baebins troep van de oostkust. De vijand, zo werd ons gemeld, bestaat uit donkerhuidige mensen die op insecten rijden.'

'Ik weet het.'

Nu kon Culcah een afkeurend gesnuif niet onderdrukken. *Natuurlijk wist Orison ervan. Het maakte allemaal deel uit van zijn plan. De grote, alomvattende ondergangspartituur.* 'Mag ik me een vraag veroorloven, mijn koning?'

'Maar natuurlijk.'

'Zullen wij allemaal moeten sterven? U natuurlijk niet, mijn koning... maar wij anderen, wij die niet alleen uw onderdanen, maar ook uw kinderen zijn?'

Culcah knielde met neergeslagen blik, zoals een trouwe ondergeschikte betaamde. Plotseling voelde hij tot zijn verbazing dat zijn koning hem bij de schouders pakte om hem rechtop te zetten.

'Niemand zal hoeven sterven, mijn trouwe Culcah.'

'Niemand?'

'Het is ingewikkeld.'

Culcah had zich door Orison rechtop laten trekken. Hij was groter en steviger dan zijn koning, en deze moest, om hem in de ogen te kunnen kijken, zijn blik voortdurend tussen drie gezichten heen en weer laten gaan. Toch werd het statusverschil tussen hen geen moment in twijfel getrokken.

'Je hebt bijna alles goed geraden,' ging de koning op milde toon verder. 'Je wilde me vragen hoe we op deze aanval moesten reageren, en ik zou je hebben geantwoord: door al onze troepen samen te trekken en de beslissende slag in te leiden.'

'Al onze troepen?'

'Ja. Ook die in de burchten.'

'Maar... waarom hebben we dan eigenlijk eerst zo'n moeite gedaan om het land te veroveren, als we nu alles weer aan de mensen, de zwerfhonden en de klimplanten overlaten?'

'Omdat we hem eerst moesten lokken.'

'Hem?'

'Koning Turer van Coldrin.'

'Is hij... hierheen gekomen? Naar het land Orison?'

'Klopt. Dat moet je goed begrijpen, Culcah. Ik heb heel veel macht. Maar als ik naar Coldrin was gegaan om hem daar aan te vallen had ik hem niet kunnen overwinnen. Niet op eigen terrein. Ik moest hem hierheen lokken. En dat ging alleen maar als jij voor mij die oorlog tegen de mensen won.'

'Dat begrijp ik. Maar... waar hebben we het leger nog voor nodig als het uiteindelijk uitloopt op een strijd tussen hem en u?'

Orison glimlachte. Door zijn dikke gezicht zag die glimlach er uitgesproken hartelijk uit. 'Je bent bezorgd over je soldaten. Je bent een legeraanvoerder naar mijn hart. Maar er is iets wat je nog altijd niet hebt begrepen. Hoe ziet volgens jou de toekomst van de demonen eruit?'

'De toekomst van de demonen? Nou – we leven in vrijheid in het land Orison. Misschien veroveren we Coldrin ook nog.'

'Oké. Waar leven we van?'

'Van mensen en dieren. Van wat de aarde ons geeft. We zouden ook brood kunnen leren eten. U zei zelf aan het begin van de veldtocht, mijn koning, dat we het ook wel zouden redden met zout water. We zijn nu onafhankelijk van de levenskracht die ons vroeger verhinderde om meer dan één van ons vrij te laten zijn.'

'En waarin verschillen we dan nog van de mensen?'

'Waarin we van de mensen verschillen?'

‘Alles wat je hebt opgesomd hoort bij de levensstijl van de mensen. Ze leven van alles wat ze als lager ontwikkeld beschouwen. Wil je echt dat wij precies zo worden? Dat wij het land in bezit nemen, bebouwen, in landerijen opdelen? Dat we ons opdelen in arbeiders, boeren en vorsten? Moeten we mensen worden, Culcah?

‘Beter dan mensen, mijn koning! Demonen aan wie het land toebehoort!’

‘Maar hoe precies, hoe stel je je dat in detail voor?’

Culcah wist echt geen antwoord. Hij zag de bezette burchten en de ingenomen steden. Hij zag demonen op paarden en op schepen, demonen op de eilanden, zichzelf als opperste legercoördinator, andere demonen als baronnen en Orison als koning.

Zijn koning hielp hem op weg: ‘Denk verder! Demonen in kleren, demonen die in vrouwen en mannen veranderen, demonenkinderen, demonen die ouder worden en het land bewerken, die boeken schrijven en zingen, tapijten weven en met mes en vork eten. Demonen die hun behoefte in een speciaal daarvoor bestemd kamertje doen. Demonen die een muntstelsel invoeren en proberen elkaar met behulp van dat geld op te lichten. Demonen die jaloers zijn. Demonen die het ver schoppen en andere demonen die nooit iets zullen worden.’

‘Ik geloof niet dat...’ stamelde Culcah.

‘Of,’ ging de koning verder, ‘zou je liever hebben dat ze tot in alle eeuwigheid soldaten bleven? Een krioelende horde, die elkaar uitroeit bij het geknok om de vetste voedselrantsoenen?’

‘Nee, nee, dat is ook niet...’

‘Maar wat zie je dan, als je aan de toekomst denkt?’

‘Ik... Ik weet het niet.’

‘Maar ík wel. Ik zie een gouden tijdperk. Ik zie de eenhoorns, draken en feeën terug die wij ooit waren. Bloeiende landschappen. De fonkelende zee. Ik zie de wisseling der seizoenen. Rust onder schaduwrijke bomen. Vertrouw me nou maar, mijn trouwe legeraanvoerder. Ik heb de demonen meegenomen de Poel in om hen te behoeden. Ik verloste hen uit de Poel zodat ze zich waar konden maken. En nu moet ik hen nog voor de laatste keer uit hun huidige vorm pellen om een vrede van eeuwige schoonheid tot stand te brengen.’

Culcah wist niet meer wat hij moest zeggen. Hij kon alleen nog knikken, opnieuw neerzakken en in een diep gevoeld driestemmig snikken uitbarsten.

De weinige mensen die nog in Orison-Stad woonden, die niet in strafhokken maar wat vegeteerden of in onderaardse catacomben aan een beestachtig fokprogramma waren onderworpen, maar als straatveger, leverancier, schandknaap of bewegend doelwit op de binnenplaatsen van de kazernes een karig bestaan leidden, geloofden hun ogen niet: de veroveraars verlieten de stad.

Alle veroveraars. Er bleef zelfs geen minimale bezetting over.

De 25.700 demonensoldaten die tot het laatste moment in Orison-Stad waren achtergebleven rukten uit in een langgerekte formatie. De inrichtingen voor consumptiemensfokkerij en -verwerking, de garnizoenen van waaruit incidentele opstanden in de kiem waren gesmoord, de door wilde feesten verwoeste paleizen, als latrines misbruikte parken en met vrouwenlijken versierde kantelen – van de ene dag op de andere waren ze verlaten.

Bovendien haalde Culcah uit alle burchten van het land en de stad Witercarz zijn 14.500 gestationeerde demonen weg. Het menselijke personeel werd aan zichzelf overgelaten en wist met zijn herwonnen, maar bedrieglijke vrijheid niets anders te beginnen dan stamelend de scherven bijeen te rapen en te proberen die scherven weer tot vazen samen te voegen.

Samen met de 5000 die de zuivering van de westkust tot bovenin bij Eugels succesvol hadden afgerond, vormde zich zo ten noorden van de Fenfel een legerslang van 45.200 demonen. Met afgemeten passen begon deze legerslang aan de mars naar het Wolkenpijnigergebergte, waar een vijand wachtte die Turer heette en wiens sterkte volkomen onbekend was.

Ditmaal kwam koning Orison van het begin af aan mee, maar hij liet de bevelvoering tot nader order aan zijn verdienstelijke legeraanvoerder Culcah over.

42
Nog acht tot het einde

Aarzelend, als iemand die een onbekend struikgewas binnendringt, liep de Miralbra Ulw binnen.

De stad lag er nog relatief pas verwoest bij. Ze was de eerste tussenstop geweest voor de door Culcah naar de westkust gezonden troep van 5000 man, die vanuit Ulw ook nog Ziwwerz, Akja en Eugels onder handen had genomen.

Het silhouet van Ulw deed vanaf het water gezien aan een brandstapel denken. Het leek wel of de demonen in het midden van de stad gebouwen bij elkaar hadden gesleept en op elkaar gestapeld, om een zo hoog en duurzaam mogelijk vuur te kunnen opbouwen, dat nog steeds niet helemaal was gedoofd. Door de grote warmteontwikkeling lag nergens meer sneeuw, en het leek wel alsof de hemel het ook niet had aangedurfd over deze vlammende plek opnieuw sneeuw uit te strooien.

Blannitt hoestte en spuwde in het havenbekken. De lucht rook branderig; in de haven dreven duizenden zachtgekookte vissen met hun buik omhoog. Minten sprong op een uitstekend deel van de havenwerken en balanceerde van daaraf landinwaarts.

'Misschien vind je ergens wel kleren, mijn jongen!' riep Blannitt hem achterna. In de loop van hun meerdaagse overtocht had Blannitt zijn passagier aangesproken met 'zoonlief', 'hoogeerwaarde baron', 'uwe heiligheid', 'ouwe zak', 'o monnik der zee', 'heer eilandbeheerder', 'vuurtoren', 'brompot' en 'zeewierspook'. Maar 'mijn jongen' was de laatste dagen zijn favoriete aanspreektitel geworden.

Minten voelde de winter niet. De wind bracht zijn haar nauwelijks in beweging. De kou drong niet bij hem binnen. Zijn strakke blik was helder.

Als hij naar zijn innerlijk luisterde, kon hij daar nog allerlei geluiden horen, alsof hij zelf een demonenpoel was. Gouwl was daar, opgerold op een rustig plekje, alleen soms in zijn slaap gekweld door nachtmerries. De vliegdemonen die door Minten op het eiland waren gedood. En tussen hen ook nog de rode hond, die naar hen hapte en beet en voortdurend verwensingen als 'Vliegend stelletje verraders!' uitte. Minten voelde zich verwarmd door al dat leven in zijn binnenste. Was hij een vader, een moeder, een moordenaar? Hij wist het niet, had het misschien ooit geweten, maar was het nu, na jaren op een misschien alleen maar gedroomd eiland, vergeten.

'Pas goed op jezelf, mijn jongen!' riep Blannitt hem nog na. Toen keerde de rare zeerob zijn zoutige scheepje en hield koers op zee, naar het niets.

Minten stond alleen tussen de lijken. De meeste daarvan waren verbrand en verklonterd, en hadden in hun doodsstrijd nog geprobeerd onder brandende gebouwen uit te kruipen. Er waren ook een paar dode demonen, die in hun overmoed het effect van open vuur hadden onderschat. De hele stad rook naar kampvuurvlees, kolenstof en geschroeid haar.

Minten bracht twee uur door met naar overlevenden zoeken.

Hij vond een jong katje met een verzengde neus, dat hem niets kon vertellen. Hij droeg het naar de haven, waar ongelooflijke hoeveelheden vis waren. Hij vond een oude vrouw, die al evenmin kon praten, omdat haar stembanden gesmolten waren. Minten bleef bij haar en hield haar knoestig gebrande handen vast, tot ze stopte met ademen en zich voegde bij allen die haar waren voorgegaan. Ten slotte vond hij nog een vogel die niet meer vliegen kon. Zijn vleugels waren verzengd door een steekvlam. Minten streek over die vleugels en vulde ze opnieuw met frisse, anders gekleurde veren, die zich onder Mintens vingers ontrolden als uitbottende varens. De vogel keek hem verwonderd aan en vloog daarna zo ver omhoog dat hij één leek te worden met de lichtende hemelsteden, want het was ondertussen nacht geworden.

In een zwart-en-wit gebrande kast aan de stadsrand vond Minten een paar kleren die van een man van zijn postuur moesten zijn geweest. Hij nam een broek, een linnen wambuis en een overjas van groene en blauwe lapjes. Zijn eigen mosselschelpen, het zeewier, de boomschors en het gebladerte vouwde hij zo zorgvuldig mogelijk op en legde hij in de kast terug, waarna hij die ten slotte weer dichtdeed.

Ulw.
Hij prentte zich Ulw in.
Een plaats voor dansende vlammen nadat de muziek was afgelopen.
Toen verliet hij de stad in oostelijke richting.

43
Nog zeven tot het einde

In het legerkamp van koningin Lae I droegen minstrelen opbeurende balladen voor. Er dansten vluchtelingen bij; sommige hadden zelfs pasjes ingestudeerd en voerden die uit tot algemene vrolijkheid.

De koningin hield zich afzijdig. Het licht van de vlammen bereikte haar slechts bij vlagen. Het tentdak van de lichtende hemelsteden omspande alles. De nacht was koud en helder; er zat nog steeds geen spoor van lente in de lucht.

Als er nu eens geen lente meer zou komen zolang er nog oorlog heerste in het land? Als de enige waarlijk overlevende god nu eens had besloten dit land de rug toe te keren zolang zijn bewoners niet in staat waren alle beschikbare zaken eerlijk te delen?

Het verenigde Orisonisch-Coldrinische leger had een akelige tegenvaller gehad: Dirgraz' Tweede Divisie was in de pan gehakt. Dirgraz zelf was gesneuveld; alleen zijn kleren waren vol gaten teruggevonden in een plas gesmolten vlees. Tweehonderdzeventig Coldriners hadden de slag overleefd, de meesten van hen gewond. Verder waren er nog 800 bruikbare rekamelkisj overgebleven en bij de andere twee divisies ingedeeld. De Dochters van Benesand, die Lae eigenlijk alleen als teken van verbondenheid met Dirgraz' mannen had meegestuurd, bestonden niet meer. Marna Benesand en Myta Benesand leefden weliswaar nog, maar Myta Benesand had haar verstand verloren en brabbelde de hele dag alleen nog maar onsamenhangende wartaal, en Marna Benesand leek niet alleen haar zusters, maar ook al haar levensmoed te hebben verloren. Ze zat apathisch neergehurkt haar jongere zuster pap te voeren. Tot meer leek Marna niet meer in staat.

Jmuan en Chahiddu hadden met grote bezorgdheid op Dirgraz' nederlaag gereageerd. In theorie had Dirgraz' Tweede Divisie de slag weliswaar gewonnen, want van de demonen was er – afgezien van een handjevol vluchtelingen – niet één overgebleven. Maar dat een legeronderdeel demonen waarvan de omvang door de overlevende Coldriners op minder dan 10.000 werd geschat ook maar in staat was geweest om een Coldrinische divisie vrijwel uit te roeien was een schok. Jmuan en Chahiddu kenden Dirgraz' verdiensten in het veld uit diverse slagen van de Coldriners tegen andere delen van hun land. Wat ze tot nu toe niet kenden was de vechtkracht van de demonen. En nu leek het erop dat die laatste tot nu toe behoorlijk was onderschat.

Koningin Lae had al haar moed bijeengeraapt en tegen Jmuan gezegd: 'Als jullie het gevoel hebben dat jullie deze strijd niet kunnen winnen, zullen mijn mensen het maar alleen moeten opknappen.' Ze had hem nog eenmaal de mogelijkheid willen geven uit vrije wil voor of tegen deze strijd te kiezen.

Maar Jmuan had alleen maar geglimlacht en zijn hoofd geschud. 'Zonder ons verliezen jullie,' had hij gezegd. En hoewel die woorden opmonterend waren bedoeld, hadden ze eerder het tegendeel bewerkstelligd.

De koningin stond nu terzijde. De muziek van de minstrelen bereikte haar nauwelijks.

Waar was Taisser? Waar was zijn legendarisch opgehemelde Minten Ligo, die de vijandelijke legers vanaf het zuiden zou oprollen? Er was geen spoor van te bekennen. Geen magie. Geen voorjaar, nergens. De demonen hadden alle burchten en alle steden in handen, en ze lieten overal in het land 10.000 man sterke legers vrij rondzwerven, die op elk moment in staat waren waardevolle Coldrinische bondgenoten in gesmolten vlees te veranderen.

Het mensenleger bestond nu uit 20.000 strijdlustige vluchtelingen en 14.000 Coldriners. Dan hadden ze nog eens 7000 vluchtelingen achter de hand die te zwak, te zwaar gewond, te oud of te jong waren om te vechten, maar de gewonden konden helpen en uitrustingsmateriaal konden maken en herstellen, en verder ridder Stomstorm en een paar Wolkenstrijkers, die zich meer voor de oorlog van de laaglanders interesseerden dan goed voor hen was. Ridder Stomstorm leek uitstekend met de Wolkenstrijkers overweg te kunnen, want hij hield zich samen met zijn spreker bijna uitsluitend tussen die gemzenruiters op.

De koningin kromp ineen toen een schaduw haar vreemd hoekig lopend naderde. Het was Lehenna Kresterfell, wier benen in tegenstelling tot die van de koningin nooit meer recht zouden kunnen worden.

'We hebben nu het geschikte slagveld gekozen,' meldde Lehenna. 'Een vlakte die door de ouderen "Laagvlakte van Zegwicu" wordt genoemd. We kunnen ons daar van bovenaf met rotsen als dekking als vanuit een natuurlijke gegroeide burcht verdedigen, terwijl onze vijanden vooral losse stenen onder hun voeten hebben en zodoende in de ware zin des woords een moeilijke positie.'

'Uitstekend. Moeten we ons kamp daarvoor ver verplaatsen?'

'Twee uur naar het westen. Maar dat is de moeite waard.'

'Goed. De Laagvlakte van Zegwicu. Ik heb die naam al eens gehoord.'

'De oudsten vertellen er een legende over, maar ik weet niet of die hier ter zake doet.'

'Ik heb meestal op het oordeel van de oudsten vertrouwd. Ik wil die legende graag horen.'

'De oudsten vertellen hem beter dan ik. Laten we een van hen opzoeken, mijn koningin.'

De beide vrouwen hinkten terug het kamp in. Zowel kinderen als krijgers bekeken hen met eerbied. Waaraan, vroeg Lae zich af, had ze dat vertrouwen eigenlijk verdiend? Had ze in deze oorlog ook maar één enkele slag gewonnen, één enkele burcht of één enkele havenstad voor de verovering gespaard? Nee, ze had nog geen enkel gebouw beschermd. Maar toen schoot haar te binnen dat ze met haar vluchtelingen ongeveer 10.000 demonen onder leiding van de rode hond in de schaduw van het Wolkenpijnigergebergte had verslagen. Ze had dus ongeveer hetzelfde gepresteerd als kapitein Dirgraz met zijn Tweede Divisie. Lae had weliswaar vier- à vijfmaal zoveel mensen ter beschikking gehad, maar geen rekamelkisj en nauwelijks geoefende soldaten, maar vooral huisvrouwen, kinderen en bejaarden. Goed beschouwd was ook de vernietiging van 10.000 demonen door Dirgraz' divisie uitsluitend te danken aan Laes inspanningen om een bondgenootschap met Coldrin te sluiten. Intussen waren er 20.000 demonen minder in Orison. Dat was tenminste een begin.

De oudste naar wie Lehenna Kresterfell haar toeleidde, was een van de rimpeligste inwoonsters van Orison, hoogstens tien jaar jonger dan de gesneuvelde baron Serach den Saghi. Haar tandeloze mond mummelde veelzeggend toen haar de aandacht van haar koningin ten deel viel.

'Zegwicu,' begon het oudje met een hoog stemmetje, 'is een goede plek om definitieve beslissingen te laten vallen. Lang geleden, toen de grote magiër Orison nog in het land rondzwierf en de grenzen vaststelde om het land in negen baronaten op te delen, woonde in de Laagvlakte van Zegwicu een molenaar met zijn wondermooie dochter. De dochter was op huwbare leeftijd, maar ze kon maar niet besluiten. Onder de vele aanbidders die naar de molen kwamen om haar volgens alle regelen der kunst het hof te maken, bevonden er zich namelijk maar liefst drie die haar buitengewoon goed bevielen. De eerste had wondermooie haren, de tweede wondermooie ogen en de derde wondermooie handen. Hoezeer haar vader ook aandrong, de dochter kon niet voor een bruidegom kiezen. In plaats daarvan leek ze ervan te genieten dat haar het hof werd gemaakt en dat ze vrije keus had. Nu kwamen er op een dag Coldriners uit de bergen en overvielen het land.'

'O, o,' gniffelde koningin Lae, 'wat wil dit verhaal ons duidelijk maken?'

'Misschien dat je de Coldriners nooit moet vertrouwen?' vermoedde Lehenna Kresterfell, en koningin Lae zocht tevergeefs naar iets van spot op het gezicht van haar raadsvrouw.

De oude vrouw hief bezwerend haar hand op. 'Dit verhaal gaat over andere tijden. Destijds had ons land geen koningin die in staat was een bondgenootschap met vijanden te sluiten. De Coldriners waren alleen maar kwaadaardig, meer stond die tijd hun niet toe. In elk geval overviel een troep van hen...'

'Misschien waren het wel helemaal geen Coldriners, maar voorvaderen van de Wolkenstrijkers,' waagde de koningin het haar opnieuw te onderbreken.

De oude vrouw liet zich niet van de wijs brengen. 'Ze worden Nevelduivels genoemd in het verhaal, maar toch hebt u misschien gelijk. Misschien wist men toen het verschil nog niet tussen de bergmensen en de mensen achter de bergen. Hoe dan ook: de Nevelduivels overvielen het grensland, en de jonge aanbidder met de wondermooie ogen kwam om bij de overval. De mooie molenaarsdochter was ontdaan, maar ze had nog altijd twee knappe aanbidders om uit te kiezen. Toen meldde een van deze twee, degene met de wondermooie handen, zich vrijwillig voor deelname aan de vergeldingsactie van de grenslandbewoners. Misschien was hij het lange wachten op het jawoord van de mooie molenaarsdochter beu geworden – wie zal dat nu nog met zekerheid kunnen zeggen? In elk geval reed hij met dertig andere bewapende ruiters de bergen in en is nooit meer gezien. Geen van hen is ooit teruggekeerd. De Wolkenpijnigerbergen hebben hen gewoon opgeslokt. De molenaarsdochter had nu weliswaar nog altijd vele bewonderaars die van heinde en verre kwamen, maar daar was er nog maar één onder die haar werkelijk beviel: die met de wondermooie haren. En die schoor zijn hoofd kaal en ging als monnik het klooster in, omdat hij alleen zo de wandaden van de Nevelduivels en de vele slachtoffers die er waren gevallen kon verwerken. De mooie molenaarsdochter had al haar drie favoriete aanbidders verloren, gewoon omdat ze te lang had geaarzeld met haar beslissing. Er bestaat overigens nog een andere, enigszins gruwelijker versie van dit verhaal. In die versie doden de Coldriners de bruidegom met de wondermooie ogen niet, maar steken hem alleen zijn ogen uit. Van de tweede, die de bergen in rijdt, worden daar zijn wondermooie handen afgeslagen, en hij keert levend maar verminkt terug. En de derde wordt geen monnik, maar uiteindelijk trekken de teruggekeerde Nevelduivels zijn haren en hoofdhuid eraf, zodat er nooit meer iets op zijn schedel zal groeien. In deze versie leven alle drie de aanbidders dus nog, maar ze hebben elke aantrekkingskracht voor het meisje verloren. De moraal is dezelfde: besluit, meisje, zolang je nog de tijd hebt om van je geluk te genieten, want je weet niet wanneer het allemaal zal aflopen.'

'En wat betekent dat verhaal voor onze situatie nú?' vroeg de koningin.

'Dat u alles goed doet, mijn koningin,' knikte de oude vrouw. 'Gebruik de Laagvlakte van Zegwicu om deze oorlog tot een definitieve beslissing te brengen. Zolang er in Orison nog overlevende mensen zijn om zich daarover te verheugen. Zolang het nog niet betekenisloos is geworden wie er uiteindelijk zegeviert.'

Lae, die vroeger als officier onder andere officiers had gediend, huiverde. 'Is het dan denkbaar dat je... een oorlog voert waarvan het einde geen enkele betekenis heeft?'

'Vanzelfsprekend,' antwoordde de oude vrouw stellig. 'Veel in het leven heeft geen enkele betekenis. Meer dan eens denk je vanwege liefdesverdriet niet meer verder te kunnen leven, maar als je daar dan jaren later aan terugdenkt, is het hoogstens nog een pijnlijke herinnering. Als het aantal slachtoffers het aantal overlevenden overtreft, is een oorlog het niet meer waard om te worden gevoerd.'

'Maar wat moet je in zo'n geval dan doen? Hoe kun je een oorlog die al bezig is nog een halt toeroepen? Zelfs als koningin?'

'Door de wapens neer te leggen. Door je te onderwerpen. Te overleven tot elke prijs. Je aan te bieden en op te offeren. Ik zou in uw plaats, mijn koningin, het grootste van alle offers nooit uitsluiten. Maar zoals gezegd: het is immers nog niet zover. U kunt in Zegwicu op een beslissing aansturen. Doe het, en alles wat u hebt besloten zal achteraf juist zijn geweest.'

Ja, dacht de koningin, de geschiedenis zal door de overwinnaars worden geschreven. Als wij winnen zal alles goed zijn. Als de demonen winnen, heeft geen mens ooit in zijn recht gestaan. En als er op het laatst alleen nog Coldriners over zijn, zal Orison niets anders zijn dan een voetnoot in een geweldige, glorierijke geschiedenis van expansie. O, Taisser, Taisser, hoe kon je me zo in de steek laten na tientallen jaren van trouw? Nu ik je steun het meest nodig heb, ben je ver weg of dood, in nood of nergens. Zal Minten Liago jou meevoeren als zijn wapendrager, zoals jij destijds in de veldslagen van Irathindurië mijn wapens droeg?

Ze hoopte het en was bijna helemaal alleen met haar hoop.

Slechts tweehonderd passen verder westwaarts, aan de andere rand van het kamp, waren nog een paar mensen die zich de naam Minten Liago konden herinneren.

Het waren een paar Wolkenstrijkers en ridder Stomstorm.

Als hij alleen met zijn spreker in de tent was, kon de ridder zijn helm afnemen en daaronder het gezicht van een oude vrouw onthullen die vroeger ooit naar de naam Jiuna Ruun had geluisterd.

Ze dacht soms nog terug aan haar vroegere minnaar Minten, aan wat ze allemaal samen hadden meegemaakt en hoe ze in de vlammen van een burcht van elkaar gescheiden waren. Hoe ze in de roetige kelders van haar jeugd had weten te overleven, daarna naar de Wolkenstrijkers was gevlucht en een vreemd leeg bestaan was begonnen, dat pas door de uitbraak van alle demonen weer zin en richting had gekregen.

Ze was altijd een krijgster geweest, en daardoor vanbinnen eenzaam.

Maar voor korte tijd, minder dan een heel jaar, had ze een partner gehad, die – ondanks zijn verschillende zwakheden – onverklaarbaar tegen haar opgewassen was. Minten Liago. Vuistvechter. Lijfwacht. Plunderaar.

Ze dacht aan hem als er een gevecht ging beginnen, aan de berentanden die zijn glimlach tot een grimas verwrongen.

Ze dacht aan hem, zette vervolgens de helm weer op, werd voor alle anderen weer ridder en vocht.

44
Nog zes tot het einde

Minten Liago trok verder oostwaarts.

Voorbij Ulw bereikte hij de noordelijke uitlopers van het vroegere Treurwoud, nu alleen nog maar een onvruchtbare steppe waar de sneeuw neerviel, het ene moment natter dan het andere. Hij kon iets voelen, iets wat hier vroeger geweest moest zijn, als op een begraafplaats, al dat leven, geëindigd en begraven. Maar het was niet grijpbaar en ook niet goed bégrijpbaar. Het was alsof de geest van een woud een lied zong in een vreemde taal.

Daarna moest Minten noordwaarts blijven koersen om de hoofdstad niet te missen. Af en toe versnelde hij zijn pas. Vluchtelingen die hij passeerde meenden een schim te zien die binnen twee tellen van de ene horizon naar de andere trok, een koets met losse teugel misschien, alleen kleiner en in de vorm van een mens.

Minten kwam vreemde dingen tegen.

Een haveloze man wilde hem een schilderij verkopen, dat hij waarschijnlijk als enig voorwerp uit een smeulende puinhoop had kunnen redden. Het schilderij stelde een ravitailleringswagen van het leger voor die op vier mensenbenen liep in plaats van op wielen. Helemaal onderaan was de afbeelding gesigneerd met de naam Dirgin Kresterfell. Minten had geen geld om een schilderij te kopen, en de man trok verder en prees in een lege straat de afbeelding aan, die hij zelf *Bevoorrading* had gedoopt.

Een groep die zichzelf Congregatie noemde, was bijeengekomen in de ruïne van een dorpskerk en liet het volgende gebed horen:

Enige waarlijk overlevende god!
Leer ons het overleven
Verberg ons in uw poel
Maak ons lichaamsloos en vrij,
zoals ook wij iedereen lichaamsloos en vrij maken
die ons in onbegrip tegemoet treedt!

Minten bad niet mee. Hij zou het ook moeilijk hebben gevonden zoveel woorden te onthouden.

Naast een veld zag hij een vrouw die zich afbeulde om een dood paard te dragen.

Slechts een uur later kwam Minten een blijkbaar gedeserteerde demon tegen, die naar zijn leger terugverlangde en bittere tranen plengde.

Het personeel van de door zijn bezetters verlaten Negende Binnenburcht nodigde Minten uit aan een orgie deel te nemen in 'goede oude Irathindurische stijl'. Minten ergerde zich, want als hij zich het verloop van de Irathindurische Oorlog goed herinnerde, was het Negende Baronaat destijds trouw aan de koning geweest en had het nooit de Irathindurische zijde gekozen. Maar het had geen zin zich over zoiets druk te maken. Hij trok verder.

Hij kwam een troep honden tegen die ooit gedomesticeerd was geweest en thuis op warme schoten, maar zich intussen tot een ruige, bijtgrage bende had ontwikkeld.

Hij stuitte op twee kinderen die de afgestroopte huiden van hun ouders als kleren droegen, om zich in een vernietigde wereld geborgen te kunnen voelen.

Hij zag een dorp dat zichzelf had platgebrand om niet door plunderaars te kunnen worden platgebrand.

Hij dronk uit een vijver die boordevol kikkers zat, op elkaar gedrongen door de onvoorspelbaarheid van hun omgeving.

Hij kwam in een onweer terecht en wierp met een nors gebaar de bliksems die hem probeerden te raken terug de hemel in waar ze vandaan kwamen.

Hij kruiste de weg van een handelsreiziger die de mensen aanbood hun deskundig behulpzaam te zijn bij zelfmoord.

Hij zag een dier zoals hij nog nooit eerder had gezien: reusachtig, grijs, met een slurf, grote oren en slagtanden, en hij wist helemaal niet of hij een demon voor zich had of een zeldzaam Orisonisch schepsel, maar de ogen van het dier waren zo vreedzaam en wijs dat het waarschijnlijk toch geen demon was.

Zo bereikte hij de hoofdstad, die hij nog nooit eerder met eigen ogen had gezien, ook niet in zijn tijd als reizende vuistvechter van de 'Binnenste Cirkel', ook niet tijdens de kort daarna ontbrande oorlog. De aanblik was ook niet echt de moeite waard. Ruïnes waren er elders ook in overvloed. De koningsburcht maakte indruk op hem, maar eerder die van holle pronkzucht dan van iets goeds.

Overlevenden, die vermagerd tot skeletten uit onderaardse fokfabrieken waren bevrijd, babbelden er opgewonden over dat alle demonen naar het noorden waren getrokken, misschien naar de bergen, misschien naar Coldrin, om ook de neveladEmers te onderwerpen.

Minten volgde het overduidelijke spoor dat de legertros van 45.200 demonen door het land had getrokken.

Hier kwam hij geen vreemde dingen meer tegen.

In het kielzog van de demonen durfden zelfs de kraaien niet meer met hun vleugels te slaan.

45
Nog vijf tot het einde

Culcah voelde bij elke dag die verstreek de tevredenheid in zijn hart verder groeien.

Zo'n militair strakke mars van een groot leger had hij tot nu toe nog nooit voor elkaar gekregen. Misschien lag het aan Orisons discrete, maar toch dreigende aanwezigheid in de legertros – in elk geval waren er dit keer eindelijk geen plunderaars meer voor de voorhoede, geen treuzelaars achter de achterhoede, geen deserteurs, geen vermaledijde lijntrekkers die aan de randen van het gebeuren rondhingen en in de bosjes kropen als ze nodig waren. De 45.200 demonen marcheerden als eenheid, ondanks alle verschillen in lichaamsvorm, kleur, huidsoort, voedingswijze, voortbeweging en communicatie. Er waren ook nauwelijks nog vliegende demonen, wat alleen al voor een zekere harmonie in de rangen en gelederen zorgde. 'Dat is niet meer om te kotsen!' sprak Culcah duidelijk uit en daarbij glimlachte hij behaaglijk op alle drie zijn gezichten.

De meeste van zijn zorgen waren vervlogen. Sinds zijn koning hem duidelijk had gemaakt dat niet een geweldig demonenoffer het doel van al dit streven was, maar vrede onder schaduwrijke bomen, had Culcah zijn oude vertrouwen hervonden. Net als in de Poel, toen het woord van Orison in de demonenraad nog boven alle twijfel verheven was geweest. Culcah schaamde zich er nu bijna voor dat hij tijdens de veldtocht aan het twijfelen was geslagen. Mogelijk was de lelijke, rafelige chaos van het leger daar schuld aan geweest. Maar nu was het leger eindelijk een goed manoeuvreerbaar geheel. Culcahs bloed klopte dan ook in de trotse maat van de marcherende ledematen door zijn enorme lichaam. Hij ademde de knarsende winterlucht in alsof er geurstoffen in zaten. Hij was generaal en gelukkig.

De weg naar het noorden maakte weinig duidelijk over de vijand. De door alle levende wezens verlaten Hoofdburcht van het Derde Baronaat was alleen nog een gebarsten omhulsel. Maar ten noorden daarvan kwamen ze langs het slagveld van het Baebin-bloedbad. Hier zag Culcah voor het eerst rekamelkisj – zij het dode rekamelkisj – met eigen ogen.

'Maar... dat zijn demonen!' riep hij uit, en meteen snelde hij naar zijn koning om een nieuw raadsbesluit te vernemen.

Koning Orison hield verblijf in een onopvallende tent die door twaalf gedienstige varaandemonen continu om hem heen werd gedragen.

'Mijn koning,' bracht Culcah ademloos uit. 'Onze vijanden uit het noorden... Het schijnt hier om demonen te gaan! Hebt u hun lijken al in ogenschouw genomen?'

'Ja. Het zijn demonen, inderdaad. De Coldriners gebruiken ze als rijdieren.'

'Als rijdieren? Maar dat is... ongehoord! We zouden ze moeten bevrijden en in ons eigen leger opnemen, in plaats van oorlog tegen ze te voeren.'

'Helaas is dat volkomen uitgesloten, generaal.'

Culcahs zes ogen flitsten ongeconcentreerd in het rond. 'Mag ik vragen waarom, mijn koning?'

Orison streek over zijn baard en wreef over zijn ronde buik. 'Ach, Culcah, Culcah, Culcah. Zoveel vragen. Het zijn Túrers demonen, vind je dat dan niet voldoende? Wij hebben de wereld opgedeeld, destijds, toen zelfs de zon nog jong was en lichtgroen aan de randen. Turer nam het noorden, ik het zuiden. Zijn demonen zijn hem trouw, de mijne mij. Dat kan nooit bij elkaar worden gebracht. Het blijft altijd of-of.'

Culcah boog en maakte aanstalten de tent achterwaarts te verlaten. Toen bleef hij toch nog eenmaal staan. 'Mag ik nog een vraag stellen, die al lange tijd door mijn hoofd spookt?'

'Wil je weten waarom ik mijn land ongewijzigd naar mezelf heb genoemd, maar Turer het zijne niet gewoon Turer, maar Koll-Turuin doopte?'

'Precies dat wilde ik inderdaad vragen, ja!'

Orison glimlachte en liep in de bewegende tent heen en weer, zonder ook maar een moment te dicht bij de stoffen wanden te komen. 'Turer en ik... Wij zijn heel verschillend. Ook om die reden konden we het nooit behoorlijk ergens over eens worden. Hij heerst niet graag. Houdt zich liever op de achtergrond. Staat zijn ondergeschikten zo veel mogelijk zelfstandigheid toe. Maar loopt daardoor steeds het gevaar de controle te verliezen. Ik denk dat hij ervan geniet dat al zijn ordeningssystemen voortdurend dreigen in te storten. Ik ben daar anders in. Praktischer misschien. Meer bewust van mijn verantwoordelijkheid. We zijn uit elkaar gegaan en hebben de wereld onder ons tweeën verdeeld. Ik nam het zuiden, omdat ik van de kust hield. Hij het noorden met sneeuw en nog meer bergen. Hij verdween achter een ingewikkeld maskeradespel. Dat wilde ik hem nadoen – me ook terughoudend opstellen. Dus gaf ik de demonen hun vrijheid, tot alle levenskracht verbrast was. Maar daarna moest ik ze bij elkaar brengen om ze te redden. Ik weet niet hoe het Turer lukte om de levenskracht niet op te gebruiken. Misschien hield zijn maskeradespel zijn demonen toch strakker in toom dan ik dacht. Mij restte in elk geval niets anders dan de demonen de Poel in te leiden, de wereld voor de mensen in beheersbare baronaten in te delen en hun die ordening tot onze terugkeer als erfenis na te laten. Maar ik deelde de tijd in de Poel met jullie. Turer daarentegen is nooit gevangen geweest. Door die compromisloosheid heeft hij een enorme macht opgebouwd. Zelfs in Orison is de gehoornde koning gevreesd, hoewel niemand hem ooit te zien heeft gekregen. Maar nu moet het tot een beslissing komen. Zijn demonen en mijn demonen – ze kunnen de wereld niet eendrachtig verdelen. Niet meer.'

'Wat bent u eigenlijk, als wij anderen alleen maar demonen zijn en u koningen? Bent u... goden? Turer en u?'

'Nee. Wij zijn van nature niets anders dan jullie. Maar een paar van ons moesten al vroeg de vaardigheid leren om te heersen. Anders was alles in chaos weggezonken. De meeste van die heersers leven niet meer. Turer en ik zijn de laatst overgeblevenen uit de dynastie van Eeuwiglevenden.'

Toen Culcah de koningstent verliet, duizelde het hem. De geschiedenis van de demonen ging zo ver terug! Zijn eigen kennis daarentegen was zo armzalig en onvolledig alsof hij pas in de Poel ter wereld was gekomen. Misschien was dat ook wel zo. Misschien had Orison de demonen in de Poel door elkaar geschud en opnieuw samengesteld, om onschuldige kinderen te scheppen. Maar dat betekende op zijn beurt dat de verschrikkelijke rijdieren van de Coldriners oeroud en schuldig waren, want ze waren nooit door de reinigende school van een poel gegaan. De slag zou verschrikkelijk worden. Maar Culcah was nu de generaal van een geordend marcherend leger. Hij keek vol vertrouwen noordwaarts, het oprijzende Wolkenpijnigergebergte tegemoet.

De Laagvlakte van Zegwicu kwam in zicht op een dag dat de zon weliswaar hoog stond, maar zo winters zwak was dat zijn stralen nauwelijks warmte gaven.

Al uren toonde de sneeuw sporen van vijandelijke troepenbewegingen. Veel van die sporen waren nog vers, andere oud, diep en al hard geworden. Culcah vermoedde dat de tegenstander zich hier opstelde. Zich telkens weer opnieuw formeerde. Dat de demonen van de tegenstander onrustig waren en zich niet zo gemakkelijk in een militair systeem lieten dwingen als waarschijnlijk van hen werd verwacht. Vóór hem ging het spoor omhoog en werd het verraderlijk en glad. Ook dat had Culcah door. Hij liet halt houden en het leger hield inderdaad halt. Culcah huiverde van verrukking.

De besneeuwde vlakte lichtte op voor het zwartgrijs van de bergen als een schaal van wit porselein die erop wachtte bloed op te vangen.

Lang hoefden de demonen niet te wachten.

Toen toonde de vijand zich aan hen. Culcah kon een drievoudige grijns niet onderdrukken toen hij zag dat de laatste hoeveelheid mensen nauwelijks groter was dan de rommelige troep die bij de Binnenburcht van het Zesde Baronaat eerst op de vlucht was geslagen en zich daarna had laten opvreten. Maar toen keek hij nog eens en zag hij werkelijk de vijandelijke demonen. Ze waren groot en insectachtig, en het klopte wat Orison had gezegd: de mensen gebruikten ze als rijdieren. Deze mensen op hun beurt waren krijgers en Coldriners, geen zwakkelingen van hier. Dit waren de tegenstanders die Baebins leger hadden vernietigd.

Maar toch: Culcah zag geen wonderdingen. Hij zag geen vlammentoverij neerkomen, geen bergen marcheren, geen sneeuwhellingen omlaagkomen, de hemel niet van kleur veranderen. Het was goed mogelijk dat de vijand zijn echte kracht verborg. Dat zich achter de ongeveer 30.000 vastbesloten krijgers die zich daar achter op de hellingen aftekenden nog eens 30.000 nog vastbeslotenere krijgers verborgen. Maar ook zo'n list zou de mensen niets helpen. Want Culcah had nu eindelijk een leger dat hem gehoorzaamde als een vuist.

Hij keek in de gezichten van zijn onderofficiers en speelde met de gedachte zijn leger te halveren. Waarom zouden 22.600 man niet voldoende zijn om 30.000 mensen te overwinnen? Dan had hij nog altijd 22.600 man achter de hand om met alle eventuele verrassingen af te rekenen. Maar hij moest aan Baebins nederlaag denken. Baebin was geen slechte officier geweest – een beetje ijdel misschien, maar tactisch beslist niet dom. Als Culcah pech had, doodden de Coldriners met verrassende acties zijn halve leger, en dan hadden de krachtsverhoudingen zich plotseling gewijzigd. Als de mensen dán nog een verrassing in petto hadden, kon Culcah daar niets meer tegenover stellen.

Nee, het zou lichtzinnig zijn om zijn eigen krachten op te splitsen. Hij besloot het laatste mensenleger van het aangezicht van de wereld te vagen met alles wat hem ter beschikking stond.

Hij keek op naar de tent van zijn koning. Die liet zich niet zien en vertrouwde dus volledig op hem. Culcah had 200 demonen gedetacheerd om de koningstent te beschermen.

Hij richtte zich hoog op in het zadel van zijn strijdros en gaf met hese stem het bevel tot de aanval: 'Deeeeeemoonen! Vrijheid of duisternis! Zegeviert voor Orison!'

Brullend stormde het leger vooruit als een lawine van lichamen die over wit ijs gleed.

Koningin Lae I was bijna verbaasd dat ze geen angst meer voelde. Om zich heen zag ze vale gezichten, maar zelf voelde ze zich plotseling zekerder dan alle weken daarvoor. Dit was een open veldslag, en zij was van kindsbeen af een soldate. Met zoiets kon ze beter omgaan dan met de diepzinnigheden van de diplomatie.

Haar slagorde, ontworpen samen met Jmuan, Chahiddu en Lehenna Kresterfell, was simpel: Chahiddu's Tweede Divisie vormde een aanvalswig en werd daarbij ondersteund door Jmuans Derde Divisie. De 20.000 gewapende mensen bleven eerst op de achtergrond en grepen pas in onder het bevel van hun koningin als er een echte kans op een doorbraak was.

Lae zou nooit op het idee zijn gekomen haar Coldrinische bondgenoten op die manier midden in het strijdgewoel te werpen. Ze wilde veel liever de hellingen gebruiken om van bovenaf op de klimmende vijanden te kunnen inslaan. Maar Jmuan en Chahiddu hadden om een aanvalsplan verzocht. Ze moesten en zouden wraak nemen voor hun vriend Dirgraz. En de koningin van Orison kon het goed beschouwd alleen maar waarderen dat ze de mogelijkheid kreeg het gevaar voor haar eigen mensen zo klein mogelijk te houden.

Dus zou de dikke, baardige kolos Chahiddu op zijn reuzenpissebed, met zijn 7000 man sterke divisie, versterkt met de 800 overlevende rekamelkisj van de vernietigde divisie van Dirgraz, de volledige aanvalsmacht van de demonen tegemoet treden en die proberen te breken.

Toen de koningin vervolgens het hele demonenleger – zo'n 50.000 monsters, leek het wel – zich gesloten in stormloop naar voren zag bewegen, begreep ze dat dit eigenlijk waanzin was. Ze wilde de tactiek nog veranderen, aan de feitelijke omstandigheden aanpassen – maar Chahiddu was al niet meer tegen te houden. Een schelle krijgstriller uitstotend dreef hij zijn divisie de zevenvoudige overmacht tegemoet. De knappe Jmuan draaide zich even om naar de koningin, knikte glimlachend en leidde zijn divisie vervolgens langzamer erachteraan.

'Die vervloekte Coldriners maken altijd de indruk dat ze weten wat ze doen,' fluisterde Lehenna Kresterfell tegen de koningin.

'Ja,' kreunde deze. 'Ook als niets ervan een begrijpelijke zin heeft.'

Chahiddu's strijdtactiek was zo ongewoon dat zelfs de demonen erdoor werden overrompeld. Hij verklaarde met zijn 7800 rekamelkisj de demonen simpelweg tot prooi om op te vreten – en dat tegenover een vijandelijk leger waarvoor ieder mens met een greintje verstand schreeuwend op de vlucht zou zijn geslagen.

Binnen korte tijd na de botsing van beide strijdkrachten had Culcah al 5000 demonen verloren, die tussen de kaken van de rekamelkisj waren vermalen. Het gevolg was een nieuw soort paniek in het demonenleger. Het gevaar om opgevreten te worden maakte een oerangst in de demonen los. Weliswaar dienden de langzaamsten en zwaksten van hen al sinds het begin van hun veldtocht als voer voor de groten, sterken, vermetelen, maar nog nooit eerder hadden tégenstanders hen opgegeten! Dat kenden de demonen alleen maar andersom!

Het resultaat van deze paniek was dat zich rond Chahiddu's divisie een vrije ruimte van wegspringende lijven vormde. Deze vrije ruimte benutte Chahiddu vervolgens weer om gerichte uitvallen op het lichaam van het demonenleger te ondernemen. Als een vlug roofdier, dat met gerichte beten een veel groter slachtoffer verzwakt en uiteindelijk verslaat, woedde Chahiddu's divisie binnen in de demonenstrijdmacht en verhoogde hun aantal slachtoffers tot bijna 8000 demonen.

Maar toen lukte het Culcah met ijzeren hand de orde en structuur in zijn leger terug te brengen. Heel even leek het demonenleger in een stromende, draaiende kolk te veranderen. Toen werd die weer hard en viel Chahiddu's divisie van alle kanten tegelijk aan.

Ondanks zijn lichaamsomvang was Chahiddu niet alleen een geslepen bevelhebber, maar ook een geoefend strijder. Met een groot zwaard in zijn hand doorkliefde hij vanuit het zadel van zijn pissebed demonenlichamen als zacht fruit, liet andere tegen zijn wapenrusting te pletter lopen en bracht weer andere onder de vertrappelende voeten van zijn pissebed. Toch kon je zien aankomen dat hij samen met zijn divisie gewoon onder de voet gelopen zou worden.

Nu was het Jmuans beurt. Ademloos zag koningin Lae 1 vanaf haar veldherenhelling toe hoe Jmuan steeds 1000 man sterke onderdelen van zijn divisie daarheen dirigeerde waar Chahiddu's mannen omsingeld waren. Daardoor viel Jmuan de omsingelaars op zijn beurt in de rug aan en kon hij Chahiddu, zonder zelf noemenswaardige verliezen te lijden, telkens weer uit het nauw halen.

Dat ging ongeveer een kwartier lang goed.

Toen doorzag Culcah die strategie en beval hij de ene helft van zijn totale leger Chahiddu's divisie te negeren en Jmuans divisie direct aan te vallen. Tegenover die overmacht restte Jmuan niets anders dan de terugtocht te aanvaarden. Achtervolgd door 20.000 demonen klauterden zijn rekamelkisj moeizaam de glibberige helling op.

Nu gaf koningin Lae op haar beurt het sein voor de aanval. Haar 20.000 mensen stormden de 20.000 demonen tegemoet. De demonen aarzelden even. Jmuan keerde zijn divisie en viel ze onmiddellijk aan. Tegelijk trok Chahiddu zich op de vlakte met zijn overgebleven 4000 strijders uit het hoofdgebeuren terug en viel op zijn beurt Jmuans achtervolgers in de rug aan. Zo waren deze 20.000 demonen in een val geraakt: ze werden door in totaal 31.000 tegenstanders vanuit verschillende kanten in de tang genomen en in het nauw gebracht. Met zwaaiende armen zond Culcah de rest van zijn strijdkrachten ook naar deze troep, waarop de slag opnieuw begon, als onoverzichtelijk gewoel onder aan de helling.

Over de Laagvlakte van Zegwicu werd een langdurig gekreun hoorbaar. Het wapengekletter, het breken van pantsers, het geschreeuw van doders en gedoden, het tegen elkaar schrapen van lichamen, wapenrustingen en schilden, metaalmoeheid en bezwijkend materiaal, het huilen van de demonen en het zoemen van de rekamelkisj – al die geluiden klonterden samen tot één klank, die onder de hemel weerklonk als een loeiende zucht.

Op een gegeven moment was het genoeg.

Niemand kon meer.

De in elkaar geslingerde legers maakten zich wankelend van elkaar los. Sommigen waggelden de verkeerde kant op, het vijandelijke kamp tegemoet, maar werden daar gespaard. Anderen hielden op met vechten en stierven, omdat hun lichamen zich nu pas van hun zware verwondingen bewust werden. Weer anderen legden zich ter plekke neer in bloed en zuur om te slapen. Nog weer anderen wilden vluchten, maar waren daar te zwak en te blind voor en werden door hun kameraden naar hun legeronderdelen teruggebracht.

De slag was nog niet over, maar alle bevelhebbers – Culcah, Chahiddu, Jmuan, Lae – zagen duidelijk in dat hij pas de volgende dag kon worden voortgezet. Er moest nog iets gebeuren om de gewonden in veiligheid te brengen. Daarna zette de bloedige uitputting in.

Onder de gesneuvelden van die dag bevond zich de demon Snidralek.

Tijdens een van de vele heen-en-weer-bewegingen van het strijdgewoel werd hij zijwaarts tegen de verdedigingsrangen van de mensen gedrukt en voelde verscheidene speren tegelijk zijn relatief zachte buikzijde binnendringen. Hij sloeg weliswaar nog eventjes met zijn met beenplaten bewapende staart om zich heen, maar toen gaf hij het op. Hij had geen kracht meer om nog eens van lichaam te veranderen. Misschien had zijn tijd als lastdier hem ook wel uitgeput. Hij wist het niet en wilde ook niets meer weten.

Zijn euforie als vliegende, vrije geest en zijn triomfgebrul als grootste en twaalfarmigste van alle demonen waren vergeten. De oorlog hield helemaal niet meer op, de oorlog was één grote rotzooi. Snidralek was minstens tweemaal te vaak gedood, en hij stierf nu zonder spijt, zoals zoveel andere demonen op die dag.

Deze dag kwam het op de mensen aan.

Chahiddu had aan Orisonisch-Coldrinische zijde de grootste verliezen geleden, maar dat was bij die tactiek te verwachten geweest. Slechts 3000 van zijn 7000 krijgers waren nog in leven. Jmuan daarentegen had maar 1000 man verloren en Lae – omdat haar strijdsters en strijders de helling handig hadden weten te benutten, en omdat ridder Stomstorm hen met zijn ervaring en vechtkunst had ondersteund – ook maar 2000.

Maar de demonen hadden die dag 12.000 soldaten verloren.

Daardoor kwamen de krachtsverhoudingen meer gelijk te liggen.

Culcah had nu nog 33.000 soldaten, de mensen nog 27.000 – Laes 18.000 plus de 9000 Coldriners. Als je de rekamelkisj – volkomen terecht – als zelfstandige strijders telde, kwamen de mensen zelfs op 36.000 strijders, dus op een kleine meerderheid. Bovendien hadden ze nog 7000 helpers achter de hand. Lae I begreep dat dankzij de offerbereidheid van de Coldriners een overwinning echt binnen handbereik lag. Deze oorlog kon door de mensen worden gewonnen.

In het kamp heerste die avond dan ook een feestelijke stemming. Men vertelde elkaar de heldendaden van de dag en hoefde niet eens te overdrijven om volkomen ongelooflijke verhalen bij elkaar te krijgen.

'... en toen we ze in de tang hadden, zijn ze op elkaar geklommen en hebben als toren verder gevochten, met tien armen op tien verdiepingen...'

'... en van die ene was alleen nog water over, want hij kon helemaal niet meer ophouden met grienen, en ik ben nog bijna uitgegleden in het plasje...'

'... hebben jullie die gezien met die duif in zijn bek? Ik dacht eerst: hij wil proberen vrede te sluiten, maar toen spuugde hij die duif in mijn gezicht en ik kon door alle veren niets meer zien...'

'... er was er ook een die telkens weer begon te branden als je hem tegenkwam, maakte niet uit waar. Je moest er echt over nadenken of je hem niet beter met rust kon laten...'

'... en ik had er eentje die eruitzag als mijn oom Ezerd, maar dan met haren als doornstruiken. Misschien klopt er toch wel iets van het verhaal dat de demonen eigenlijk onze weergekeerde doden zijn...'

'... nou, degene die ik voor mijn lans had, zag er niet uit als een weergekeerd mens. Eerder als een binnenstebuiten gedraaide koe...'

'... en ik heb per ongeluk een rekamelkisj ervan langs gegeven. Maar die zijn ook verdomd moeilijk uit elkaar te houden in het strijdgewoel, al die insectenpoten en voelsprieten...'

Onder de Coldriners heerste duidelijk minder opgewonden gekwebbel. In hun klakkende taal bespraken de krijgers rustig wat er tot nu toe gebeurd was en wat ze de komende dag konden verwachten.

Toen koningin Lae I bij deze onmisbare medestrijders ging zitten, werd ze door Jmuan aangesproken. 'De daimonin sterven goed en snel,' glimlachte de donkere divisiecommandant. 'Ik had ze me veel sterker voorgesteld. Ik ben bijna verbaasd dat een sterke vrouw als u überhaupt onze hulp nodig heeft om met ze af te rekenen.'

Ja, kreunde Lae in gedachten, als we Hugart Belischells leger niet zinloos hadden opgeofferd toen we nog niet wisten waarmee we te maken hadden, hadden we het mogelijk inderdaad alleen gered. Dan hadden we de hoofdstad behouden, was er geen kind op de vlucht doodgevroren, geen mens gedood bij achterhoedegevechten, had geen bergpas ons murw gemaakt en geen Coldriner zijn rijinsect ons land in geleid. Maar tegen dat 'had, was, als' had Taisser haar altijd gewaarschuwd. In de gangen van het verleden waren slechts gesloten deuren te vinden.

'We zijn er nog niet,' zei ze terwijl ze de glimlach beantwoordde. 'De demonen hebben vast nog niet alles ingezet wat hun ter beschikking staat. We moeten niet te vroeg juichen.'

'Dat zullen we niet,' verzekerde hij haar, en daarna voegde hij zich weer bij zijn mannen.

Die nacht voelde Lae een bijna onbedwingbare lust om met Jmuan naar bed te gaan. Hij was zo'n schaamteloos mooie man, en ze zouden allemaal morgen al kunnen sterven. Maar zij was de koningin. En als een koningin zich inliet met de divisiecommandant van een ander land, zou dat tot politieke verwikkelingen kunnen leiden waarvan de gevolgen helemaal niet te overzien waren.

Lae voelde zich onvrij zoals ze zich lang niet meer gevoeld had, maar voor het eerst sinds weken waren haar gedachten tenminste niet meer bij Taisser Sildien.

46
Nog vier tot het einde

De tweede dag van de grote beslissingsslag begon in het nachtelijk duister.

Culcah zag er het nut niet van in zich aan de een of andere overgeleverde erecode te houden. Hij was een demon, en omdat hij een demon was, konden zijn krijgers en hij 's nachts beter zien dan de mensen. De verliezen van de eerste dag waren ergerlijk genoeg geweest; Culcah had geen zin om op de tweede dag nog verder in het nadeel te raken.

De wachtposten van de mensen waarschuwden het kamp voor de aanstormende monsters. 'Zo zachtjes mogelijk!' had Culcah met een zeer realistische inschatting bevolen. De demonen deden hun best, maar toch merkten de mensen hun nachtelijke nadering op tijd op. Maar toen was het alsof de dromende mensen door nachtmerries werden overspoeld. De eerste ogenblikken slachtten de demonen iedereen af die zo onvoorzichtig was om hun in de weg te gaan staan. Niettemin kwam nu het terreinvoordeel, waar de mensen van het begin af aan op gerekend hadden, nog duidelijker tot zijn recht. De demonen moesten de helling beklimmen, terwijl de verdedigers ook rotsblokken en brandende balconstructies omlaag konden rollen. Maar dat kon de demonen alleen maar vertragen en niet tegenhouden.

Culcah verloor verscheidene strijders door het stijgende, gladde terrein, maar daarna werden tweemaal zoveel mensen het slachtoffer van het bedrieglijke, schaduwen werpende licht. De slag werd steeds duisterder. Wat er aanvankelijk nog aan fakkels, vuurkorven, lantaarns, brandende ballen, kampvuren en kaarsen brandde, werd door de demonen omgetrokken, uitgestampt, uitgespuugd en uitgepist. Koningin Lae zag zichzelf niet in staat om doelmatige bevelen te geven. Voortdurend meldden de meest uiteenlopende personen haar de meest tegenstrijdige onzin.

Toen waren het opnieuw de Coldriners die het tij deden keren. De 9000 krijgers op hun 9000 rekamelkisj donderden langs de verwarde Orisoners en vielen de demonen in de flank aan als een speer met weerhaakjes. Lae begreep dat zij eigenlijk niet de legeraanvoerster was in dit gebeuren. Ze was helemaal niet in staat de Coldriners te sturen – noch om hen te matigen, noch om hen aan te sporen. Zelfs al was ze in staat geweest bevelen te geven, hoe had ze moeten inschatten wat je van de Coldriners kon verwachten en wat niet? Alleen de rekamelkisjtemmers kenden zichzelf en hun dieren en konden die zinvol inzetten. Maar dat was ook niet zo erg. Zolang het resultaat in het voordeel van het land Orison uitviel, kon Lae I haar bondgenoten rustig alle vrijheid laten.

Ook nu gebeurde er iets wat ze niet kon thuisbrengen. Waarschijnlijk konden de rekamelkisj in het donker net zo goed zien als de demonen. De koningin vroeg zich alleen af waarom Chahiddu en Jmuan zo lang hadden gewacht met hun tegenaanval.

De slag duurde maar voort. De Coldriners vraten zich door het demonenleger heen en spleten het in twee delen, waarvan het ene nu niet meer door Culcahs ordenende bevelen kon worden bereikt. Dit deel namen de Coldriners nu extra flink onder handen. De vonken van op elkaar slaande wapens verlichtten het gebeuren telkens weer als afzonderlijke indrukken, van elke beweging ontdaan. Voor de rest vervaagde alles tot snuffelend bloedvergieten. Wapenrustingen braken stuk op lichamen met harde schalen. Lichamen met harde schalen drukten zacht vlees plat. Culcah schreeuwde en vocht als een waanzinnige. Chahiddu ontsnapte tweemaal maar net aan de dood. Ridder Stomstorm stuurde als nachtschim onder de nachtschimmen de jammerende mensen daarheen waar ze schade konden toebrengen en zelf een kans hadden om te overleven. Koningin Lae I bleef bij het ergste strijdgewoel uit de buurt vanwege haar been. Maar ze had ook achter de linies genoeg aan haar hoofd met het coördineren van de meest tegenstrijdige onzin.

In deze uren van duisternis stierf Myta Benesand, zonder dat Marna Benesand het kon verhinderen. Beiden bevonden zich in het kamp achter de 7000 helpers. Maar toen Marna Benesand even bij een rots een plas moest doen, sloop Myta weg, liep als een slaapwandelaarster door de verzameling van 7000 helpers en ging de uitlopers van het deinende strijdgewoel in. Het leek wel of ze thuiskwam in iets waar ze niet meer buiten kon om te blijven leven. In de slag werd ze vervolgens gedood door een achterwaarts kruipende rekamelkisj, die haar niet eens opmerkte.

Marna Benesand zocht wanhopig de hele afdeling gewonden naar haar af. Ze bleef doorzoeken tot bij de 7000 koortsachtig bezige helpers. Daar voelde ze de enorme verschrikking van de slag, het lawaai van het verscheurende moorden, omdat lichtloosheid zich in donker vastbeet. Ze keerde terug naar de gewonden.

Vreemd genoeg was ze nu, terwijl ze al haar zusters en dochters had verloren, minder terneergeslagen dan daarvoor. Nu waren ze tenminste allemaal dood; er was niets meer over. Nu kon Marna weer van voren af aan beginnen, dertig veelbelovende meisjes zoeken zoals van het begin af aan haar plan was geweest, die zorgvuldig opleiden en uitdossen, en op een oorlog wachten waarin je je als heldin kon waarmaken. Waarschijnlijk was domweg niet elk soort oorlog geschikt om in te schitteren.

In deze uren der duisternis stierven bovendien drie demonen die kort voor de opheffing van de draaikolk in de demonenraad hadden gezeten; een blauwig-ijskleurige die alleen uit klapperende tanden leek te bestaan, een met een groene vacht en een kraanvogelsnavel op zes poten, en een wittig spook met een aardig uiterlijk dat leek op een mengeling van een siervogel, een bloem en een danseres.

Na aanvankelijk in de roes van de nieuw gewonnen vrijheid te zijn uitgestroomd in alle windrichtingen – Klappertand was samen met de al in Orison-Stad gestorven kreeftachtigen en Orogontorogon naar de kust van Kurkjavok opgerukt, de kraanvogel had overmoedig deelgenomen aan de groep plunderaars vóór de voorhoede bij alle gevechten rond de burchten in het Zesde Baronaat, en het spook had voornamelijk onopgemerkt in de buurt van Culcah rondgehangen alsof het verliefd was – hadden die drie elkaar na de herordening van de strijdkrachten en de heropname van de kustrebellen in Orison-Stad teruggevonden en zich bezorgd aan elkaar vastgeklampt. Nu de demonenraad definitief tot het verleden behoorde en alleen het leger nog macht leek uit te oefenen, waren ze schuwe, zielige infanteristen geworden, rondgeduwd in het nachtelijk duister.

De kraanvogel werd verpletterd door een veel grotere demon die vloekend op het gladde terrein was uitgegleden. Het spook wilde de kraanvogel weer opbouwen uit zijn ingedrukte veren, maar werd daarbij door een heuvelafwaarts rollende brandende balconstructie gegrepen en verkoolde schel krijsend. Klappertand verloor de helft van zijn tanden toen hij achteruitwijkend in de baan van een door een mens rondgezwaaide strijdknots terechtkwam, en werd vervolgens helemaal verstrooid, omdat zijn tanden zijn wezen uitmaakten en een half wezen geen zin meer had. Eén van die tanden bewees tenminste nog zijn weerbaarheid door pijnlijk in de kuit van een mens te blijven steken.

Eindelijk werd het stilaan ochtend. Het snuiven en hijgen, kletteren, schaven, steunen, grommen, scheuren, trekken, janken, het alomvattende schuifelen en graven, knijpen en beuken, het schreeuwen en hinniken, kraaien en kreunen, walsen en duwen kreeg langzamerhand roze, onwerkelijke contouren. Uit de nacht werden de handelingen van de slag gebeiteld, en net als de dag daarvoor raakten mens, dier en demon verschrikt en uitgeput. De in elkaar vastgebeten partijen maakten hun vangtanden los en weken uiteen om hun wonden te likken.

De slag had voor die dag afgelopen kunnen zijn, als Chahiddu en Jmuan niet een vastbesloten aanval in de rug van de terugtrekkende demonen hadden ondernomen.

Op dat moment waren er nog maar 5000 Coldriners, 14.000 mensen en 28.000 demonen. Maar de vastbesloten aanval vanaf de helling door de Coldriners deed de kansen opnieuw keren. De demonen waren moe van de strijd, verdedigden zich nauwelijks nog, wilden weg, wilden uitrusten en genezen. De zon verblindde hen. De Coldriners maaiden 3000 van hen neer zonder noemenswaardige verliezen te lijden. Plotseling botste Chahiddu tegen Culcah persoonlijk op. Eén enkel ogenblik stopte alles. Toen begroef Culcah de dikke man onder zijn eigen nog veel reusachtiger keverlichaam en vermaalde hem door razendsnel als een tol rond te gaan draaien. Nu werden ook de Coldriners door ontzetting bevangen, besproeid door het bloed van hun aanvoerder, en de 1000 die bij Chahiddu's Tweede Divisie hadden gehoord werden opgevreten en samen met hun rekamelkisj verteerd.

Jmuan maakte echter volstrekt geen aanstalten om met zijn nog 4000 getrouwen terug te vluchten naar de mensenhelling. Hij bleef zich een weg hakken door het demonenleger, tot hij aan het andere eind van hun troepen uitkwam en zich nu tussen het demonenleger en het demonenkamp bevond, waarin een door twaalf varanen gedragen en door 200 gedetacheerde demonen bewaakte koningstent stond.

'Orison!' brulde hij. 'Wanneer hou je er eens mee op het vuile werk door je zielige vazallen te laten opknappen, en ga je het eindelijk zelf doen?'

'Wat moet dat?' riep de koningin, helemaal van streek. 'Ze sneuvelen allemaal! Ze offeren zich volkomen zinloos op! Hé, Jmuan! Terug, verdomme! Terug!' Haar stem en haar wenkende gebaren bereikten de overkant van de Laagvlakte van Zegwicu niet, maar bleven in het puntige veld van de gesneuvelden hangen.

'Ze kunnen niet meer terug, mijn koningin,' bromde Lehenna Kresterfell. 'Daarvoor zouden ze nog eens door het demonenleger heen moeten, en dat zijn nog altijd 25.000 man.'

'Maar waarom? Wat is dat voor waanzin? Wat heeft die uitval nou te betekenen?'

'Hoe kunnen we dat weten? Wie kan die nevelwezens begrijpen? Maar we moeten het aangrijpen als laatste kans om onze gewonden in veiligheid te brengen, onze krachten te verzamelen en op adem te komen. De volgende aanval van de demonen zal de laatste zijn. Hoe dan ook.'

Onder aan de helling lagen vers rondgestrooid als veelkleurige bladeren 4000 dode mensen uit Orison, 4000 dode mensen uit Coldrin, 4000 dode rekamelkisj en 5000 dode demonen.

Verder naar beneden op de vlakte lagen nog eens 3000 dode demonen en de groteske resten van Chahiddu's nog uit 1000 krijgers en 1000 rekamelkisj bestaande Eerste Divisie. En dat waren allemaal alleen nog maar de verse doden van deze ochtend. De vele lijken van de slag van de vorige dag hadden ook nog niet geborgen kunnen worden en voegden aan het allesoverheersende patroon van de dood nog meer versieringen, uitstulpingen en opstapelingen toe. Als het geen winter was geweest maar zomer, was de Laagvlakte van Zegwicu zeker al verschrikkelijk gaan stinken.

Het meest onthutsende – vond Lae – aan al deze doden was dat ze één grote, doelloos over het land uitgegoten brij vormden. Waarvoor en waarom elk afzonderlijk was gestorven was achteraf helemaal niet meer te reconstrueren. Er was geen onderscheid meer. In de verstijving van de dood waren ze allemaal in elkaar vastgeklonken, omstrengeld, met de laatste slagen van onderling vreemde harten ineengevloeid.

Lae voelde dat ze ditmaal – heel anders dan in het gekrioel van de Irathindurische Oorlog – een grote verantwoordelijkheid droeg voor het hele gebeuren. Ze was bang dat ze, als ze de gezichten van de gesneuvelde mensen nader bekeek, verscheidenen van hen zou herkennen. Mensen die kortgeleden nog hadden gelachen en hun verwanten hadden omhelsd lagen nu uitgestrekt als brokjes in een soort afgekoelde bloedsoep.

Voor Lae ging deze oorlog qua gruwelijkheid elk voorstellingsvermogen te boven. En die gruwelijkheid werd er volstrekt niet minder op doordat de tegenstanders monsters waren.

Want als die monsters nou ook eens kort daarvoor nog hadden gelachen en hun verwanten en strijdgenoten met opbeurende woorden tot een gevecht om hun eigen vrijheid hadden aangespoord?

Een oorlog van mensen tegen mensen was verschrikkelijk genoeg.

Maar een oorlog van mensen tegen demonen was nog verschrikkelijker.

Want als zelfs een demon – zoals de voormalige raadsheer Tanot Ninrogin immers al had laten weten – een begrijpelijk motief voor zijn handelen kon hebben, was er geen duidelijke grond meer om het goede alleen aan mensen toe te schrijven, of zelfs om te geloven dat het goede in de mens echt bestond.

47
Nog drie tot het einde

Onder in de Poel was alles stil.

De demon die zich Adain noemde, dwaalde rond op verlaten terrein.

Hij had allang de voormalige raadkamer ontdekt. Ooit een toevluchtsoord te midden van een stormachtige werveling, was die nu een van elke zin ontblote zaal geworden, beklad met een zorgvuldige, uit tienduizenden details bestaande, acribisch uitgevoerde krijttekening. Spiralen, cirkels, schrifttekens van verschillende talen, numerologie, verzen, afbeeldingen van dieren en demonen, schetsen van mengwezens, symbolen, ontwerpen, wiskundige en alchemistische formules, hele beeldverhalen, het begin van twee romans, abstracte lijnen en doorkruisingen, arceringen, ornamenten, verwijzende pijltjes, omleidingen, afkortingen en banvloeken. Wat dit was, was duidelijk: de plek van het Einde en het Begin. Hier had de grote magiër Orison zijn bantoverij ontworpen. Hier was de vrijheid van de demonen op uitgelopen, hier was het grote ronddraaien en vergeten begonnen. Maar vanaf deze plek was ook de vrijheid hersteld, want de grote magiër Orison had één enkel woord uit het begin van de romans uitgeveegd, en dat woord luidde 'niet'.

Adain kon nalezen hoe in de eerste van de twee romans – waarschijnlijk gewoon met behulp van spuug – *Er klopte iets niet. Er werden tegenstrijdige bevelen gebruld*, was veranderd in *Er klopte iets. Er werden tegenstrijdige bevelen gebruld*, en hoe in de tweede roman het zinsdeel *om de enige waarachtig overlevende god te bidden dat de waanzin niet opnieuw zou oplaaien om de kinderen aan hun ouders te ontrukken*, was ingekort tot *om de enige waarachtig overlevende god te bidden dat de waanzin opnieuw zou oplaaien om de kinderen aan hun ouders te ontrukken.*

Adain gniffelde om die aardige kleine vondst.

Hij liet zijn blik ronddwalen en probeerde het geheel te bevatten. Alle krijttekeningen van de grote zaal verbonden zich tot één alomvattend geschrift, maar dit geschrift had nu geen betekenis meer; het was door Orisons eigenhandige doorhalingen in iets fragmentarisch veranderd, dat zich als volgt liet lezen:

Menselijke magiërs
waren demonen,
om levend te zijn
begeerte
en vreugde
levenskracht
toekomst
voortbestaan vrijheid
Orison was gestorven,
tot licht vervloeid en wederopgestaan,
Het land
viel aan de mensen toe
nooit
En verdween
de demonen
de demonen

Met gefronste wenkbrauwen liep Adain deze woorden na. Vervolgens luisterde hij of hij in het gesteente rondom hem trillingen kon horen.

Daar in het noorden stond inderdaad iets te gebeuren. Twee polen bewogen zich op elkaar af, een noordelijke en een zuidelijke, en als ze op elkaar botsten zouden tijd en ruimte uit elkaar buigen, om plaats te maken voor iets nieuws. Het was net als met Gouwl en Irathindur, behalve dat destijds alleen een klein eilandje in de Groene Zee was veranderd en ditmaal mogelijk het hele vasteland.

Adain schudde zich en was blij dat hij besloten had hier beneden te blijven. In veiligheid.

48
Nog twee tot het einde

Orison kwam voor zijn tent staan. Een koude wind woei hem uit het noorden tegemoet en voerde lijkenvorst in zijn adem mee.

Jmuan bracht zijn gigantische bidsprinkhaan op slechts tien pas afstand tot staan. Het rekamelkisjvrouwtje knisterde onder Orisons aanwezigheid als door vlammen verteerd perkament. De 200 tentwachtdemonen wilden ingrijpen, maar Orison hield ze met een kort gebaar op de achtergrond.

'Turer!' zei hij lachend, en hij maakte zelfs een buiging. Zijn enorme lijf trilde van genoegen. 'Dus we zien elkaar toch nog eens terug.'

'Jouw schaamteloze gedrag hier in het zuiden laat mij niet echt een andere keus,' antwoordde de bidsprinkhaan in haar eigen lispelende taal, maar Orison verstond haar tongval goed. Het was de taal van de Oude Raad uit de tijd van de verloren gegane tuin. 'Geloof jij dan in alle ernst,' ging het reusachtige insect verder, terwijl haar poten onrustig heen en weer dansten, 'dat je genoeg macht in jezelf hebt verzameld om tegen mij op te kunnen?'

'Je bent onnozel, Turer, je hebt nooit echt begrepen wat ik al die eeuwen heb gedaan.' Orison lachte opnieuw. Hij leek in een uitstekend humeur te zijn. De geur van duizenden kapotte lichamen op het slagveld verwende zijn neus met inspiratie. Zijn joviale gezicht maakte Turer nog zenuwachtiger. 'De macht om jou te verpletteren verkreeg ik al in de eeuwen van omwenteling in de door mij geschapen Demonenpoel. Terwijl jij wegkroop voor je eigen verantwoordelijkheid en je encanailleerde met personeel en gedierte, voedde ik mij met de draaiende beweging en wachtte. Het probleem was alleen om zoveel macht te verzamelen dat ons gevecht geen verregaande schade zou aanrichten. Als we ook maar enigszins aan elkaar gewaagd waren geweest, had een gevecht het land in de ondergang kunnen storten. Dat wilde ik natuurlijk vermijden. We hebben al eens in onze geschiedenis een tuin verloren, omdat wij demonen gulzig en onbeheerst waren. Ha, ik begrijp zelfs waarom jij je teugels hebt laten omleggen, Turer! Een mooie gedachte, werkelijk poëtisch!'

'Drijf jij de spot met me? Geloof je echt dat je zo torenhoog boven mij staat dat ik niets tegen je in te brengen heb?' De bidsprinkhaan snoof. Haar kakement klapperde als een stel reusachtige breinaalden. 'Ik kan je alleen maar waarschuwen, Orison. Ook ik heb de laatste eeuwen niet stilgezeten. Terwijl jij je behaaglijk liet ronddrijven als een alg in de deinende zee, heb ik onder de rekamelkisj geleefd en gevóchten. Ik heb oorlogen geleid en gewonnen. Ik heb verscheurd en gevreten, eigenhandig en wild van hart. Mijn krijgskunst gaat die van jou verre te boven.'

'Lichamelijk gezien klopt dat misschien. Maar wat stelt een lichaam nou voor in het kader van de werkelijke essentie van een demon?'

En Orison sprong.

Hij maakte zich los van zijn lichaam en kwam als een witachtige omtrek van bovenaf op Jmuan en Turer neer. Jmuan hief zijn gepantserde armen op ten afweer, maar werd helemaal uit elkaar geslagen als zacht gekookte groente. Turer wilde weg, slaakte een sissende kreet – maar Orisons slag spleet het insectenlijf van de kannibalenkoning in twee ongelijke helften, die elk voor zich nog drie stappen in verschillende richtingen zetten en daarna in elkaar zakten.

Bloed en zuur sproeiden rond. De koude wind rook nu naar bederf.

Orisons schim lette er nauwkeurig op of zich iets uit Turers lichaam losmaakte om te ontsnappen, een essentie zoals die van hemzelf, maar dat was niet het geval. De aanval was te hard en te precies doorgevoerd. Hij had tegelijk de ruggengraat, de aders, de zenuwen en de kern van zijn essentie doormidden geslagen. Orison keerde in zijn lichaam terug, nog voor dat kon omvallen en – mogelijk pijnlijk voor de demonen en onnodig moedgevend voor de mensen – in de sneeuw terecht kon komen. Hij had met opzet uit het vlees van de mensen een enorm lijf opgebouwd, dat minder snel ineenstortte dan een fijngebouwd lichaam.

Nu pas veroorloofde Orison het zich weer flink adem te halen.

Het had in één enkele klap moeten lukken.

Elk verdergaand vechtcontact tussen hem en Turer had het risico van onherstelbare beschadigingen aan het tijd-ruimtesysteem onberekenbaar vergroot. Alleen zo – met één enkele, precieze essentieslag – had het zeker kunnen lukken.

Nu stonden alleen nog koningin Laes armzalige 14.000 mensen in de weg om de verloren gegane tuin terug te winnen – plus de 4000 Coldriners, die plotseling zonder leider zaten.

Orison hief zijn armen ten hemel. 'Vermorzel hen!' brulde hij met een stem die van alle kanten tegelijk leek te komen, die diep en veelgelaagd was als een druipsteengrot en die demonen, Coldriners en rekamelkisj evenzeer ineen deed krimpen.

De slachtpartij ging verder.

49
Nog een tot het einde

'Jmuan!' riep koningin Lae 1 geschrokken uit, en meteen daarop zei ze, meer tot zichzelf: 'Vervloekte idioot, waarom moest je dan ook zo'n oliedomme aanval ondernemen?'

Ze zag dat Jmuans 4000 man – de laatste Coldriners die ze nog overhad – door de demonen onder de voet waren gelopen en afgesneden.

'We moeten hen bijstaan!' riep ze bevend. 'We zouden van hieruit de demonen in de rug kunnen aanvallen!'

'Maar denk aan het terrein, mijn koningin,' waarschuwde Lehenna Kresterfell. 'De helling is het laatste voordeel dat we nog hebben. De demonen zijn nog altijd in de meerderheid!'

'Maar het scheelt maar heel weinig. Het is nu erop of eronder. Als de Coldriners het lang genoeg volhouden, hebben we de demonen tussen twee fronten. Ik heb ruiters nodig! Iedereen die paardrijden kan! Het moet snel gaan. Het hoofdleger blijft hier op de helling.'

'Maar mijn koningin – u wilt toch niet zelf mee naar beneden rijden?'

'Ik móét dat doen, Lehenna, ik móét! Dat is waar ik voor opgeleid ben. Ik kan niets anders. Een overvalcommando. Als we erin slagen 1000 demonen te doden kan de hele oorlog gewonnen worden. Ook omdat de Coldriners het dan langer zullen uithouden, begrijp je dat dan niet?'

'Ik begrijp dat het krap wordt...'

'Erger dan krap, Lehenna. Terwijl ik naar beneden rijd, moet jij onze 7000 reservisten activeren. Haal ze naar voren, er zit niets anders meer op. Dan hebben we hier meer dan 20.000 mensen op de helling. Daarmee kan het ons net lukken de demonen te verslaan.'

'Maar hoe zit het met de demonenkoning? Degene die Jmuan heeft gedood?'

'Dat weet ik niet... nog niet.'

Er was geen tijd meer voor verdergaande discussie. De koningin moest in vliegende haast een troep ruiters samenstellen. Er meldden zich 2000 vrouwen en mannen, meer dan ze had verwacht. Er waren een paar Wolkenstrijkers bij op hun gemzen, en ook ridder Stomstorm en zijn spreker.

Grote woorden waren niet nodig. Iedereen wist wat er op het spel stond. Beneden in de laagte sneuvelden al hun bondgenoten.

De 2000 joegen de helling af.

Orison zag ze boven het gewemel uit komen en glimlachte.

'Kijk eens aan,' sprak hij zacht. 'Een koningin. Een koningin voor mij.'

De Coldriners vochten met alles wat hun ter beschikking stond. Ze wisten niet dat ze zojuist de dood van hun koning Turer hadden meegemaakt. Ze wisten niet eens dat hun koning een rekamelkisj was geweest. Maar de rekamelkisj wisten het, en zij vochten met verdubbelde woede. En de Coldriners hadden van hun divisiecommandant Jmuan gehouden en vochten ook omwille van hem met zelfverloochening en opoffering in hun hart.

De demonen brachten hen in het nauw.

De Coldriners wilden niet alleen maar standhouden, maar zelfs een tegenaanval op het demonenleger doen, maar dat ging onmogelijk. De overmacht van 25.000 tegen 4000 was te groot.

De Coldriners en hun rekamelkisj sneuvelden, hoewel ze iets heel anders van plan waren. Ieder moment werden twee à vier van hen neergemaaid. Het leek wel een epidemie. Er was geen houden aan.

De koningin en haar 2000 sloegen van achteren tegen de demonen aan.

Sommige hadden hen zien komen en zich naar hen toe gekeerd – die moesten als eerste sterven.

'We trekken ons terug zodra het link wordt!' schreeuwde de koningin boven het strijdgewoel uit. 'Geen onnodige risico's lopen! Niet versnipperen! We hebben paarden en zijn sneller dan alle anderen! Alleen dolkstoten uitdelen en dan terug!'

Terwijl ze dat riep, bleef ze demonen neerhouwen. Haar nog niet genezen been deed pijn. Ze leefde. Ze droeg haar kroon, die ze ook in de slag tegen de horde van de rode hond had gedragen, om haar mensen kracht en licht te geven. Eindelijk was ze Taisser vergeten en zijn volkomen zinloze plan om het land te helpen dat nu onder haar bevel zijn laatste slag voerde.

Culcah bevond zich midden in het strijdgewoel. Hij voelde zich omgeven door zijn 8000 meest getrouwen, de demonen met wie hij al voor Witercarz had gestaan en had gezegevierd. Het waren degenen die hem het meest na aan het hart lagen. Zijn drie gezichten lachten, want de overwinning was nabij nu Orison ook in de strijd had ingegrepen.

Vergeten waren al zijn twijfels.

Orison wilde de demonen niet verdelgen om alleen te blijven bestaan. Hij wilde vrede onder schaduwrijke bomen. Het hele land één tuin.

Culcah ranselde en ramde en sloeg en verdroeg. Hij waadde door rekamelkisjpoten en Coldrinerribben. Om hem heen klonk geschreeuw, gekwinkeleer en gezang. De klingen van zijn hellebaarden roerden in vlees als in een dikke eenpansmaaltijd.

Hij sloeg een rekamelkisj in tweeën en daarachter zag hij, in een lijst van slijmdraden, de koningin van de mensen.

Eerst geloofde hij zijn zes ogen niet. Maar ze was het onmiskenbaar. De kroon. Haar houding. De bevelen die ze brulde. Lae I. Voor de eerste keer ontmoette hij haar persoonlijk. Hij baande zich door de slag een weg naar haar toe.

De Coldriners kregen nieuwe moed toen ze merkten dat de koningin hun te hulp schoot. Ze deden nog een laatste poging tot verzet.

Orison sprong.

Het was niet nodig om het gebeuren eindeloos te rekken. De mensen en hun korstige bondgenoten hadden verloren en konden dat rustig langzaam beginnen te aanvaarden.

Orison landde te midden van de Coldriners.

Hij strekte zijn armen uit en draaide eenmaal om zijn eigen as. Om hem heen steeg een regen van bloed, flarden lichaam, versplinterde wapens en insectendelen op.

Het groepje Coldriners was plotseling met verscheidene honderden mannen en rijdieren verminderd.

De wereld om hen heen bestond uit tanden en tongen en klauwen, en hun verzet was alleen maar een kort opflakkeren voor het definitieve uitdoven.

'Terug!' riep de koningin. 'Terúúúúúg!'

'Te laat!' riep Culcah, terwijl hij haar in de weg sprong. Haar paard steigerde en wierp haar bijna af.

De bovenmenselijk grote demon droeg over zijn natuurlijke keverpantser nog een cape van olieachtig materiaal, nat van het bloed. Zijn drie gezichten waren betralied. Als wapens droeg hij twee hellebaarden met enigszins rechtgebogen staven, in elke hand één. 'Mag ik mij voorstellen, majesteit?' vroeg hij met drie afwisselende stemmen. 'Ik ben Culcah, de legeraanvoerder van de demonen.'

'Dan sterf je nu!' riep Lae, en ze gaf haar paard bevel om te springen. Het paard sprong de kever gewoon tegen de borst. Met zwaaiende armen kiepte Culcah achterover. Van bovenaf deelde Lae een houw uit, die zijn lichaam opensneed.

Maar Culcah gaf zich niet zo snel gewonnen. Hij pakte de achterbenen van het over hem heen lopende paard en trok het dier ruw omlaag. Lae was traag doordat haar been nog niet genezen was en kwam niet op tijd uit de stijgbeugels. Ze smakte samen met het paard zijdelings tegen de grond en voelde haar gezonde been breken onder het gewicht van het dier.

De pijn was fel en hevig, en maakte haar bijna gek.

'Zo, schoonheid, laten we dan nu eens kijken hoe jij er vanbinnen uitziet,' hijgde de keverdemon. Hij werkte zich langs een hellebaard omhoog en haalde met de andere uit voor een slag – maar iemand schopte de eerste hellebaard onder hem vandaan. Kreunend plofte hij weer op de grond. De pijn van de houw die zijn buik had opengereten werd elk moment heviger. Een van Culcahs gezichten begon te huilen, terwijl de andere twee zich hard en vastberaden toonden.

Opnieuw krabbelde hij overeind. De koningin lag nog altijd hulpeloos onder haar stervende paard en kronkelde net zo rond als het dier. Maar naast Culcah stond iemand anders. Hij kende degene die daar stond. Het was de roestige ridder van de Hoofdburcht van het Tweede Baronaat. Hoe heette hij ook alweer? Stompzin?

'Ha,' zei Culcah zwaar ademend, 'dat is goed. Jij ontbrak er nog aan, ik wilde je toen al in mijn vingers...'

Stomstorm hief zijn klingarm. Het zag ernaar uit dat het getande wapen snel zou roteren. Toen stiet de ridder het wapen in het lijf van de legeraanvoerder van de demonen. Culcahs hele lichaam beefde en leek met het wapen mee te willen draaien. Even later bewoog er niets meer.

De ridder trok het paard van de koningin af en nam de halfverbrijzelde vrouw in zijn armen.

'Dank u... Dank u wel,' kreunde Lae. 'Waar... is uw spreker... gebleven?'

'Hij is gesneuveld,' zei de ridder met de metalig verdraaide stem van een zestigjarige vrouw. 'Van nu af aan zal ik weer voor mezelf moeten spreken.'

Orison sprong opnieuw.

Hij landde tussen de ridder met de koningin in zijn armen en het paard waar de ridder naartoe liep.

'Nee!' bracht Lehenna Kresterfell uit. 'O mijn god, nee!' Vanaf haar hogere positie kon ze alles overzien.

'Ik ben onder de indruk,' zei Orison tegen de ridder. 'Je hebt zojuist mijn legeraanvoerder gedood, die een bekwame demon was. Voor een mens, een wijf nog wel, beschik je over verbazende kwaliteiten. Ik overweeg net om je de post van mijn legeraanvoerder aan te bieden.'

'Dat kun je toch niet serieus menen,' bromde de ridder, de koningin onderwijl zo voorzichtig mogelijk neerleggend. Achter hen werd de strijd nog heviger. De menselijke ruiters trokken zich conform het bevel terug en draafden weer de helling op. De Coldriners en de rekamelkisj waren uitgeroeid. De demonen bleven waar ze waren, want ze zagen hun koning tussen henzelf en de helling staan.

'Natuurlijk niet,' glimlachte Orison. 'Maar ben jij serieus van plan om tegen mij te vechten?'

'Vanzelfsprekend.'

'Goed dan. Laten we eens kijken: als ik neerkniel, mijn armen achter mijn rug houd en beloof ze niet te gebruiken, heb je misschien een schijn van kans.'

'Je hoeft niet zoveel te praten om indruk op me te maken. Vecht gewoon maar alsof je weet wat eer betekent.' Ondanks de kou om haar heen zweette Jinua Ruun in haar wapenrusting. Ze wilde nu geen uitstel meer. Ze wilde dat het afgelopen was. Haar wapenarm was zwaar en verdikt door niet-menselijk bloed.

Orison knikte.

'Nee!' Lehenna Kresterfell hield het nauwelijks nog uit tussen de mensen. 'Niet de koningin! Niet de koningin!' Ze wilde de helling af strompelen op haar gebrekkige benen, maar zo'n 1500 ruiters kwamen er net op gestoven. Ze zou overreden zijn door haar eigen mensen.

Toen de 7000 helpers aan het front waren ontboden om de gelederen van de voor hun land vechtende mensen aan te vullen, voegde Marna Benesand zich bij hen. Ze was niet ernstig genoeg gewond om werkeloos het eind van de oorlog af te wachten, en onder de helpers bevond zich mogelijk beter materiaal voor een wederopstanding van de Dochters van Benesand dan achteraan tussen de zwaargewonden. Sommige van die hoofdstedelijke burgerdochters zagen er werkelijk welgeschapen uit. Daar zou toch iets veelbelovends uit te vormen moeten zijn.

Jinua Ruun – ridder Stomstorm – viel Orison aan. De klingen van haar arm leken een eigen leven te leiden, zich te ontplooien en te woekeren.

Orison schudde langzaam zijn hoofd, eenmaal van links naar rechts.

Jinua voelde haar arm licht worden, omdat die zijn wapen verloor.

Orison bewoog zijn hoofd van rechts naar links.

Jinua's wapenrusting kreukelde naar binnen als een door een reuzenvuist ineengedrukte beker en perste het leven uit haar lichaam. Ze kwam niet eens meer aan schreeuwen toe. Het was de liggende koningin die in haar plaats een gehijg uitbracht dat klonk als gejammer.

'Monster...' rochelde Lae terwijl ze tegen haar tranen vocht. 'Jij... monster!'

Orison glimlachte weer, terwijl de wapenrusting steeds maar kleiner en kleiner werd geperst, zonder dat er bloed uit kwam. Als een vormloze bal, zo groot als een brood, bleef hij ten slotte liggen.

'U doet mij onrecht, koningin,' zei de demon, die er als enige van allemaal net zo uitzag als een mens. 'Ik dacht er net over na of u ook zo dom zou zijn om een aanbod af te slaan dat ik u zou willen doen.'

'Wat voor aanbod? Dat ik met jou trouw, samen met jou het land regeer, en dat we veel lelijke demonenkinderen op de wereld zetten?'

'Bijna goed. Ik wil de mensen niet uitroeien. Ik vind het... verheffend om een paar van hen in mijn tuin te laten spelen. Waarom zouden ze geen koningin hebben tot wie ze kunnen bidden als het donker wordt?'

'Dood mij, monster! Of ik dood mezelf.'

'Jullie neigen tot vergankelijkheid, jullie mensen. Dat maakt het werkelijk moeilijk om als gelijken met jullie te praten.'

Toen knipte hij met zijn vingers en Laes hoofd barstte uit elkaar.

Lehenna Kresterfell schreeuwde niet meer. Ze verstarde, net als alle andere mensen, net als de moegestreden ruiters, die de helling op kwamen en ondertussen omkeken, net als de 7000 troepen die juist ter versterking aan kwamen getreden, net als de wolken, de zon en de wind.

Pas veel later kwam er weer beweging in de dag, en hij liep ten einde zonder dat er zich verder iets voordeed.

50
Het einde

Die nacht vroegen de coördinatoren het woord weer. De hele reis de bergen in en terug was er van hen niets te horen of te zien geweest. Ze hadden elke schijn van verantwoordelijkheid ontdoken, maar nu maakten ze zich op om onderling de troonopvolging te regelen.

'De koningin is gevallen!' riep de coördinator voor plechtigheden. 'We moeten de passende ceremoniën voorbereiden, zodat de troon van het land geen ontwrichtende lege plek toont!'

'We moeten de soldaten een schatting laten betalen, zodat de ceremoniën doorgang kunnen vinden,' stelde de coördinator voor inkomsten voor.

De coördinator van het leger stelde de vraag wie nu de legerleiding moest overnemen. 'Ikzelf ben daar in elk geval veel te ziek en te verzwakt voor door de vermoeienissen van de vlucht!'

De coördinatrice voor kerkelijke aangelegenheden maakte zich op om een koninklijke herdenkingsdienst te organiseren waarvan 'zelfs de godvergeten heidenen op de vlakte zwaar onder de indruk zouden moeten zijn'.

De coördinator van de jurisdictie klaagde over het gebrek aan duidelijkheid in de huidige toestand, omdat de koningin noch moeder van een troonopvolger was, noch een geschikte plaatsvervanger had benoemd.

De coördinatrice van de handel vroeg zich af of het niet mogelijk was, nu de legers ongeveer even groot waren, onderhandelingen met de demonen aan te gaan.

De coördinatrice van de kennis wees erop dat er geen precedent was voor wat er ook maar vervolgens zou gaan gebeuren.

De coördinator van de burchten wees erop dat de burchten deze oorlog tot nu toe beter hadden doorstaan dan de mensen.

De coördinator van de vloot vroeg hem schreeuwend waar dat op sloeg, en stelde dat er in deze oorlog alleen maar geen vloot was geweest omdat alle aanvallen van binnen uit het land waren gekomen.

Lehenna Kresterfell wenste hen allemaal de Poel in.

De nacht was ijzig helder en lang. De onderofficiers hielden het leger overeind en in een enigszins gevechtsklare orde. Ridder Stomstorm had nu goed op z'n minst tijdelijk een majesteit kunnen vervangen, maar zelfs hij was niet meer in leven.

De volgende dag zou de beslissing brengen of het land aan de demonen of aan de mensen zou toebehoren.

De demonen rustten uit en deden iets wat ze zelden deden: ze verzorgden elkaars wonden.

Orison wist dat de beslissing al was gevallen. Beide legers waren nu ongeveer even groot. Maar zelfs het terreinvoordeel dat de mensen bezaten kon niet verdoezelen dat er demonen waren die sterker waren dan vijf of zelfs tien mensen. De volgende dag zou eerst een slachtpartij en daarna een feestmaal worden, en Orison was al benieuwd wie van zijn demonen zouden overleven om met hem de herwonnen tuin in te richten.

Kleverig maakte de zon zich los van de horizon.

De wind ontwaakte als een draak die zijn kop ophief.

De mensen klappertandden en beefden op hun helling.

De demonen stonden niet meer in gevechtsformatie opgesteld. Ze vormden een borrelende hoop uitsteeksels, tanden en ogen.

Orison trok zich in zijn tent terug. Het bevelen liet hij over aan Culcahs officiersstaf. De staafdunne officier, die destijds bij de Tweede Hoofdburcht problemen had gehad met ridder Stomstorm, had nu de rol van veldheer opgedrongen gekregen. Simpelheidshalve nam de staafdemon Culcahs strijdkreet over: 'Vrijheid voor altijd, mijn trouwe demonen – of de duisternis van de dood voor degenen die niet genoeg hun best doen!'

De demonen brulden en kwijlden. Op deze dag, de allerlaatste van de oorlog, was elk van hen weer bereid zijn best te doen. Daarvoor was er regelmatig gemord en gemokt. Maar dat was nu voorbij.

Jammer, dacht de staafgeneraal, dat Culcah dit niet meer kan meemaken.

Iemand blies op een hoorn.

De demonen namen een aanloop in de Laagte en bestormden de helling als een donkere golf een doorgebroken dam.

Marna Benesand stortte zich op de eerste de beste demon die haar te na kwam.

Lehenna Kresterfell moest door haar twee bijna volwassen kinderen worden ondersteund. Ze bevonden zich achter het front, waar de slachting al een uur voortwoedde.

Ze wilde hem een halt toeroepen. Om rust vragen.

Maar om haar heen grepen steeds meer gewonden naar de wapens en stortten zich in de grote slachtpartij, waarin twee volkeren elkaar probeerden uit te roeien, alsof er niet genoeg plaats was voor iedereen in het in negenen gedeelde land.

Het voordeel van de helling was toch groter dan voorzien. De demonen gleden uit, schoven weg, doken ineen en werden van boven afgeranseld en beschoten. De mensen gebruikten langeafstandswapens, de demonen helemaal niet.

Orison kwam zijn tent uit en keek toe hoe zijn troepen zich weerden. De mensen, die telkens nieuwe gewonden uit hun schuilplaatsen in de bergen leken te rekruteren, hadden intussen de overmacht. Orison schatte de tussenstand op 10.000 mensen tegen 7000 demonen.

Maar nog altijd leek de demonenkoning niet ongerust. Hij stuurde de 200 de slag in die door Culcah voor de bewaking van de koningstent waren gedetacheerd. Het gigantische sterven woei over de Laagte op hem af als een nooit opdrogende stroom levenskracht, en Orison slurpte die stroom met elk haartje van zijn imposante lijf naar binnen. Als het 10.000 mensen tegen 10 demonen stond, kon hij altijd nog ingrijpen, alle mensen in het Nu vernietigen en vervolgens het land met slechts tien andere overlevenden delen.

Maar het lot scheen het anders te willen.

Plotseling bewoog de hemel.

De ongeveer 1900 gevleugelde demonen die in de grote Orogontorogon-slag gevlucht waren en zich sindsdien angstvallig verborgen hadden gehouden, zagen nu hun kans schoon om weer genade te vinden in de ogen van hun koning. Ze grepen van bovenaf in het gebeuren in, en nu begonnen de krachtsverhoudingen snel te verschuiven: 9000 mensen tegen 8000 demonen. Zevenduizend mensen tegen 7500 demonen. Vijfduizend mensen tegen 7000 demonen. Drieduizend mensen tegen 6500 demonen.

Orison glimlachte. Ja, met veel extra medebewoners zou de wereld meer vreugde bieden dan slechts met een handvol uitverkorenen. Er zouden nieuwe ruzies komen, afsplitsingen en bondgenootschappen. Er zouden ook mensen zijn, de weinigen die nog ergens in het land of aan de kust waren weggekropen, en waarom ook niet? Het leven leek minder op de eentonigheid van de Demonenpoel als er een veelvoud aan stemmen en stemmingen was.

Slechts één enkele, genadeloos gevoerde oorlog om zijn aanspraak op de heerschappij duidelijk te maken. De mens, wiens filosofie het uitbuiten van de natuur en het onderdrukken van alle leven inhield, de teugels uit handen te nemen, voor het waardevolle land ten onder ging. En dan: een eeuwigdurende vrede, waarin de meest uiteenlopende schepsels met elkaar in harmonie en wederzijdse bevruchting konden samenleven.

'Jij bent niet Culcah, toch?' vroeg plotseling een stem vlak bij hem. 'Jij bent Orison, de demonenkoning.'

Met opgetrokken wenkbrauwen draaide Orison zich om naar degene die de vraag had gesteld. Er stond een mens naast hem, die aan zijn voetsporen te zien net uit het zuiden was gekomen. De man zag er haveloos uit, verkleumd, met een opgelapte jas aan en ijs in zijn roodachtige baard. Erg groot voor een mens, met vreemd gevormde lippen en een strakke blik.

Orison overwoog maar heel even de vreemdeling weg te knippen. Toen won zijn nieuwsgierigheid het.

'Ik heb je helemaal niet horen aankomen,' zei hij joviaal. 'En hoe weet je mijn naam? Ik heb tot nu toe nog geen mens ontmoet die wist wie ik was.'

De mens tikte met drie vingers tegen zijn voorhoofd en keek langs Orison naar het woeden van de slag. 'Ik heb hier een stem vanbinnen. Die vertelt de hele tijd over jou en je dood en de Poel en het land. En over magie en demonen.'

'Ben je in de Poel geweest en heb je het opschrift gelezen?'

'Nee. Waarom had ik dat moeten doen?' De mens keek hem vragend aan.

Plotseling schrok Orison. 'Góúwl? Ben jij dat daar binnen, onverbeterlijke schurk?'

De mens schudde zijn hoofd. 'Dat dacht de rode hond ook. Maar in mij is hoogstens een echo van Gouwl. De rest heb ik... doodgemaakt.'

'Ach nee, werkelijk! Nu zie ik het pas!' Orison deed twee stappen achteruit om de mens beter te kunnen bekijken. 'Je bent een magiër! Een mens én een magiër! Dat was nog niet eerder vertoond! Dat is geweldig, echt verrassend! En denk je dat je de strijd nog kunt keren, ja? Nou, ga het maar proberen! Ik zal je niet tegenhouden. Ik vind dat uitgesproken interessant.'

'Ik wil niet meer vechten.'

'Maar waarom ben je hier dan?'

'Ik ga jou doden. Het zal geen gevecht zijn. Het zal... eindelijk de stemmen het zwijgen opleggen.'

'Welke stemmen dan, behalve die van Gouwl?'

'Alle. Van iedereen die gestorven is. In mij brult een Demonenpoel.'

'Ik begrijp wat je probeert te zeggen, mijn ongewone vriend. Maar je hebt de waarheid zelf al onder woorden gebracht. Wat je daar hoort is alleen maar een echo. Een nagalm van hen die geleefd hebben.'

'Dat maakt mij niet uit. Het klinkt luid. En het moet ophouden.'

Orison kreeg ineens een heel eigenaardig gevoel. Hij voelde zich bedreigd. Van dit ene mensenmannetje ging een grotere dreiging uit dan van koning Turer en zijn heerscharen van insectendemonen. Is dat angst wat ik daar voel, vroeg Orison zich af. Maar hoe is dat mogelijk? Dat is toch echt... buitengewoon! Een huivering doorvoer zijn lichaam, een huivering die tegelijk heerlijk en verschrikkelijk was.

'Hoe heet je?' vroeg hij aan de mens. 'Ik zou het jammer vinden je te moeten doden zonder nader kennis te hebben gemaakt.'

'Ik weet... mijn naam niet meer. Soms... vergeet ik dingen. Als het lawaai zo erg is als hier.'

'Ik begrijp het. Ik begrijp je goed. Kom, laten we hiervandaan gaan. Laten we wat praten. Je zou een ereplaats in mijn nieuwe tuin kunnen innemen. Heer over mensen en dieren zijn.'

'Je hebt daar iemand gedood. Ik kan het nog altijd horen.'

'Waar heb je het over?'

'Daar. Op het slagveld van gisteren.'

'Ik heb gisteren velen gedood...'

'Een vrouw.'

'Er waren veel vrouwen onder de soldaten...'

'Een heel bepaalde vrouw.'

'De koningin?'

'Nee. Een vrouw met één hand.'

'De ridder?'

'Ik mocht haar graag. Ze heeft me herhaaldelijk... het leven gered.'

'Wat dóé je daar?'

Orison voelde dat in de mens een energie werd opgebouwd, een energie die het strijdrumoer in iets nieuws, iets met scherpe hoeken leek te kunnen veranderen.

Opnieuw doorvoer hem een huivering. Maar deze was veel onaangenamer dan de vorige: het was de doodsangst die alle schepsels kenden, maar die Orison, de demonenkoning, al duizenden jaren vergeten was.

Dat gevoel was duizelingwekkend ook in zijn reikwijdte, want Orison wist helemaal niet precies waar hij eigenlijk bang voor was. Het scheen hem plotseling toe of heel Orison op het spel stond, niet alleen het wezen Orison, maar ook het land.

Hij hief een hand op ten afweer, om de steeds verder in iets onbekends wroetende mens weg te slingeren, weg uit zijn directe omgeving, zonder hem te doden, alleen maar om weer rust te brengen in een situatie die op het punt stond uit de hand te lopen.

Maar Minten Liago deed iets heel anders dan Orison had verwacht.

Hij viel niet aan.

Hij weerde ook niet af, noch ontweek hij Orisons beweging.

Hij nam Orisons kleine aanval en brak hem open.

Orisons bijna zachte afweergebaar werd groter en zwaarder. Als bij een reuzendier met opengebroken kaken stroomden bloed en speeksel en geschreeuw steeds verder, steeds overvloediger. Kou werd aan de omgeving onttrokken en bijeengebracht. Sneeuw begon te beven.

Orisons ordenende handen gleden van zijn eigen ronddraaiende macht weg. Steeds meer slachten en dood en werveling en Poel boorden zich bij hem naar binnen, werden door Minten versterkt, in stand gehouden, teruggeworpen, opgeblazen. Levenskracht klonterde, steigerde, paarde, vermeerderde zich, kookte over. Een kern van gedraaid licht werd feller en feller.

Orison schreeuwde. Hij kon zichzelf niet meer in de hand houden.

De kern smolt extatisch.

Orison explodeerde.

Het hele land Orison explodeerde.

De twee legers, in elkaar verklonken als logge worstelaars: tot as vergaan.

Minten Liago: verpulverd tot nog minder dan as.

Lehenna Kresterfell, die net met haar twee kinderen praatte.

Marna Benesand, die dorstig water uit een zak dronk.

De coördinatoren, die zich bij de gewonden hadden verstopt.

De gewonden. De paarden. De rijgemzen.

As.

De staafdunne demonengeneraal, die samen met zijn soldaten op de bewegingen van de strijd uiteenrafelde en daarna tot fijne, zoutige adem verviel.

Burchten verwaaiden, veranderden in schaduwen.

Rivieren, ijs en sneeuw verdampten tot mist.

Bergen barstten en trokken wolken met zich mee.

De aarde brak open in draaikolken en slingerde stof tot hoog in de gezichten van de lichtende hemelsteden.

Alleen een paar burchten en steden bleven staan, omdat ze in de beschutting van de Brokkelige Bergen of het Witercarzgebergte lagen. Aztreb en Icrivavez en zelfs de ingang van de Demonenpoel werden door de Brokkelige Bergen beschermd. Witercarz, Tjetdrias, Cerru, Kirred, de Hoofdburcht en de Buitenburcht van het Vijfde Baronaat bleven staan omdat het Witercarzgebergte ze kreunend en zichzelf daarbij opofferend dekking bood. Maar ook in deze steden en burchten was geen teken van leven meer, want al die plaatsen waren door de demonen in het verloop van de oorlog ingenomen, verwoest en daarna weer verlaten.

Duisternis steeg op, omvatte alles en duurde zeventien dagen.

Daarna viel de duisternis als neerslag, werd door stenen en leem opgezogen en was verdwenen.

Er heerste stilte.

Geen enkele vogel zong.

De hemel was dof als iets blinds.

De Laagvlakte van Zegwicu, een goede plek om definitieve beslissingen te treffen, koelde af.

Waar daarvoor het in negenen gedeelde land Orison was geweest, lag alleen nog een winterse woestenij.